D1467203

UN

HOMME D'ÉTAT RUSSE

(NICOLAS MILUTINE)

UN

HOMME D'ÉTAT RUSSE

(NICOLAS MILUTINE)

D'APRÈS SA CORRESPONDANCE INÉDITE

ÉTUDE

SUR LA RUSSIE ET LA POLOGNE

PENDANT LE RÈGNE D'ALEXANDRE II

(1855-1872)

PAR

ANATOLE LEROY-BEAULIEU

ACADEMIC INTERNATIONAL / orbis academicus
1969

THE RUSSIAN SERIES / Volume 14

Anatole Leroy - Beaulieu

UN HOMME D'ETAT RUSSE (NICOLAS MILIUTINE) D'APRES
SA CORRESPONDANCE INEDITE. ETUDE SUR LA RUSSIE ET
LA POLOGNE PEDANT LE REGNE D'ALEXANDRE II
(1855 - 1872)

Reprinted from the 1884 Paris edition

Library of Congress Catalog Card Number: 70-98132

SBN 87569 - 010 - 6

Printed in the United States of America

Academic International / orbis academicus
Box 666 Hattiesburg, Mississippi 39401

PRÉFACE

Au mois d'octobre 1880, je reçus d'Angleterre, par la poste, un manuscrit anonyme en fort bon français que l'on me priait de transmettre à la *Revue des Deux-Mondes*. Ce travail avait pour titre : *Le sort des hommes d'État russes :* il s'y rencontrait quelques fragments de lettres qui éveillèrent ma curiosité. Malgré cela, je vis, dès les premières pages, que ce n'était pas un article pour une revue française ; je ne le dissimulai pas à mon correspondant inconnu, ajoutant toutefois que les documents, qui paraissaient en sa possession, pourraient peut-être servir de base à une étude d'une réelle portée.

Cette idée fut chaudement accueillie. Peu de semaines après, on m'envoyait comme échantillons quelques lettres de Nicolas Milutine dont je pouvais faire constater l'authenticité par des amis du défunt ministre. Cette correspondance, bientôt grossie de nombreuses lettres de la grand-duchesse Hélène, du prince Tcherkassky, de G. Samarine et d'autres personnages marquants de la Russie contemporaine, roulait principalement sur les deux événements les plus considérables du règne d'Alexandre II avant la guerre de Bulgarie, sur l'émancipation des serfs et sur les affaires de Pologne depuis l'insurrection de 1863.

A part la lumière inattendue qu'elle projetait sur deux questions, encore environnées de tant d'ombres, et sur les grandes lois agraires de Russie et de Pologne, la correspondance de Milutine et de ses amis avait pour moi l'avantage d'éclairer d'un jour soudain les recoins les plus obscurs de l'administration impériale et, pour ainsi dire, le fond même du gouvernement autocratique.

Ces lettres, toutes politiques, mais d'un caractère privé et souvent confidentiel, m'apportaient le plus sûr contrôle de mes patientes études sur le gouvernement et sur la société russes. Je ne crois pas en vérité que dans cet État, où la publicité tient encore si peu de place, on ait, depuis les révélations de la *Cloche* de Herzen, rien publié d'un aussi vivant intérêt, historique et politique[1].

Aux lettres et aux documents divers, que j'avais déjà communiqués à la *Revue des Deux-Mondes* en 1880 et 1881, j'ai ajouté ici des pièces et des renseignements nouveaux. En outre, la mort de l'empereur Alexandre II, celle du prince Gortchakof et de la plupart des hauts personnages dont il est ici question, m'ont décidé à rétablir le plus grand nombre des noms que j'avais, dans la *Revue*, laissés en blanc ou indiqués par de simples initiales. Cette précaution ne voilait rien à la curiosité des personnes au courant de la politique impériale, et, pour les autres, elle avait l'inconvénient de prêter à des confusions que j'ai cru préférable d'éviter.

1. Je dois dire que je n'ai pas eu entre les mains les originaux de toutes les lettres, russes ou françaises, mises à contribution dans ce volume. J'ai dû parfois me contenter de copies dont la provenance garantissait du reste l'exactitude, sauf peut-être quelques distractions du copiste. Il est même à craindre qu'une partie des originaux ne soit perdue. Ils avaient, en 1878, été déposés à Pétersbourg dans une cassette, chez l'un des parents de N. Milutine, et depuis lors cette cassette ne se serait pas retrouvée.

Je suis heureux de constater ici que cette publication, sans précédent peut-être en Russie, n'a soulevé aucune protestation. C'est à la fois la preuve de la véracité des documents dont je me suis servi et de la réserve avec laquelle j'en ai usé. Je dois dire, du reste, qu'ils ne m'avaient été confiés qu'à cette condition. Si le gouvernement impérial a jugé bon d'interdire la circulation de *Un Homme d'État russe,* c'est à une époque où les plus bienveillantes de mes études sur l'*Empire des tsars* étaient impitoyablement victimes du *caviar* ou des ciseaux de la censure.

J'ai connu, en Russie ou ailleurs, beaucoup des hommes dont les noms et les lettres reviennent dans ce volume. Je n'ai malheureusement jamais rencontré celui qui sert de centre à ce récit, Nicolas Milutine. Il est mort à Moscou, en janvier 1872, quelques semaines avant mon premier voyage en Russie. Par contre j'ai vu, et à Moscou et à Paris, les deux illustres amis dont la mémoire est inséparable de la sienne, le prince Tcherkassky et G. Samarine. Le souvenir de leurs traits et de leurs entretiens m'est demeuré présent; il animait pour moi les feuilles déjà jaunies de leur correspondance; les pages de ce volume en gardent encore la marque vivante.

Une grande partie de ce livre est consacrée aux affaires de Pologne. Mes documents inédits (les seuls dont j'aie voulu faire usage ici) étant d'origine russe, c'est naturellement le point de vue russe, qui apparaît d'ordinaire dans ce récit. Le lecteur ne doit pas s'en plaindre, car, en France et dans tout l'Occident, les vues russes restent, à cet égard, beaucoup moins connues que les vues polonaises. Russes et Polonais trouveront d'ailleurs ici des renseignements authentiques, exposés avec une impartialité entière. Cela m'était d'autant plus facile que je compte des amis parmi les deux peuples, et que tous deux, à mes yeux, ont un égal intérêt

à se rapprocher et à s'entendre. C'est là, chez moi, une
conviction qui s'est affermie d'année en année : les lecteurs
en retrouveront parfois l'expression dans ce volume, de
même que dans les pages où j'ai pu exposer à loisir mes
sentiments personnels sur cette vieille et toujours brûlante
question polonaise[1].

La vie a de bizarres surprises. Il fut un temps où j'aurais
été singulièrement étonné, si l'on m'eût prédit qu'un jour
je serais le biographe et en quelque sorte l'éditeur de Milutine et de Tcherkassky. L'insurrection de Pologne,
en 1863, a été l'un des événements qui ont le plus ému ma
jeunesse. Ignorant des éloquentes invectives de Pouchkine[2],
je l'ai chantée en vers à vingt ans, car je faisais alors des
vers, et, en vrai jeune homme et en vrai Français, je chantais
tous les peuples opprimés du Nord au Midi, de l'Orient à
l'Occident, et la Pologne et Venise, encore captive de l'Autriche, et les Hongrois et les Grecs. Les strophes juvéniles,
qu'à deux reprises, je consacrais à la Pologne, ont été imprimées, en 1865, à un petit nombre d'exemplaires avec
d'autres fantaisies poétiques de la même époque. Je n'ai
aucun intérêt à les renier ni à les cacher; si les vers en
sont médiocres et la rime souvent faible, l'inspiration
en était noble et sincère. Il n'y a rien là dont je doive
rougir. Ces vers de vingt ans, aucun de mes amis n'a besoin
de me les rappeler, comme si depuis, dans mes excursions
en terres russes, je les eusse oubliés ou démentis. En
réalité, jamais sur ce point il n'y a eu de ma part ni pali-
nodie ni contradiction. Ces vers ne prouvent qu'une chose :

1. Voyez notamment l'*Empire des tsars et les Russes*, t. I, 2ᵉ édit.
liv. II. chap. v.
2. AUX CALOMINATEURS DE LA RUSSIE :

    O tehem choumité vy narodngé vitii? etc.

mon vieil intérêt pour la Pologne; ils montrent que si je
me permets de conseiller aux Polonais la résignation et la
conciliation, ce n'est pas par indifférence pour leur pays.
En 1863 et 1864 je faisais de la poésie et du sentiment;
aujourd'hui, dans ce volume, je fais de l'histoire et de la
politique. C'est là toute la différence, et alors même que
je pleurais les infortunes de la Pologne, je ne gardais guère
d'illusion sur ses chances de résurrection politique. On en
peut juger par les fragments suivants dont les premières
strophes étaient inspirées des vers de Byron sur la Grèce
insurgée, vers imités eux-mêmes de la ballade de *Mignon*
de Gœthe.

LA POLOGNE (1863)

> Know ye the land where the cypress and myrtle
> Are emblems of deeds that are done in their clime?
>   Byron : *Fiancée d'Abydos*

Connaissez-vous la terre où sous les pins des bois
Les hommes sont traqués comme des loups sauvages,
Où les plus fortunés sont chassés de leurs toits
    Vers de lointains rivages?

Où la veuve aux regards déguise ses douleurs,
Où l'on suit les cercueils en gais habits de fête,
Où l'enfant orphelin n'ose verser des pleurs
    Sans se cacher la tête[1]?

Où la mère à ses fils, pour première leçon,

---

1. Allusion à l'interdiction des vêtements de deuil dont les Polonais avaient fait une manifestation.

Enseigne la vengeance au lieu de la prière,
Et le soir en secret berce son nourrisson
    Avec des chants de guerre?

Où la vierge au poignard ne craint pas d'applaudir ;
Où chaque fiancée a vu du sang en rêve ;
Où l'on pleure en baisant les fils qu'on voit grandir
    Pour la corde ou le glaive?

De vingt ans en vingt ans, ainsi que nos forêts,
Les générations par le fer sont coupées ;
Mais du sol généreux, dont le sang est l'engrais,
    Repoussent des épées.

L'Europe, avant trente ans, dans un suprême effort,
Verra se redresser la Pologne asservie
Et ses membres saignants, raidis contre la mort,
    Se reprendre à la vie.

Laisserons-nous toujours ce peuple de douleurs
Mendier un asile à notre indifférence,
Et chez nous promener ses éternels malheurs
    Et sa folle espérance?

O peuple au dur espoir, peuple au long souvenir,
Spectre de nation, revenant de l'histoire,
Où tes fils ont-ils lu dans le noir avenir
    Un signe de victoire?

Pologne, par trois fois morte en moins de cent ans,
Comme un serpent coupé dont chaque anneau s'agite,
Tu cherches à souder les tronçons irritants
    Où ton âme palpite.

Fantôme, qui ne peux ni vivre ni mourir,
Ne sauras-tu jamais goûter la paix des tombes?
Combien, pour achever de te faire périr,
    Faudra-t-il d'hécatombes?

. . . .

ENCORE LA POLOGNE (1864)

« Pourquoi venir en vain exciter nos remords?
« Pourquoi ne pas laisser en paix dormir les morts
    « Sans nous lasser de leur mémoire? —
« La Pologne est domptée, et ce peuple obstiné
« Soumis : voilà six mois que tout est terminé!
    — « A quoi bon cette vieille histoire? »

— Vingt semaines plus tôt, les peuples et les rois,
Et le monde frivole et l'ignorant bourgeois
    Tournaient les yeux vers Varsovie :
Quel salon aujourd'hui des vaincus s'entretient?
Qui de nous songe aux morts? — quel peuple se souvient
    De la nation asservie?

C'était, aux premiers mois, un spectacle émouvant :
Le monde en curieux à ce drame vivant
    Chaque soir se pressait en foule;
Sur la scène sanglante ont péri les acteurs,
Et, vers d'autres plaisirs, des oisifs spectateurs
    Le flot distraitement s'écoule.

Quand, avec le printemps, pour la première fois,
Les bandes par essaims surgissaient dans les bois,
    Faisant partout courir leur ombre,
Paris leur prodiguait ses bravos puérils;
L'Europe interrogeait : Combien, combien sont-ils? »
    — Et tous de calculer leur nombre :

« Voyez, ils quittent tout pour chasser l'aigle noir[1],

1. L'aigle noire à deux têtes des armes de Russie, tandis que l'aigle polonaise est d'argent sur champ de gueules.

« Le moine son couvent, le seigneur son manoir ;
    « Déserte semble chaque ville :
« Hier, à peine cent, et dix mille aujourd'hui !
« Devant eux plusieurs fois le Moscovite a fui :
      — « Les insurgés sont bien cent mille ! »

Et chacun d'applaudir aux coups des combattants,
Et Paris demandait : « Encor combien de temps
    « Tiendra cette pauvre Pologne? »
Et Londres répondait : « Ils peuvent, dans leurs bois,
« Se défendre longtemps; — les Russes, dans six mois,
    « Auront encor de la besogne! »

Et l'été s'écoulait sans qu'on en vît la fin,
Et l'hiver sévissait, — et le froid et la faim
    Couchaient les braves dans la neige ;
Et Paris reprenait : « Combien en reste-t-il ?
« Combien en Sibérie et combien en exil?
      — « Les derniers! que Dieu les protège ! »

— « Voyez, nous l'avions dit : pouvaient-ils résister?
« Ils tombent par milliers ! — il n'en doit pas rester
    « Plus de dix — de cinq — de deux mille !
« Les fous de s'insurger ainsi contre le sort !
« Mieux valait se plier à la loi du plus fort :
      — « Enfin! la Pologne est tranquille ! »

— La Pologne est tranquille ! — et nul pays jamais
Ne jouit sous nos cieux de si profonde paix !
    — Nuls cris de joie ou de détresse
N'y fêtent le berceau, n'y pleurent le cercueil !
L'œil n'est point assombri de noirs habits de deuil :
    Ce peuple ignore la tristesse !

Les villes sont sans bruit, les églises sans voix ;
Tout repose, tout dort, tout se tait à la fois :
    On n'a d'autre signe de vie
Que les rauques hourras du Cosaque tatar,
Ou l'orchestre insultant de l'autocrate tsar
    Qui fait danser à Varsovie !

Qui ne frémit devant le sommeil du trépas,
Et près du lit d'un mort ne tremble et parle bas ?
  Qui peut voir d'une âme impassible
Sur la blancheur du drap un visage blafard,
Sans voix, sans mouvement, sans couleurs, sans regard,
  Toujours muet, roide, insensible?

Ainsi devant nos yeux repose dans la mort
La fière nation : — froide et pâle, elle dort
  Dans un pourpre linceul de gloire.
— Le deuil est terminé : les pleurs sont superflus ,
La Pologne est bien morte — et l'on n'en parle plus !
  — A quoi bon cette vieille histoire?

. . . .

En voilà trop de ces vers; je ne crois pas que, Russe ou Polonais, personne m'en puisse faire un reproche. Si quelqu'un était en droit de s'en plaindre, ce seraient, me semble-t-il, plutôt ceux dont je célébrais les infortunes; ce seraient les Polonais dont je représentais la patrie comme une morte au cercueil, comme une sorte de Lazare, attendant en vain le Dieu qui le devait tirer du sépulcre[1]. C'était là,

---

[1] O Dieu, quand viendras-tu montrer que devant toi
 L'impossible n'est pas? — Seigneur! Dieu des miracles!
 Ton bras prouvera-t-il à ces races sans foi
  Qu'il se rit des obstacles?

 Lazare était sans vie et tu disais : « Il dort; »
 Des vers, depuis trois jours, il était la pâture;
 Quel mortel eût tenté de reprendre à la mort
  Ce corps en pourriture?

 Mais toi, d'une voix haute et le regard aux cieux,
 Tu commandes; le mort à ton ordre se lève
 Et sous son long suaire il entr'ouvre les yeux,
  Comme au sortir d'un rêve.

en effet, une métaphore à tout le moins outrée. Si l'ancienne république de Pologne est morte, le peuple polonais
est loin de l'être. C'est qu'à l'encontre de vulgaires préjugés, il n'en est pas des peuples comme de l'individu. Ils
ont la vie singulièrement dure; les plus faibles, les plus
dénués sont malaisés à tuer. La Pologne en est la preuve.
Elle a été détruite depuis bientôt un siècle; — de la carte
de l'Europe a, de par les traités, été rayé tout État polonais; mais, s'ils peuvent supprimer un État, les con-
quêtes, les partages, les congrès ne sauraient supprimer un peuple. La nation survit à l'État, l'âme au
corps. Les peuples européens qui ont une histoire, une
langue, une littérature, ne sauraient entièrement périr.
Les cent dernières années ont, de la Grèce à l'Irlande,
de la Roumanie à la Bohême, montré quelle force vivace
et persistante est la nationalité. Il s'est révélé là, au
dix-neuvième siècle, une sorte de loi de l'histoire que
l'évolution démocratique des sociétés modernes ne fera que
confirmer, car la nationalité a ses racines au fond de la
conscience populaire. Quand, avec un impolitique entête-
ment, les Chambres françaises s'obstinaient, sous Louis-
Philippe, à répéter dans leur adresse au trône que « la
nationalité polonaise ne périrait pas, » elles proclamaient
ingénument une vérité aujourd'hui banale, une espèce de
truisme historique, un fait d'expérience avec lequel les
maîtres modernes de la Pologne doivent compter. La
Russie, en l'oubliant, serait d'autant moins prudente que
les deux empires voisins peuvent un jour avoir intérêt à
rouvrir la question polonaise; que le partage de 1815 n'a
en lui-même rien de plus rationnel ni de plus définitif que
les partages du dix-huitième siècle; que la Pologne enfin
et toutes les *Marches* russes de l'ouest, où les nationa-
lités s'enchevêtrent d'une manière presque inextricable,

restent, en dépit de leur longue incorporation à l'empire
des tsars, un domaine indécis dont les destinées ne semblent pas encore arrêtées et que le germanisme prussien
peut un jour disputer au slavisme russe.

Mai, 1884.

UN

HOMME D'ÉTAT RUSSE

D'APRÈS SA CORRESPONDANCE INÉDITE

CHAPITRE I

But de cet ouvrage. — Origine des Milutine. — Éducation et premières impressions de Nicolas Alexèiévitch. — La carrière bureaucratique sous Nicolas. — Réforme de la *douma* de Pétersbourg.
— Antipathie des hauts fonctionnaires pour N. Milutine. — Défiance de l'empereur Alexandre II à son égard. — État des esprits
au début du règne. — Influence bienfaisante de la grande-duchesse
Hélène. — Milutine adjoint du ministre de l'intérieur.

Dans nos longues études sur la Russie, nous avons
maintes fois été obligé de constater combien de tergi-
versations et d'atermoiements, combien d'inconsé-
quences et de contradictions avaient entravé les
effets des meilleures réformes. J'ai dû montrer que
de lacunes dans la législation, que d'abus dans l'administration provenaient de ce primordial défaut de

1

cohérence; à quel point il était responsable des
déceptions de la société ou des gouvernants, et par
suite, responsable des désordres et des angoisses des
dernières années[1]. Dans ce gouvernement autocratique qui de loin offre aux yeux le maximum de
concentration des pouvoirs, ce qui, sous Alexandre II,
a le plus manqué, ce qui, jusqu'à la fin du règne, a le
plus fait défaut, c'est l'unité dans les vues, dans la
direction, dans l'exécution.

C'est là une découverte, nous l'avouons humblement,
qui, pour notre part, n'a pas laissé que de nous surprendre : car, en abordant la terre de l'autocratie, nous
nous attendions à tout autre chose. Cette absence
d'harmonie et d'unité qui nous a partout frappé,
dans les lois et les institutions de l'empire, ressort
encore plus clairement de l'examen rétrospectif des
faits, de l'étude historique des actes du gouvernement
impérial. Rien à cet égard ne saurait être plus instructif
qu'un récit détaillé, nous montrant par le menu et
jour par jour de quelle façon s'élaborent les lois dans
un État absolu, nous faisant pour ainsi dire pénétrer,
derrière l'imposante devanture officielle, au fond du
bureau des ministres et comme dans les coulisses de
la vie politique, pour nous laisser voir au milieu de
quels conflits d'influences et de quel enchevêtrement
d'intrigues ont été enfantées les plus belles de ces
réformes qui, à leur naissance, ont fait la juste admiration du monde civilisé. De quelle valeur serait

1. Voyez *l'Empire des tsars et les Russes*, passim.

pour nous un pareil tableau représentant dans leur
cadre habituel, non sur la scène théâtrale de l'histoire, mais dans les proportions et dans la vérité de
la vie réelle, les principaux acteurs du grand règne
d'Alexandre II? Ne serait-ce pas là le naturel complément et le meilleur commentaire de toutes nos études
sur cet immense et énigmatique pays qui, par tant de
côtés, reste encore si obscur pour l'Europe et pour
lui-même?

C'est un tableau de ce genre, ou mieux, c'est un
coin de ce vaste tableau, mais non le moins curieux,
que nous prétendons esquisser ici. Cela, nous le
ferons à l'aide de notes et de souvenirs puisés à des
sources sûres, à l'aide de documents originaux et de
lettres authentiques que des circonstances, indifférentes au lecteur, ont fait passer par nos mains et
dont nous croyons pouvoir nous servir sans trom-
per la confiance de personnes amies. Une pareille
étude d'histoire contemporaine, alors que les héros en
sont encore vivants ou sont morts d'hier, est naturellement chose délicate : je me garderai de l'oublier.
Des documents tombés sous mes yeux j'userai avec
réserve, d'une main discrète dans son apparente
indiscrétion même. Je raconterai les anecdotes, je
traduirai et citerai certaines lettres, mais en sup-
primant toujours ce qui pourrait être blessant pour les
personnes. Dans ce travail tout historique, tout objectif,
étranger à tout esprit de coterie et de polémique,
les personnes doivent rester hors de cause; ce qui
nous intéresse, ce que nous voulons peindre et montrer,

c'est le pays, c'est l'époque des grandes réformes, c'est
le système et le régime.

A cette étude rétrospective d'un passé si récent
encore je donnerai la forme d'une biographie ; grâce
aux lettres et aux souvenirs en ma possession, je pourrais presque dire d'une autobiographie. Le héros
est une des plus hautes et plus caractéristiques figures
de la Russie contemporaine, l'un des hommes du
dernier règne, dont l'influence a pénétré le plus avant
dans la nation ; celui de tous, par contre, qui, encore
aujourd'hui, passionne le plus ses compatriotes,
excite le plus d'admirations et de colères. Je veux
parler de Nicolas Alexèiévitch Milutine, dont le nom
reste indissolublement lié aux plus nobles réformes
de la Russie et aux navrantes affaires de Pologne.

Mort à Moscou en 1872, à peine âgé d'une cinquantaine d'années et déjà paralysé et retiré des affaires,
N. Milutine a longtemps été signalé à l'étranger
comme le plus pur représentant du *tchinovnisme* et
le chef incontesté du parti national et démocratique[1].
Je n'ai pas besoin de rappeler ce qu'en Russie ont
d'équivoque ou de conventionnel toutes les dénomi-
nations et classifications de ce genre. Ce qui est certain,
c'est que Milutine pourrait personnifier quelques-unes
des tendances les plus marquées ou des aspirations les
plus fréquentes de l'esprit russe contemporain. Une

1. Voyez, par exemple, *Aus der Petersburger Gesellschaft von ei-
nem Russen*, ouvrage traduit en français sous ce titre : *la Société
russe par un Russe* (1878).

chose le distinguait avant tout : son amour du peuple
et sa haine des privilèges. C'est pour les masses, si
longtemps opprimées, qu'il voulait travailler, gouverner, légiférer. Or, nous avons dû plusieurs fois le
remarquer [1], si, entre les multiples réformes du règne
d'Alexandre II, il y a, en dépit même de leur incohérence, un trait commun qui en fasse l'unité, c'est
que, grandes et petites, toutes tendent plus ou moins
directement à l'abolition des privilèges du rang, de la
naissance ou de la fortune, au renversement de toutes
les barrières de castes ou de classes. Nicolas Milutine a été l'un des plus ardents inspirateurs de cet
esprit d'égalité qui, sur un sol raviné par le servage
et hérissé de privilèges, s'appliquait à effacer toutes
les aspérités sociales. Chez un peuple où les inégalités et les iniquités de toute sorte s'étaient, en
dépit du vieux fonds démocratique, enracinées dans
les mœurs, cela seul eût suffi pour que Milutine et
ses amis fussent taxés de rouges, de niveleurs, de
révolutionnaires. En France, avant 1789, il n'en a
pas fallu tant pour que, dans la cour et les salons,
on traitât de même les hommes tels que Turgot, qui,
pour prévenir la révolution, tentaient de la devancer
et de la rendre inutile.

Le nom de Milutine, doublement illustré sous
Alexandre II, avait peu de notoriété avant notre
époque. Tout son éclat lui vient des deux frères
Nicolas et Dmitri, qui, l'un au service civil, l'autre

1. Voyez *l'Empire des tsars et les Russes*, t. I, liv. V, ch. I.

au service militaire, se sont tous deux élevés au
premier rang. Si, comme les annuaires russes en
font foi, les relations de famille et les protections de
cour sont toujours en Russie la meilleure clef de la
fortune, le mérite peut aussi monter parfois aux plus
hauts échelons de la hiérarchie bureaucratique, sans
être, comme chez nous avant la Révolution, arrêté au
sommet par l'inique barrière des préjugés. Les
deux Milutine ont ainsi pu attacher leur nom, jusque-là obscur, aux plus grandes mesures du règne
d'Alexandre II. C'est le frère de Nicolas Alexèiévitch,
le général Dmitri Milutine, ministre de la guerre durant
une vingtaine d'années, qui a étendu à tous les Russes,
sans distinction de classes ou de fortune, l'obligation
du service militaire, accomplissant ainsi dans l'armée
une réforme analogue à celles suggérées par son frère
dans le domaine civil.

Pour être étranger à la haute aristocratie, à la *znat*,
N. Milutine n'en appartenait pas moins par sa naissance à la noblesse, ou à ce qu'on désigne de ce nom
en Russie, au *dvorianstvo*. On l'a souvent représenté
comme d'extraction bourgeoise, marchande ; c'est là
une erreur qu'il serait puéril de relever, si l'on
n'avait parfois fait de cette origine plébéienne la
cause secrète de son antipathie pour les privilèges, le
principe de ce qu'on appelait sa haine pour la noblesse. En réalité, comme tous les hommes civilisés
de leur génération, comme aujourd'hui encore la
plupart des démocrates ou des « nihilistes » de leur
pays, les Milutine sortaient de la noblesse, fort nom-

breuse et mêlée comme on le sait, et par là même
moins que partout ailleurs portée aux préjugés de
caste ou de naissance. La vérité est que la famille
des Milutine est déjà ancienne. Comme tant des plus
illustres maisons russes, elle provient de l'étranger,
non point de l'Occident latin ou germanique, mais
bien d'une terre slave étroitement apparentée à la
Russie, et peut-être cette origine a-t-elle été pour
quelque chose dans les tendances ou les sympathies
de Nicolas Alexèiévitch. C'est de Serbie, un pays à
mœurs démocratiques, où, de même qu'en Biscaye,
tous les hommes libres se considèrent comme nobles,
que les Milutine font sortir leur famille. Dans cette
primitive patrie, ils avaient eu la plus grande gloire
qu'on puisse rêver en une contrée patriarcale, ils
avaient, nous assure-t-on, donné à la Serbie un saint
du nom de Stéphane Milutinovitch. C'est vers la fin
du dix-septième siècle que paraît remonter leur éta-
blissement en Russie. Pierre le Grand, qui se plaisait
à envoyer des jeunes gens s'instruire à l'étranger,
chargea un jeune Milutine d'aller à Lyon et en Italie
étudier les manufactures de soieries. A son retour,
le voyageur fut autorisé à élever une fabrique de ce
genre, la première, semble-t-il, érigée en Russie. De
là sans doute, dans le public, l'opinion que les Milutine étaient d'origine marchande. Le contemporain de
Pierre le Grand fit de bonnes affaires et laissa une
fortune considérable. Ses descendants, outre des terres
à la campagne, possédaient de nombreuses maisons
dans les deux capitales. Une rue de Moscou porte

encore, si je ne me trompe, le nom de Milutine; et
le même nom avait été donné à une rangée de bou-
tiques de la perspective Nevski (*Milutinye Lavki*).

Sous la nièce de Pierre le Grand, Anna Ivanovna,
un Milutine fut appelé à une charge de cour dont le
titre, bizarre pour nous, s'explique par le climat; il
fut nommé *istopnik*, c'est-à-dire chauffeur de poêle.
Cette dignité tout honorifique, comme ailleurs les
charges d'échanson ou de maître de la garde-robe,
donnait aux titulaires libre accès auprès de la personne
du souverain. Quoi qu'il en soit de ces origines,
Nicolas Milutine, dont des esprits, enclins à voir partout des mobiles bas, ont attribué la politique à une
jalousie de parvenu, se rattachait à la haute noblesse
titrée par des alliances avec plusieurs des meilleures
familles de l'empire. Nicolas et Dmitri Alexèiévitch
descendaient par les femmes des comtes Kisselef et
des princes Ouroussof. Dans ce pays où, grâce aux
mœurs de cour, la protection et le népotisme ont
d'habitude tant d'empire, cette proche parenté avec
les Kisselef semble cependant avoir eu peu d'influence
sur la carrière des deux frères.

Au moment où vinrent au monde les enfants qui
devaient illustrer le vieux nom serbe, la fortune de
leur famille, mal administrée depuis longtemps, était
déjà bien réduite. Les Milutine possédaient cependant
encore une terre et des serfs. Comme beaucoup de
propriétaires endettés, ils continuaient à mener un
certain train, et c'est dans sa famille, durant son
adolescence, par le spectacle même qu'il avait sous

les yeux, que Nicolas Alexèiévitch conçut la première
idée de l'émancipation des paysans. Il le disait lui-
même quelques semaines avant sa mort, un jour où
il éprouvait un de ces mieux trompeurs qui, dans les
maladies mortelles, sont souvent un des signes précur-
seurs de la fin. A l'un des nombreux visiteurs qui, à
Moscou, se pressaient autour de son fauteuil de para-
lytique, il racontait, au commencement de 1872, comment, pour la première fois, il avait songé à l'émancipation des serfs. On était au mois de janvier, et ce
jour-là il gelait très fort. Comme il arrive souvent, on
parla du temps : « Ce froid, dit Milutine, me rappelle
un incident de ma jeunesse, insignifiant en lui-même,
mais qui dans ma mémoire a laissé une impression
ineffaçable[1]. Je venais d'avoir seize ans; pour la
première fois je portais un habit, et l'on m'avait permis d'aller à une matinée dansante de l'assemblée de
la noblesse; c'était un samedi de carnaval. Dehors il
faisait très froid, vingt-cinq degrés (Réaumur), mais,
dans mon traîneau et ma chaude pelisse, je ne son-
geais pas au froid. A l'heure indiquée, j'étais au bal;
je dansai jusqu'à six heures, et de là j'allai dîner dans
une famille de ma connaissance avec une personne
pour qui j'avais une passion d'adolescent. Après le
dîner, nous imaginâmes de danser de nouveau en petit

---

1. Ce récit se rencontre dans une brochure publiée à Moscou en
1875, sous ce titre : *N.-A. Milutine, Nekrologi*. L'exactitude nous en
a été confirmée; mais peut-être a-t-on exagéré l'importance de cet incident en le représentant comme ayant eu seul (à l'exclusion d'autres
faits du même genre) une influence décisive sur Milutine.

cercle, puis vint le souper. Quand je regagnai la maison, il était trois ou quatre heures du matin. Le lendemain, naturellement, je me levai tard, et lorsque je
descendis, mon père et ma mère étaient à déjeuner.
Ils me demandèrent ce que la veille j'avais fait de mon
cocher; je ne m'en étais pas occupé. Ma mère me
représenta avec vivacité toute la cruauté de ma conduite envers ce pauvre homme, que, par la plus forte
gelée, j'avais tenu quinze heures sur son siège. Il faut
croire qu'en me dépeignant ainsi, sans en avoir conscience, tout le sombre côté de ce lien servile qui
faisait dépendre un homme du caprice d'un écervelé
de seize ans, ma mère fut éloquente, car elle me fit
une impression profonde. Depuis cette heure, j'ai commencé dans ma jeune tête à rêver de l'émancipation,
et cette pensée ne m'a plus quitté. Du reste, continuait
Milutine, ma légèreté d'enfant n'a eu, grâce à Dieu,
aucune suite fâcheuse pour notre pauvre cocher. Il
m'a fait une visite ces derniers temps, et, quoique de
beaucoup mon aîné par l'âge, ajoutait avec un triste
sourire Nicolas Alexèiévitch en regardant son bras
droit paralysé, auprès de moi, il semble aujourd'hui
un jeune homme. »

On voit l'influence que, à cette époque de la vie où
se forment les idées, peuvent avoir sur une âme noble
les leçons de la famille et des événements en apparence
sans importance. Milutine demeura toute sa vie sous
cette première impression. Ce qui le distinguait de la
plupart des démocrates de principe ou de tempérament, c'est que chez lui, loin d'être le fruit d'une théo-

rie ou d'une doctrine abstraite, l'amour du peuple
partait autant du cœur de l'homme que de l'esprit de
système ou des calculs du politique. Milutine avait à
cet égard une chaleur communicative et une foi convaincue qui lui donnaient un naturel ascendant sur autrui. L'affranchissement du peuple était pour lui comme
une secrète vocation à laquelle toute sa vie il resta
passionnément dévoué.

Peu de temps après ce joyeux carnaval de Moscou,
le futur homme d'État, à peine âgé de dix-sept ans,
perdait sa mère, et cette mort mettait à nu la ruine de
la famille. Comme il arrivait souvent alors, on avait
jusqu'à la dernière heure vécu largement à Moscou et
à la campagne. L'un des défauts du servage était de faire
illusion aux propriétaires obérés, de leur masquer longtemps leur propre ruine. Il fallut vendre à l'encan le
bien patrimonial situé dans le gouvernement de
Toula. Élevé dans une trompeuse aisance, le jeune
Nicolas Alexèiévitch, tout à coup sans fortune, dut
subvenir à sa propre existence et à celle de son père
On était au milieu du règne de Nicolas, vers 1840;
grâce à son oncle maternel, le comte Kisselef, alors
ministre des domaines, Milutine entra avant vingt
ans au ministère de l'intérieur, où il devait faire toute
sa carrière, échelon par échelon, grade par grade,
selon la hiérarchie du *tableau des rangs*. Cette carrière de *tchinovnik* fut toute renfermée dans les
chancelleries et les bureaux des ministères; à nos
yeux cela lui donne un intérêt de plus. On voit par
cet exemple combien les conditions de la vie poli-

tique, ou pour mieux dire de la vie publique, diffèrent en Russie de ce qu'elles sont chez nous et
dans la plupart des pays de l'Occident. C'est dans le
silence du cabinet, et dans l'épaisse atmosphère des
lourds édifices de Pétersbourg que s'écoula toute
la jeunesse de Milutine, sans autre témoin que
l'œil de ses chefs, sans autre événement que les pro-
motions du ministère. Dans cet obscur monde du
tchinovnisme, où un esprit de discipline presque
militaire éteint trop souvent toute personnalité, où
les traditions bureaucratiques et le formalisme officiel engendrent trop fréquemment une routine favorable au triomphe de la médiocrité, Nicolas Alexèiévitch devait, en dehors d'une capacité de travail peu
commune, se distinguer par deux qualités plus rares
et plus dangereuses en Russie que partout ailleurs,
par l'esprit d'initiative et par la trempe du caractère.
En ce milieu où l'on parvient d'ordinaire par la flexibilité des manières, par l'élasticité des principes et
l'indécision des vues, où la première condition de la
fortune est moins l'intelligence des choses ou l'expérience des affaires que la connaissance des personnes
et l'entente des intérêts particuliers, Milutine apportait, avec un esprit d'une singulière netteté, un
cœur résolu, une énergie patiente que rien ne re-
butait, des convictions arrêtées et une inébranlable
fidélité à ses principes. Ces qualités, peu ordinaires
dans un monde gouverné par la souplesse et l'intrigue, lui ont valu ses succès et ses déboires; elles
lui devaient attirer toutes les difficultés, toutes les

inimitiés et les luttes qui ont donné quelque chose de dramatique et parfois presque de tragique aux péripéties ignorées de cette carrière bureaucratique, aux ingrats et monotones combats soutenus dans l'ombre des chancelleries pétersbourgeoises.

Les débuts de la carrière de Nicolas Alexèiévitch avaient été heureux et rapides. A peine entré au ministère de l'intérieur, le jeune Milutine était distingué par le ministre d'alors, le comte Strogonof, qui vingt ans plus tard se plaisait à lui rappeler « qu'il avait été le premier à découvrir sa valeur ». Strogonof avait un jour été frappé d'un mémoire sur les disettes, sujet pour la Russie d'une actualité toujours persistante. Il voulut faire la connaissance de l'auteur : c'était Milutine, alors âgé de vingt-deux ans. Plus tard, Nicolas Alexèiévitch racontait en riant qu'en se voyant ainsi subitement mandé dans le cabinet du ministre, il craignait d'avoir commis quelque crime involontaire et se préparait au voyage de Sibérie. Le comte Strogonof eut peine à croire qu'un si jeune homme fût l'auteur d'un mémoire d'une telle maturité ; pour éprouver la précoce capacité de ce nouvel employé, il lui fit faire, dans son propre cabinet, un travail sur les premiers projets de chemin de fer dans l'empire. Il va sans dire que l'épreuve tourna au profit du jeune Milutine.

Sous le comte Pérovsky, successeur de Strogonof, Milutine sut également mériter la confiance de son chef. A vingt-huit ans, en 1846, il préludait à ses

grands travaux législatifs par une des rares réformes accomplies sous Nicolas, celle de la *douma*, ou
municipalité de la capitale. Il avait déjà la haute main
dans le *département économique (khoziaïstvenny
departament)* et, grâce à lui, le ministère de l'intérieur devint bientôt la terreur de tous les propriétaires enclins à abuser de leur autorité sur les paysans.
A en croire les mauvaises langues, Pérovsky, dénué
de tout talent oratoire, recourait au procédé de certain personnage de *Gil Blas :* il chargeait son jeune
subordonné de lui composer des discours qu'il réci-
tait ensuite au Conseil de l'empire ou ailleurs, si bien
qu'il finit par se faire ainsi une réputation d'intelligence et de hardiesse.

C'est sous ce ministre, en 1847, que fut formé par
l'empereur le premier *comité secret* pour améliorer
la condition des serfs. Malgré le bon vouloir du souverain et du ministre, les travaux de ce comité n'a-
boutirent à rien. La sourde opposition des hauts fonctionnaires, secondée à point par l'explosion soudaine
de la révolution de 1848, triompha de toutes les velléités émancipatrices de Nicolas. Depuis cette époque,
Milutine eut en aversion tous ces comités secrets qui,
n'étant pas soutenus par l'opinion publique, n'osent
rien entreprendre contre les influences de cour. Aussi
lorsque, après la guerre de Crimée, l'heure de l'émancipation vint enfin à sonner, fit-il tous ses efforts
pour donner aux travaux préparatoires le plus de
publicité possible; il sentait que c'était le meilleur
moyen de lier le gouvernement et, en cas d'hésitation,

de lui couper toute retraite. C'est pour cela que, sous Alexandre II, il n'épargna rien pour engager publiquement l'autorité, pour la compromettre même, si l'on veut, et lui interdire tout recul[1].

En rapports moins bienveillants avec le successeur de Pérovsky, M. Bibikof, Nicolas Alexèiévitch se retrouva bientôt en intime liaison et en habituelle conformité d'opinion avec M. Lanskoï, appelé au ministère en 1855, lors de l'avènement de l'empereur Alexandre II. Lanskoï avait dans sa jeunesse fréquenté les *dékabristes*, qui, en décembre 1825, à la mort d'Alexandre Ier, avaient tenté de s'opposer à l'avènement de Nicolas et d'installer en Russie un gouvernement constitutionnel. De ses relations avec les conspirateurs de décembre, Lanskoï gardait, après trente ans, des convictions libérales et des penchants réformistes. Par malheur, il avait près de soixante-dix ans lorsque fut soulevé le grand problème de l'émancipation. Soit faiblesse de l'âge, soit plutôt lassitude ou indolence naturelle, manque d'initiative ou d'énergie, il eût plus d'une fois cédé aux menaces des adversaires de la réforme, s'il n'eût été constamment soutenu par l'inflexible Milutine, dont il avait fait son principal

---

1. C'est à lui, assure-t-on, qu'on doit en grande partie la publication du fameux *rescrit* à Nazimof qui à l'improviste posa officiellement les bases de l'émancipation dans tout l'empire, au lieu de la restreindre aux provinces occidentales, comme l'eût voulu certain parti. Sur le conseil de Milutine, Lanskoï, alors ministre de l'intérieur, fit imprimer en une nuit le rescrit impérial et l'expédia dans tous les gouvernements, annonçant ainsi la liberté à tous les serfs sans distinction de région.

conseiller, et bientôt son second et son associé officiel
sous le titre d'adjoint du ministre (*tovarichtch minis-
tra*). Aussi, dans toutes les luttes de ces premières
années, si remplies et si agitées, du règne d'Alexandre II, les accusations et les colères des adversaires
du ministre passaient-elles d'ordinaire par-dessus la
tête blanche de Lanskoï pour aller frapper Milutine.

Cette période de 1856 à 1861 est, on le sait, une
des plus curieuses et des plus fiévreuses qu'aient tra-
versées la Russie et aucun peuple. Moins les troubles
de la rue et les désordres matériels, c'était une
époque révolutionnaire avec toutes les illusions et les
contradictions des esprits à de pareilles époques. En
province comme à Pétersbourg, une réaction générale contre les trente années de despotisme qui avaient
amené les défaites de Crimée et rendu inutile l'héroïsme
des soldats, paralysé par la corruption bureaucratique
et, selon le mot même de Milutine, par un système
d'administration militaire qui, en plein dix-neuvième
siècle, rappelait la guerre de Trente ans[1]. Après une
longue apathie de la société et du pays, une activité
folle, mal réglée, sans direction ni voie tracée. La Russie semblait s'être soudain éveillée d'un sommeil léthargique ; tout un monde jusque-là silencieux et
immobile s'animait, parlait, gesticulait eu même

---

1. « Le cœur saigne en lisant vos dépêches, écrivait Milutine, le
17 mars 1856, au comte Strogonof, gouverneur général de la Nou-
velle-Russie ; je puis dire que c'est l'impression générale, mais
tout ce que nous pouvons faire ici (à Pétersbourg) servira bien peu le
pays, tant qu'il sera abandonné sans contrôle à la merci d'une armée
administrée à la façon de Wallenstein. »

temps. A la guerre étrangère avaient succédé dans la presse, dans les salons, à la cour, des luttes intérieures non moins vives et acharnées. Partout on proclamait la nécessité des réformes ; mais par qui les faire élaborer ? par qui les faire éxécuter ? Des hommes qui entouraient le trône, tous vieillis ou grandis à la cour de Nicolas, les uns, par instinct ou par principe, répugnaient à tout changement ; les autres, par faiblesse ou par ignorance, s'épouvantaient des difficultés ou ne se sentaient pas la force de les affronter. Si, à son lit de mort, l'empereur Nicolas avait légué à son fils la tâche d'émanciper les serfs, il n'avait pu se flatter de lui laisser des conseillers capables de l'y aider. Les idées ne manquaient point ; comme à toute époque analogue, il y en avait à foison , l'atmosphère en était remplie et pour ainsi dire obscurcie ; elles volaient et bourdonnaient dans l'air, agitées, bariolées et papillotantes, vagues et confuses, se croisant en tous sens et usant bruyamment de la précaire tolérance d'un pouvoir indécis. Ce qui faisait défaut, ce n'étaient point les idées, c'étaient des yeux pour distinguer entre elles, des mains pour les trier et les coordonner ; c'étaient des hommes pour tirer des aspirations de la société et des velléités du pouvoir des lois et des institutions vivantes.

Ce manque d'hommes, particulièrement fâcheux à l'ouverture d'un règne où l'on avait tant à renouveler, se faisait sentir à tous les degrés de l'échelle. On le voit par les lettres de Milutine, qui jusqu'à ses derniers jours ne devait cesser de se plaindre de cette

pénurie[1]. Le défaut d'hommes instruits et d'agents
intègres était et reste encore une des constantes difficultés de la Russie. En réalité cependant, alors
comme aujourd'hui, cette disette d'hommes était
peut-être plus sensible aux rangs inférieurs ou secondaires de la hiérarchie bureaucratique qu'au sommet,
plus sensible surtout à la cour que dans la société.
Le vaste empire, les événements mêmes allaient bientôt
le montrer, possédait les éléments d'un haut personnel
administratif; le malheur devait être que, parmi les
ouvriers des grandes réformes, beaucoup, et non les
moindres pour le talent, et le caractère, allaient,
comme Milutine lui-même, être congédiés avant d'a-
voir terminé leur œuvre ou, comme Milutine encore,
être usés prématurément en d'ingrates besognes.

Ce ne sont pas toujours les hommes qui manquent
en Russie, c'est le système en usage pour le recrutement des hauts fonctionnaires qui est peu favorable
au mérite. Et ici je ne veux pas seulement faire allusion aux exigences du *tableau des rangs* et du *tchine*,

---

1. Le 23 mai 1856, N. Milutine écrivait au comte Strogonof :
« Si j'ai tardé pendant quelque temps à répondre à la question que
vous m'avez fait l'honneur de m'adresser sur le choix des employés
pour la chancellerie de Votre Excellence, c'est que je tenais à m'entourer de tous les renseignements possibles. Malheureusement nous ne
sommes pas sous ce rapport beaucoup plus riches à Pétersbourg que
vous ne l'êtes en province. Jamais peut-être il n'y eut une aussi grande
disproportion entre les besoins et les moyens. Les premiers ont grandi
au contact un peu forcé de la civilisation européenne; les seconds, il
faut l'avouer, n'ont pas suivi la même progression, et nous voilà dans
cette situation étrange : d'un côté, le pays demande tout de suite des
réformes ; de l'autre, il ne fournit pas assez d'hommes capables de les
mettre à exécution. »

qui, en classant militairement tous les fonctionnaires
civils d'après leur grade et leurs états de service,
semblent avoir pour but la création d'une sorte de
mandarinat intéressé à la routine. Avec le système en
vigueur, l'avancement au choix n'est pas toujours plus
éclairé que l'avancement à l'ancienneté. L'intelligence
et l'instruction, la supériorité naturelle ou acquise
est, pour les chefs hiérarchiques qui en peuvent prendre ombrage, autant un motif de défiance et de suspicion qu'un titre de recommandation. Un Russe, quelque peu humoriste, qui connaissait bien les ressorts
habituels du mécanisme bureaucratique, disait qu'en
Russie le gouvernement devait fatalement tomber un
jour des mains des incapables aux mains des idiots.
Voici comment il justifiait cette boutade. A Saint-
Pétersbourg, chaque ministre a près de lui un assis-
tant ou adjoint (*tovarichtch*) qui le plus souvent
devient à la longue ministre à son tour. Or, d'ordinaire, les ministres en fonctions cherchent un adjoint
dont les talents ne puissent leur inspirer de jalousie.
Une fois parvenu au premier rang, ce dernier fait
naturellement de même, en sorte que le niveau des
hauts fonctionnaires, le niveau du personnel ministé-
riel en particulier, semble destiné à s'abaisser pro-
gressivement de titulaire en titulaire, pour descendre
peu à peu de la médiocrité à l'incapacité. Si les choses
ne se passent pas toujours ainsi, c'est que, par bonheur pour l'empire, les calculs égoïstes des hommes
en place sont souvent déjoués par les intrigues de
leurs concurrents et par l'intervention du souverain

qui, au risque de compromettre l'unité des services, impose parfois à ses ministres des collaborateurs dont ils n'eussent pas fait choix.

Lanskoï, ministre de l'intérieur à un moment où le ministère avait à préparer l'émancipation, agit en pareille occurrence d'une façon qui fait le plus grand honneur à son caractère et à son patriotisme. Homme droit, modeste, sincèrement dévoué au bien public, il était justement effrayé de l'immensité de la tâche qui officiellement pesait sur lui. Pour l'étude de la grande réforme, il voulut s'assurer le concours d'un homme d'intelligence et d'énergie. Loin de redouter un mérite qui pouvait éclipser le sien, il s'adressa à Milutine; il lui offrit le poste de ministre-adjoint qui devait assurer à Nicolas Alexèiévitch la haute main dans l'élaboration de l'affranchissement des serfs.

Ce choix, justifié au point de vue bureaucratique par vingt ans de service, ne fut pas ratifié sans difficulté. Milutine comptait déjà de puissants ennemis; déjà il s'était fait une réputation d'indépendance et de libéralisme qui, pour plusieurs hauts personnages, faisait de son nom une sorte d'épouvantail. A l'heure même où son ministre pensait à se l'associer officiellement, Milutine, en butte à de violentes attaques, se voyait au moment de quitter le service public.

Ici se place un épisode peu connu qui éclaire d'un jour singulier les mœurs politiques et la carrière de Milutine. Nous avons dit en passant que, sous le règne précédent, il avait été le principal rédacteur du statut sur la *douma* ou municipalité de Saint-Péters-

bourg. Cette première réforme, où l'on voit déjà per-
cer ses tendances novatrices avec ses principes ga-
litaires, avait naturellement fait des mécontents et
valu des ennemis au jeune directeur du ministère de
l'intérieur. Jusqu'en 1846, en dépit de quelques formes
de *self-government* importées sous Catherine II, les affaires municipales se trouvaient entièrement entre les
mains des gouverneurs locaux et de leurs employés.
Les villes étaient en fait taxées à volonté par la bu-
reaucratie, qui ne rendait aucun compte des sommes
perçues par elle. Les abus étaient tels à Pétersbourg
même que, malgré son peu de goût pour les innovations, l'empereur Nicolas avait cru devoir y mettre un
terme. Milutine, sur qui était retombé ce travail,
avait cherché à introduire dans la capitale une sérieuse
autonomie administrative. Par là ce bureaucrate de
profession donnait d'avance un démenti à ceux qui, si
souvent, l'ont représenté comme épris du despotisme
bureaucratique. D'après le statut élaboré par ses soins,
les affaires urbaines étaient débattues par les élus de
la population, pris à la fois parmi les marchands pa-
tentés et parmi les gentilshommes propriétaires dans
la ville. La nouvelle organisation se heurtait également à l'incurie des marchands et à leur ignorante
négligence pour des intérêts qui avant tout étaient les
leurs, aux préjugés et à la paresse de la noblesse, aux
rancunes et à l'arbitraire incorrigible du tchinovnisme.
Les nobles, jusque-là considérés comme classe essentiellement rurale, et à ce titre exclus de la municipalité, se montraient pour la plupart peu flattés de déli-

bérer en commun et sur un pied d'égalité, dans l'*assemblée générale de la ville*[1], avec des marchands ou
des artisans. Plusieurs dédaignaient d'assister en personne à ces assemblées et n'y envoyaient que leurs intendants. Les gouverneurs et les autorités administratives s'irritaient de ne pouvoir plus disposer à leur gré
des finances de la capitale ni puiser librement dans la
caisse de la ville. Bref, cette réforme si urgente, et
qui depuis a servi de point de départ au nouveau
statut municipal, contribua singulièrement à faire à
Milutine un renom de révolutionnaire.

Aux débuts du règne de l'empereur Alexandre II, à
l'heure même où tout en Russie semblait à la veille
d'un renouvellement, ce statut de 1846, déjà vieux
d'une dizaine d'années, n'était pas accepté de tous les
hauts fonctionnaires. Le général Ignatief[2] en particulier, alors gouverneur de Saint-Pétersbourg, ne cachait pas son aversion pour la *douma*. En 1858, un
minuscule incident, plus digne d'occuper Lilliput que
le plus grand empire du globe, et, comme d'ailleurs
presque toute chose en Russie, compliqué d'une mince
question de personnes, souleva entre le gouverneur
général et la municipalité pétersbourgeoise une sorte de
conflit dont les éclats atteignirent Milutine, l'inventeur
et le défenseur attitré de cette subversive institution. Il
s'agissait de la publication par un journal d'un proto-
cole de la *douma* en réponse à une lettre impertinente

1. *Obchtchoe sobranie doumy*.
2. De 1872 à 1880 président du comité des ministres, et non l'ancien ambassadeur à Constantinople.

d'un gentilhomme, M. B., fort bien apparenté à la
cour. On s'indignait de voir la municipalité s'arroger
sans autorisation le droit de publicité interdit sur toute
la surface de l'empire.

Cette sotte affaire, en elle-même d'une petitesse ridicule, fut déférée au comité des ministres, — en
Russie, on dit officiellement et non sans raison *comité*
au lieu de conseil. Le gouverneur général de la capitale avait été spécialement convoqué à cette séance
extraordinaire. L'empereur présidait; la plupart des
ministres, particulièrement le fameux général Mouravief, ministre des domaines, partageaient les colères
du gouverneur général de Saint-Pétersbourg. La *dou-*
ma était taxée de rébellion, et l'on faisait retomber la
responsabilité de cette funeste création sur Milutine.
On demandait avec ironie à Lanskoï, fort embarrassé
de défendre son directeur, comment il pouvait tolérer
un tel homme. Une seule voix, dit-on, s'éleva en faveur de la *douma* et de Milutine, celle du prince Gortchakof. Alexandre II, jusque-là silencieux, l'inter-
rompit avec impatience : « Ce Milutine, dit-il, a
depuis longtemps la réputation d'un rouge; c'est un
homme à surveiller. »

Dans le pays de l'autocratie, on comprend sans peine
la portée d'une telle parole. De quelque côté que vînt
à l'empereur cette prévention contre Nicolas Alexèiévitch, que ce fût de la cour ou de la IIIe section, Milutine en devait jusqu'à la fin porter le poids. Quant à
l'affaire de la *douma*, le comité des ministres décida
d'infliger une sévère réprimande à la municipalité et

en même temps de remettre à une commission, présidée par le gouverneur général de Saint-Pétersbourg, l'adversaire même de la *douma*, le soin de reviser le statut municipal.

Une telle décision atteignait Milutine dans sa personne et dans son œuvre. Le coup porté à une réforme qui était l'honneur de sa jeunesse, le frappait plus profondément qu'une disgrâce personnelle. Croyant deviner que les adversaires de la *douma* en voulaient autant à sa personne qu'à l'institution, il espérait désarmer leur colère en sacrifiant lui-même son avenir. « Puisqu'aux yeux de l'empereur je suis un homme dangereux, dit-il à Lanskoï qui lui contait les détails de la séance du comité, — ma présence au ministère ne doit plus être tolérée. » Et, séance tenante, il offrit sa démission. Trois mois auparavant, en août 1858, Lanskoï avait failli présenter la sienne à la suite du mauvais accueil fait par le souverain à un mémoire contre l'institution de nouveaux gouverneurs généraux, mémoire rédigé sur le conseil et par la plume de Milutine[1].

Nicolas Alexèiévitch, nous l'avons dit, ne possédait

---

1. Il s'agissait, en vue des désordres qu'on redoutait ou qu'on feignait de redouter à la veille de l'émancipation, de créer sur toute la surface de l'empire des gouverneurs généraux investis de pleins pouvoirs un peu comme on devait le faire vingt ans plus tard, à la suite des attentats nihilistes. Milutine était très opposé à cette création de « pachas ou de satrapes » en vue d'un danger imaginaire. La patience du peuple durant trois ans d'attente et le calme avec lequel s'effectua l'émancipation allaient lui donner raison. L'empereur, d'abord fort mécontent de l'opposition faite à ce projet de son entourage par le ministère de l'intérieur, devait finir par y renoncer.

aucune fortune personnelle. Ses 5,000 roubles de
traitement étaient tous ses moyens d'existence. En sortant du ministère, il avait l'intention de se consacrer
à la presse, qui prenait vers ce moment une influence
jusque-là inconnue. Milutine comprenait mieux que
personne la haute mission de la presse périodique en
un pays dépourvu de droits politiques; il croyait
avoir là un moyen de servir son pays avec non moins
de profit pour le public et plus d'indépendance pour
lui-même. Bien qu'entré fort jeune au ministère, il
n'eût pas été tout à fait novice dans cette carrière
noúvelle. Durant les premières années, alors que ses
travaux bureaucratiques n'occupaient pas tous ses
loisirs, il avait, pour subvenir à son entretien ou à
celui de son père, écrit quelques articles de revue.
Ce genre de travail avait toujours eu pour lui beaucoup d'attrait, et, à certaines heures, il rêvait de fonder
et d'éditer lui-même une nouvelle feuille. En attendant, il était décidé à reprendre la plume. Sa résolution était arrêtée ; déjà il comptait partir pour la
campagne chez les parents de sa femme, lorsqu'une
entrevue du ministre avec le souverain vint renver-
ser tous ses plans.

Les ministres en Russie travaillent chacun à tour
de rôle avec l'empereur pour lui soumettre les affaires
de leur ressort. Quelques jours après l'orageuse séance
du comité des ministres, Lanskoï faisait au souverain son rapport ou *doklad;* naturellement il fit part
à Sa Majesté de la démission de Milutine. Alexandre II en demanda les motifs ; le ministre répondit en

rapportant les paroles de Nicolas Alexèiévitch. Le
cœur toujours bon, mais l'esprit encore prévenu, l'empereur répéta qu'il avait ses raisons de se méfier de
Milutine. « C'est, dit-il, un homme qui passe pour
dangereux ; en tout cas, il fait trop parler de lui. »
Le ministre expliqua de son mieux pourquoi Milutine
avait des ennemis et fit observer que ce n'était pas
là le fait des gens médiocres. L'empereur en con-
vint : « Serge Stépanovitch, dit-il à Lanskoï en manière de conclusion, peux-tu répondre de lui ? —
Comme de moi-même, sire, » répondit l'excellent
homme. Le souverain sembla désarmé et répliqua
qu'en ce cas il ne voyait pas la nécessité d'accepter la
démission de Milutine.

Lanskoï, qui un moment avait craint de subir l'am-
putation de son bras droit et qui en outre avait une
sincère amitié pour son directeur, sortit tout joyeux
et réconforté. Il fit de son mieux pour faire partager ses sentiments à Nicolas Alexèiévitch, mais la tàche,
on le comprend, n'était pas facile. La blessure de Milutine était trop profonde pour être si vite guérie, et
les paroles impériales, rapportées par Lanskoï, étaient
plus faites pour la rouvrir que pour la fermer. Sur les
instances du ministre, il se résigna cependant à demeurer à son poste, tout en sentant douloureusement
qu'il avait contre lui, non seulement l'hostilité de la
cour, mais la défiance d'un prince qu'il était le premier à aimer et à estimer. Il se savait suspect au maître et, malgré ses services, il le devait rester longtemps et en souffrir presque jusqu'à la fin. L'impor-

tance des affaires à traiter, le noble désir de contribuer à la plus grande réforme du siècle, le faisaient
seuls passer par-dessus de justes considérations personnelles.

Une haute et bienfaisante influence, l'amitié d'une
femme qui tenait de près au souverain, contribua non
moins que les instances de Lanskoï à le retenir au ministère. Je veux parler de la grande-duchesse Hélène,
veuve du grand-duc Michel et tante d'Alexandre II. Cette
princesse qui, par son mariage, avait échangé la modeste et gaie petite cour de Stuttgart contre la somp-
tueuse et froide cour impériale, jouait à Saint-Pétersbourg, depuis la mort de son mari, en 1849, depuis
la mort de son beau-frère Nicolas surtout, un rôle particulier tout nouveau en Russie. Instruite et sérieuse,
curieuse de toutes les choses de l'esprit, mettant son
plaisir ou son amour-propre à tout connaître et à tout
comprendre, elle était d'autant plus jalouse d'encourager les arts et les idées qu'elle ne pouvait prétendre
à une influence politique directe. Lasse du vide fas-
tueux de la vie de cour, plus solennelle et plus vaine
peut-être à Pétersbourg que partout ailleurs, elle
avait fait de sa demeure — le beau palais Michel —
le rendez-vous d'artistes, d'écrivains, de hauts fonctionnaires, d'hommes distingués de toute sorte. C'était ce
qu'au dix-huitième siècle on appelait un salon, et
naturellement, au milieu de l'effervescence et de l'in-
cessante ébullition d'idées des premières années du
règne, ce salon princier était le rendez-vous de tout
ce qui se piquait de libéralisme.

La grande-duchesse connaissait Milutine depuis longtemps déjà, depuis 1846, époque du statut municipal de Pétersbourg. Le ministre Pérovsky lui avait parlé du jeune bureaucrate, et la princesse avait demandé à l'oncle de Milutine, le comte Kisselef, alors ministre des domaines, de lui présenter son neveu. La belle-sœur de Nicolas se connaissait en hommes ; elle distingua vite Nicolas Alexèiévitch, et jusqu'à la mort de ce dernier, durant plus de vingt ans, elle lui témoigna une bienveillance qui ne se démentit jamais. La faveur dont jouissait Milutine au palais Michel ne pouvait manquer de faire des envieux. « La petite cour », comme on disait dans le monde pétersbourgeois, n'était pas sans exciter les railleries et les médisances de la grande. Les calomnies n'épargnaient pas toujours la grande-duchesse elle-même, et la malveillance se permit des insinuations injurieuses sur les relations de Nicolas Alexèiévitch et de sa haute protectrice. Ces bruits ridicules, semés par l'envie et répandus par des natures basses et frivoles, disposées à chercher partout le romanesque ou incapables de concevoir une sérieuse amitié entre personnes de sèxe différent, étaient démentis par le caractère même de la princesse, femme toute tournée vers les choses de l'esprit, d'une imagination vive, mais d'un tempérament plutôt froid, et en tout cas au-dessus de tout vulgaire soupçon.

Les entretiens de la grande-duchesse et de Nicolas Alexèiévitch roulaient d'ordinaire sur les sujets les plus fastidieux au point de vue mondain. Mettant sa gloire à s'intéresser à tout ce qui touchait sa patrie d'adop-

tion , la grande-duchesse ne se laissait pas rebuter
par les matières les plus arides. Administration, législation, économie politique, finances étaient des domaines où elle ne craignait pas de mettre le pied et
qu'elle parcourait volontiers sous la direction de guides
qui, par leur science ou leur position, lui inspiraient
confiance. Dans un billet de 1859, par exemple, Milutine lui recommande un mémoire sur la création
d'une banque de Russie à l'imitation de celle de
France. La princesse était habituée à recevoir de pareils mémoires, elle se les faisait lire ou analyser par
une de ses demoiselles d'honneur qui avait la spécia-
lité de ce genre de travail. Entre elle et Milutine cependant le principal sujet d'entretien, on pourrait dire
le principal lien, était la grande question du jour,
l'émancipation, qui, depuis que le nom en avait été
solennellement prononcé à Moscou, passionnait la
grande-duchesse. A ses yeux, la présence de Milutine
au ministère était indispensable au succès de la réforme, dont, de concert avec elle, il avait de longue
date médité les conditions. Pour le retenir à son poste,
elle traitait ses projets de retraite, à la veille de la bataille décisive, comme une sorte de désertion.

A ses encouragements la tante de l'empereur ne laissait pas de mêler quelques conseils et remontrances.
Avec un tact de femme joint à une longue expérience
des cours, elle représentait à Milutine qu'il était en
partie responsable des préventions qu'il rencontrait.
Ce qu'elle lui reprochait depuis longtemps, c'était de
trop s'absorber dans son service, de s'isoler, et, dans

un pays où les relations personnelles sont toutes-puis-
santes, de se tenir trop à l'écart de la société, du
monde, de la cour. Le meilleur moyen, disait-elle,
de lutter contre ses détracteurs, c'était de se faire
voir, de montrer « que le diable n'était pas aussi noir
que sa réputation ». Malgré son peu de goût pour le
monde, dont la frivolité lui répugna toujours, les circonstances obligèrent peu à peu Milutine à se conformer aux leçons de la princesse ; il y gagna quelques
amis, mais peut-être aussi quelques envieux et quelques adversaires de plus.

Trois ou quatre jours après la séance du comité des
ministres mentionnée plus haut, la grande-duchesse
donnait, dans ses petits appartements, une soirée intime où n'étaient invitées que vingt-cinq ou trente
personnes. Fidèle à son programme, elle y présenta Milutine à l'impératrice et au prince Gortchakof, que Milutine put remercier de son attitude au comité des ministres. L'impératrice, femme modeste, moins brillante
ou moins libre au premier rang que la grande-duchesse
au second, l'impératrice Marie Alexandrovna, a durant
toute sa vie cherché à se tenir à l'écart de toute coterie
et de toute intrigue de cour. D'une cordiale bonté et d'un
tact exquis, elle accueillit Milutine avec bienveillance,
s'entretint avec lui et le comte Bobrinsky de l'affranchissement des serfs, exprimant le regret que plusieurs hauts fonctionnaires cherchassent plutôt à
ébranler l'empereur qu'à le soutenir dans ses généreuses résolutions. « De tous ces Messieurs, dit-elle, il
n'y a que le comte Kisselef (l'oncle de Milutine) qui con-

naisse la question et s'y intéresse sérieusement[1]. » Le
comte Bobrinsky parlant d'un grand propriétaire, et
l'ayant traité de « conservateur enragé », l'impératrice
sourit, et avec une délicatesse toute féminine, comme
si elle eût voulu panser la plaie faite involontairement
par son royal époux, elle dit en se tournant vers Milutine : « Il m'a toujours semblé que ces grands mots
de conservateurs, de rouges, de révolutionnaires
n'avaient pas de sens dans notre pays, où à vrai dire
il n'existe pas de partis. » L'observation était aussi
juste que bien placée ; aujourd'hui encore elle garde
une bonne part de vérité.

De toute cette tempête dans un verre d'eau, à propos de la *douma*, il ne résulta en somme que quelques
coups de canif, bien vite effacés, dans le statut municipal, et pour Milutine lui-même, une notoriété agran-
die, une soudaine popularité parmi les plus impatients
partisans des réformes.

Peu de jours après la soirée du palais Michel, Milutine était appelé à une audience impériale. Au mois
de juillet précédent, il avait, pour divers travaux au
ministère, reçu le cordon de Sainte-Anne et, d'après
le conseil de Lanskoï, il s'était fait inscrire pour offrir
ses remercîments au souverain. C'était la première fois

---

1. Ce propos est cité dans les curieux *Mémoires sur l'émancipation*
du sénateur Solovief, mémoires publiés par fragments dans la *Rousskaïa Starina*. Solovief ajoute que, dans une audience un peu postérieure, l'impératrice se plaignait encore à Milutine de ce que, pendant
que l'empereur faisait des discours à la noblesse et l'engageait à travailler à l'émancipation, « il y avait en province un personnage officiel
qui tripotait (*sic*) contre ». *Roussk. Starina*. Oct. 1882, p. 140.

qu'il était présenté à l'empereur, et, soit mauvaise
chance, soit calcul de quelque ennemi de cour, l'audience, demandée l'été précédent, tombait huit jours
après le conseil où l'empereur l'avait traité de révolutionnaire. Cette présentation se passa mieux que n'eût
osé l'espérer Milutine, qui, craignant d'être devant
témoins l'objet d'injustes reproches auxquels il n'eût
pu répondre, en était un moment revenu à ses projets de retraite. « L'empereur a voulu être dur, dit-il,
en revenant du palais d'hiver, mais sa bonne nature
a pris le dessus. » En effet, au nom de Milutine,
Alexandre II avait brusquement changé de ton et
d'une voix sèche : « Enchanté de vous voir ; il paraît
que vous possédez la confiance de votre ministre :
j'espère que vous saurez la justifier. » Ces mots dits
rapidement, le tsar avait tourné les talons et, après
avoir salué les assistants, il allait sortir, lorsque, arrivé
à la porte de son cabinet, il avait appelé Nicolas
Alexèiévitch. Sans lui parler d'affaires, il lui avait
demandé des nouvelles de Dmitri Milutine, alors au
Caucase, auprès du prince Bariatinsky, comme si,
par cette marque d'intérêt, le souverain eût voulu
effacer l'impression de ses premières paroles.

Moins de trois mois après cette froide réception,
Milutine était enfin nommé adjoint du ministre;
comme tel, il devenait de fait, sinon de droit, le chef
réel de l'administration intérieure, et qui plus est, le
secret moteur des grands travaux législatifs qui, avec
l'affranchissement de vingt millions de serfs, allaient
renouveler toute l'organisation rurale de l'empire.

Cette nomination ne s'était pas faite sans tiraille-ments. La première fois que Lanskoï en avait osé parler, six semaines à peine après les affaires de la *douma*, il s'était heurté à un refus catégorique. Alexandre II lui avait opposé la réputation de Milutine et les ani-mosités qui le poursuivaient. Ne voulant pas du can-didat de son ministre, le tsar lui avait désigné le prince Dmitri Obolenski, alors attaché au ministère de la ma-rine[1]. Ce dernier, quoique intelligent et instruit, ne se sentait pas fait pour un tel poste en un pareil mo-ment. C'était un habitué des soirées de la grande-du-chesse Hélène ; Nicolas Alexèiévitch et lui s'étaient, au palais Michel, liés d'une sincère et réciproque amitié. En vrai gentilhomme, avec un désintéressement et une délicatesse rares en tout pays, il refusa le poste qui lui était offert, disant à Lanskoï que cette place re-venait de droit à Milutine. Le ministre, fort du refus du prince Obolenski, mit de nouveau en avant le nom de Milutine. « Cela ferait crier, dit l'empereur ; il faut attendre et chercher. » On attendit sans trouver, paraît-il, car, deux ou trois semaines plus tard, Lans-koï dînant au palais impérial, Alexandre II lui annon-çait dans son cabinet qu'il consentait à la nomination de Milutine, mais à *titre temporaire*.

Pour Lanskoï, qui, tout joyeux, lui en vint porter la nouvelle, c'était une victoire ; pour Milutine, c'était presque autant un affront qu'un succès. Il sentait amè-

---

1. Ces faits, et d'autres qu'on rencontrera par la suite, m'ont été con-firmés par le prince D. Obolenski, mort en 1881.

rement ce qu'il y avait de blessant dans un procédé
qui semblait ne lui laisser occuper une place difficile
qu'en attendant la découverte d'un candidat agréable.
La carrière des honneurs ressemblait singulièrement
pour lui à une sorte de calvaire ; il ne s'élevait qu'au
prix d'humiliations et de mortifiants succès. En dépit
des apparences cependant, cette nomination, malgré
les haines excitées contre lui, malgré les répugnances
mêmes du maître, était un involontaire hommage à la
supériorité de son mérite. Le mal, non seulement pour
son amour-propre, mais pour la bonne gestion des
affaires, c'est qu'alors, comme plus tard encore, il allait se trouver dans une position équivoque, avoir la
charge et la direction réelle de grandes mesures dont
ostensiblement il n'avait ni l'honneur ni la responsabilité. Cette nomination à titre provisoire était un de ces
compromis qui ne satisfont personne ; en soulignant
officiellement les défiances du souverain, elle laissait
la porte ouverte aux intrigues, au lieu de la leur fermer. Milutine dut rester dans cette situation ambiguë
durant les deux longues et mémorables années où
s'élabora le nouveau statut des paysans. Les ennemis,
qui n'avaient pu l'écarter des affaires, restèrent assez
puissants pour lui infliger un affront que le persiflage
frivole du monde ne lui laissait pas oublier. On disait
de lui qu'il était un adjoint temporairement constant
(*vremenno-postoianny*). Et de fait, il ne devait quitter le ministère qu'avec Lanskoï lui-même, lorsque, la
charte d'émancipation achevée, on en sacrifia les artisans aux rancunes de leurs adversaires.

Au commencement du carême de 1859, Milutine dut se présenter au souverain dans ses nouvelles fonctions. L'empereur l'accueillit avec plus de bienveillance; il ne manqua pas cependant de lui rappeler que l'opinion publique (dans la bouche impériale cela signifiait la cour) lui était hostile, qu'on le considérait comme un révolutionnaire. Il ajouta qu'en le nommant, sur les instances de Lanskoï, à de plus hautes fonctions, il lui donnait l'occasion de se *réhabiliter*. On voit que d'épines douloureuses rencontrait Nicolas Alexèiévitch à chacun de ses pas sur ce qu'on est convenu d'appeler le chemin des honneurs. Si, dans nos démocraties, l'homme public est exposé à d'indécentes avanies, aux outrages et à l'ingratitude d'un peuple ignorant ou prévenu, dans les monarchies absolues il doit, pour le bien de l'État, se résigner à des souffrances souvent non moins pénibles, se courber silencieusement sous des humiliations imméritées ou d'injustes leçons.

Milutine répondit modestement à son maître qu'il envisageait lui-même sa récente nomination comme une épreuve, qu'il priait seulement Sa Majesté de ne point le juger d'après les on-dit du dehors, mais d'après ses actes qui seraient toujours conformes au bien et à la dignité de l'État. L'empereur répliqua que tout le monde s'accordait à le considérer comme un homme capable et qu'il pourrait rendre des services « pour les *détails* de l'émancipation ». Cet embarrassant prélude terminé, le souverain s'entretint immédiatement avec Milutine du grand problème dont, après trois ans d'attente, il était pressé d'assurer enfin l'exécution.

Nicolas Alexèiévitch allait, dans l'ombre des commissions, prendre en toute cette affaire une part beaucoup plus large que ne le prévoyait le souverain.
Grâce à son ascendant sur son ministre et à son autorité sur ses futurs collègues, il allait en réalité, sans
bruit ni fracas, être la cheville ouvrière de la grande
réforme. Lanskoï n'était que le Louis XIII du ministère
dont Milutine était le Richelieu, mais un Richelieu
discret et modeste [1]. Dans tous les travaux concernant l'émancipation, Nicolas Alexèiévitch avait sur
ses collaborateurs un inappréciable avantage. Tandis
que d'autres abordaient cette redoutable question sans
préparation et sans plan, Milutine l'étudiait depuis
des années, depuis deux ans surtout; il y apportait
des idées mûries, un système tout arrêté.

[1]. Dans le premier fragment des mémoires du sénateur Solovief,
imprimé par la *Rousskaïa Starina* (février 1880), à l'occasion du
25ᵉ anniversaire de l'avènement au trône d'Alexandre II, le premier
rôle, conformément aux apparences, revient à Lanskoï. La vérité est que
N. Milutine s'effaçait systématiquement derrière son chef hiérarchique;
quand Solovief écrit : *le Ministère de l'intérieur*, il faut, d'ordinaire,
lire : Milutine.

CHAPITRE II

Premières vues de Milutine sur l'émancipation. — Correspondance avec la grande-duchesse Hélène. — Nomination des « commissions de rédaction ». — Part qu'y prend Milutine. — Il y fait entrer Samarine et Tcherkassky. — Sa liaison avec eux. — Leurs luttes communes dans la commission sous la présidence de Rostovtsef et de Panine. — Hésitations du pouvoir. — Opposition de la cour et des propriétaires. — Promulgation de la charte d'émancipation.

C'était en 1856, à Moscou, lors de son couronnement, que l'empereur Alexandre avait exprimé devant la noblesse l'intention d'émanciper les serfs. L'émotion soulevée par la parole impériale s'était bien vite calmée. L'exécution était loin d'avoir immédiatement suivi la promesse de Moscou. Le problème, il ne faut pas l'oublier, était le plus grave qui se puisse poser devant un gouvernement : il était compliqué de périlleuses questions agraires qui touchaient aux fondements mêmes du droit de propriété. Aussi ne saurait-on s'étonner si, troublé par les appréhensions et les cris des propriétaires, le gouvernement s'était arrêté avec effroi au bord d'une révolution dont l'œil avait peine à sonder sans vertige la profondeur.

Au premier rang des personnes impatientes de voir mettre la main à l'œuvre, se distinguait la grande-duchesse Hélène. Cette princesse, à l'imagination vive,

s'était prise d'un zèle ardent pour la cause des paysans.
Dans sa généreuse passion pour le bien des serfs,
peut-être aussi par ambition de frayer une voie nouvelle,
elle s'était décidée à devancer l'initiative du gouvernement et à émanciper immédiatement les paysans de
sa grande propriété de Karlovka, dans le gouvernement
de Poltava. Elle s'en était ouverte à Miluline, dès le
mois de septembre 1856, et lui avait demandé un
mémoire à ce sujet. Toutes les sympathies de Nicolas
Alexèiévitch étaient acquises à une telle résolution;
mais en véritable homme public, toujours préoccupé
des intérêts généraux, il craignait que, par trop de
précipitation, la grande-duchesse ne compromît le succès de l'œuvre qu'elle voulait hâter. A ses yeux,
la tante de l'empereur ne devait pas se contenter de
donner un exemple de générosité personnelle en libé-
rant ses serfs d'un trait de plume; si elle prétendait à
l'initiative en pareille matière, il fallait, dans la
charte d'affranchissement de Karlovka, essayer de
poser les bases d'une législation nouvelle qui pût
s'appliquer à la Russie entière. Au lieu d'un acte
isolé de bienfaisance privée, Milutine voulait que le
projet de libération, rédigé pour un domaine particulier, pût servir de modèle et comme de maquette
pour la grande charte d'émancipation.

Ce souci de l'avenir perce à chaque ligne dans la
lettre suivante, où, deux ans avant la convocation du
« comité de rédaction », on voit les premières idées de
Milutine prendre forme et couleur. On y sent combien
d'obstacles il apercevait de tous côtés et combien il

tenait à ne procéder qu'avec l'autorisation impériale;
comment, tout en conseillant de faire appel à l'initiative des propriétaires, il refusait d'abandonner la
solution de la question aux comités de la noblesse dont
il se méfiait; comment enfin, sentant le besoin d'un
appui sur les marches mêmes du trône, il songeait
déjà à faire appel au grand-duc Constantin. A plus
d'un égard, cette lettre privée pourrait être regardée
comme un programme anticipé de ce qui, deux ou
trois ans plus tard, devait être effectué en grand.

« Madame[1],

« Je serais heureux de justifier la haute confiance dont
Votre Altesse Impériale a daigné m'honorer; mais plus je
me pénètre de la gravité de mes devoirs, plus je sens
l'insuffisance de mes moyens. Pour ne pas s'égarer dans
les appréciations et les jugements que l'on porte sur les
événements du jour, il faut avoir des données positives qui
me manquent complètement. Dans ma position isolée, je
connais à peine le terrain sur lequel il nous faut agir
et, pour m'exprimer sur une question aussi grave et aussi
délicate, je dois me pénétrer du souvenir de la bienveillance habituelle à Votre Altesse.

« D'après la pensée exprimée dans le mémoire que j'ai
l'honneur de présenter ici, il s'agirait (en cas d'autorisation) d'ouvrir préalablement des négociations avec quelques propriétaires du gouvernement de Poltava pour
arrêter d'abord l'organisation d'un comité provincial. Ce
n'est qu'après avoir reçu cette autorisation qu'on pourrait procéder à l'installation définitive de ce comité. Cette

1. Lettre à la grande-duchesse Hélène, 19 octobre 1856.

marche, d'ailleurs toute régulière et avantageuse sous
plus d'un rapport, devra être confirmée par l'Empereur.
En ce moment, il ne s'agirait donc que d'entrer en
rapports officiels avec les propriétaires les plus libéraux
et les plus influents, comme par exemple le prince
Kotchoubei et M. Tarnovsky, de demander leur avis sur la
manière de régler les travaux du comité et de choisir le
personnel pour ce comité. Leurs réponses pourraient faciliter la rédaction du mémoire, qui serait ensuite présenté
à la sanction impériale. Si ces messieurs exprimaient en
même temps leurs idées sur le fond de la question, je
crois qu'il serait plus prudent de ne pas discuter leurs
vues, afin de se réserver toute liberté d'action dans
l'avenir[1].

« Ces premières ouvertures exigeraient peut-être dans
l'intérêt de la cause un appui moral solide, pour fixer dès
l'origine des idées et des convictions encore si chancelantes.
Un simple particulier, comme celui que Votre Altesse a
bien voulu me désigner, ne saurait posséder ni l'autorité
ni l'indépendance nécessaires à une pareille mission. Il
compromettrait son avenir sans atteindre le but. Puis-je
désigner la seule personne qui possède tous les titres à
être le dépositaire des pensées de Votre Altesse ?... Ne
connaissant pas les vues de Mgr le grand-duc (Constantin),
je n'ose insister davantage et je demande pardon à Son
Altesse d'avoir énoncé une idée peut-être en dehors de ma
compétence. D'ailleurs, avant de connaître les termes de
l'autorisation souveraine, il est bien difficile de juger des
chances et des conditions dans lesquelles se présenterait
l'affaire. Vous me permettrez, Madame, d'y revenir après
de plus amples informations ; je serai heureux de pouvoir

---

1. Dans sa pensée, les comités provinciaux devaient être purement
consultatifs, comme ils l'ont été en effet.

m'associer en simple et obscur ouvrier à l'œuvre que Votre
Altesse n'a pas hésité à entreprendre. »

Deux ans plus tard, en décembre 1858, Milutine
adressait à la grande-duchesse un nouveau mémoire.
D'après le désir de sa noble correspondante, ce travail,
complet et détaillé, devait être placé sous les yeux de
l'empereur ; aussi Nicolas Alexèiévitch, alors fort mal
en cour, s'était-il abstenu de le signer [1]. Le modeste
avant-projet, rédigé par Milutine pour un simple domaine, allait dans ses traits essentiels être étendu à
tout l'empire, mais alors même l'œuvre de Milutine
devait, aux yeux du monde, rester officiellement anonyme.

Quelques semaines après l'achèvement du projet
pour Karlovka, au commencement du carême de
1859, Nicolas Alexèiévitch, nommé enfin adjoint du
ministre, était reçu en audience privée par l'empereur
et conférait en tête-à-tête avec lui des préliminaires
de l'émancipation. Alexandre II venait de remettre la
direction de l'affaire entre les mains du général
Rostovtsef, son homme de confiance. En tout autre
pays un tel choix, pour une pareille œuvre, eût été

---

1. Lettre de Milutine à la grande-duchesse Hélène (24 déc. 1858) :

   « Madame,

   « Je me suis pressé de compléter le projet pour Karlovka, et d'y ajouter quelques remarques sur la situation financière de ce bien. J'aurai
l'honneur de le présenter à Votre Altesse demain ou après-demain au
plus tard. Si Sa Majesté doit l'examiner en qualité d'avant-projet, je
pense qu'il est inutile de le signer, non plus que la lettre qui doit l'accompagner officiellement.

   « De Votre Altesse, etc., etc. »

une surprise; en Russie, où l'on se préoccupe peu
des aptitudes et des spécialités, le choix le plus
bizarre ne saurait surprendre. On est habitué à voir
appeler des généraux à la direction des affaires les
plus étrangères à l'armée. Milutine ne connaissait
Rostovtsef que de réputation ; ce qu'il savait de ce
personnage, accusé d'avoir acquis son crédit sous
Nicolas en dénonçant les *décembristes*, aurait suffi
pour l'en tenir éloigné. Peu d'hommes lui eussent
semblé par leur passé aussi peu préparés à être les
instruments d'une telle révolution; mais, en politique
pratique, il savait prendre les choses et les hommes
tels que les présentaient les événements. Il se con-
tenta de suggérer au souverain une idée déjà exprimée
à Lanskoï. Il avança timidement que, « pour faciliter
la tâche du général Rostovtsef et lui fournir des
données pratiques », il serait peut-être utile d'appeler
en consultation, avec les délégués des divers ministères, quelques grands propriétaires de province. La
proposition parut agréer à l'empereur, et quelques
jours plus tard Rostovtsef, nommé président du comité
de rédaction, recevait officiellement l'ordre de la
mettre à exécution. Le lendemain, le général invitait
Milutine à passer chez lui.

La joie de Nicolas Alexèiévitch n'était pas sans mélange; outre son ancienne répugnance à entrer en
relation avec Rostovtsef, il doutait qu'on pût mener à
bonne fin une aussi vaste entreprise sous la direction d'un homme qui, d'après tous ses antécédents,
semblait aussi incompétent. A cet égard, Milutine ren-

contra chez le général de meilleures dispositions qu'il n'eût osé en attendre. S'il le trouva peu au fait de la question, il put se convaincre que le président de la commission s'était pénétré des généreuses intentions du tsar et désirait sincèrement effectuer l'émancipation. Milutine crut aussi s'apercevoir que Rostovtsef sentait parfaitement la grandeur de sa tâche, qu'il n'était pas sans en redouter la responsabilité et que, pour ce motif, il saisissait avec empressement toutes les indications qui lui venaient du dehors. Cette disposition, dont Nicolas Alexèiévitch sut habilement profiter, lui facilita singulièrement les choses au début ; plus tard elle devait devenir pour lui une source d'ennuis, car, dans ses incertitudes et ses anxiétés, Rostovtsef s'abandonnait tour à tour aux influences opposées. N'ayant ni assez de connaissances ni assez de résolution pour dominer les partis qui s'agitaient autour de lui, le pauvre général devait être la première victime de leurs luttes et mourir au bout d'un an avant d'avoir terminé sa tâche.

Grâce à l'incompétence et à l'indécision du général, Milutine eut une grande part au choix du personnel de la *Commission de rédaction* qui, sous un nom modeste, était chargée d'une œuvre énorme[1]. Elle avait, en effet, non seulement à rompre le lien séculaire du servage, mais à trancher les plus délicates questions de propriété, et en même temps à élaborer pour les

---

1. Il y eut en fait deux commissions de rédaction ; nous ne parlons ici que de la plus importante.

campagnes du vaste empire, encore presque tout rural, un nouveau système d'administration, de police,
de justice. Jamais peut-être en Europe aucune chambre
législative n'a eu devant elle une besogne aussi ardue.
Les séances de cette commission, divisée d'ordinaire
en sous-commissions, se passèrent bientôt sans céré-
monial. On laissa de côté l'uniforme et l'étiquette pour
discuter à l'aise en prenant le thé, le cigare ou le *pa-
pyros* aux lèvres.

L'assemblée était peu nombreuse, comme il convient pour un travail sérieux, vingt ou vingt-cinq
membres en tout. Selon les projets mêmes de Milutine,
elle était composée de deux classes de personnes différentes, de *tchinovniks* et de propriétaires ruraux. Les
premiers étaient de hauts fonctionnaires des divers
ministères, tels que Milutine lui-même, qui naturellement était l'un des représentants du ministère de
l'intérieur[1]. Les propriétaires ou *experts* avaient été
choisis parmi la minorité libérale des comités provinciaux de la noblesse, et non élus par ces comités qui,
malgré les réclamations de certains de leurs membres,
n'obtinrent que le droit d'envoyer des délégués déposer devant la commission centrale. La plupart des propriétaires appelés à siéger dans cette commission, les
Tcherkassky, les Samarine, les Galagane, les Tarnovsky, les Galitsyne, les Tatarinof, avaient été dési-

---

1. A vrai dire, la plupart des fonctionnaires, appelés dans « la commission de rédaction », étaient également propriétaires fonciers, et c'est
parmi eux que les intérêts seigneuriaux trouvèrent leurs plus ardents
défenseurs.

gnés à Rostovtsef par Milutine. Ils formèrent le noyau
du groupe qui soutint le ministère de l'intérieur
dans sa lutte avec une majorité fréquemment hostile, et parfois appuyée par le président lui-même.
Chose à noter, en effet, dans cette assemblée, où
par le nombre et l'influence prévalait l'élément bureaucratique, Milutine, si souvent représenté comme
l'incarnation des instincts niveleurs du *tchinovnisme*,
trouvait son plus ferme appui dans le groupe des
propriétaires.

Sauf un, ces auxiliaires, venus de tous les coins de
l'empire, étaient personnellement inconnus de Milutine au moment où, sur leur attitude dans les comités
provinciaux, il les faisait agréer du général Rostovtsef. Le seul avec lequel il fût en relation était Georges
Samarine, l'écrivain slavophile, assurément l'un des
plus brillants publicistes de l'Europe contemporaine.
Leur connaissance, qui allait devenir de l'intimité,
remontait à de longues années; mais les premiers
nœuds de leur amitié avaient été noués par leur commun dévouement à la cause des paysans. Un jour de
l'année 1857, Samarine, déjà célèbre par d'importants
travaux sur la question même du servage, était venu à
l'improviste faire une visite à Milutine, alors en congé
dans une propriété de la famille de sa femme, au
fond du gouvernement de Moscou. L'écrivain venait
s'entretenir avec le fonctionnaire de l'émancipation
qui n'était encore qu'à l'état de vague projet. Le domaine, où se rencontraient ces deux hommes d'éducation et de caractères si différents, portait le nom de

Raïki, ou *petit Paradis*, nom qui lui avait été donné par Alexandre Ier dans un voyage de Moscou à Vladimir; il était situé sur la Kliazma, autrefois la rivière des Grands-Princes, depuis longtemps éclipsée par sa voisine la Moskva. De la rive élevée et boisée, l'œil découvrait un de ces vastes horizons de prairies, de champs, de forêts, qui ne se rencontrent qu'en Russie. En face, par un singulier hasard, la seule maison seigneuriale que l'on aperçût au loin était Varino, propriété de Lanskoï, le ministre et l'ami de Milutine. C'est dans ce riant domaine, comme tant d'autres en Russie, vendu depuis lors à un marchand qui l'a dépecé et dépouillé de ses bois, que Milutine et Samarine se lièrent d'une amitié durable; c'est en arpentant la grande salle du manoir, aujourd'hui délaissé et tombant en ruine, que, durant les longues heures où les pluies d'automne fouettaient les vitres, ces deux hommes, alors sans autre mandat que leur amour du peuple, arrêtèrent en principe, quatre ans avant le manifeste impérial, les grandes lignes de l'émancipation.

Lorsque vint enfin l'heure de l'exécution, Nicolas Alexèiévitch n'oublia pas Iouri Féodorovitch, qui, non moins bien doué comme orateur que comme écrivain, devait par son éloquence se distinguer entre tous les hommes d'élite qui composaient la commission.

Voici en quels termes Milutine fit appel au dévouement de Samarine pour la chose publique:

« St-Pétersbourg, 9 mars 1859.

« En complément de l'invitation officielle qui vient de vous être adressée, je suis, Iouri Féodorovitch, chargé de vous faire de mon côté un appel amical. Je le fais avec une joie sincère, dans l'assurance que vous ne déclinerez pas le pénible, mais agréable devoir d'accomplir l'œuvre à laquelle nous nous sommes tous deux voués depuis long-temps. La commission dont on vous engage à faire partie est ouverte depuis peu de jours[1]. . . . .

« Vous voyez qu'on a choisi des hommes dévoués à la cause. Les *experts* et les membres des ministères auront exactement les mêmes droits et les mêmes obligations. Quant aux députés des comités de province, ils n'auront probablement que voix consultative. Je puis vous assurer que les bases du travail sont larges et raisonnées. Elles peuvent être acceptées en toute conscience par ceux qui cherchent une régulière et pacifique solution du problème du servage. Rejetez toute méfiance à ce sujet et arrivez hardiment. Sans doute nous ne serons pas sur des roses; nous serons vraisemblablement en butte à la haine, à la calomnie, à des intrigues de tout genre; mais pour cela précisément, il nous est impossible de reculer devant la lutte sans trahir toute notre vie passée. En entrant dans la commission, je comptais beaucoup sur votre collabora-tion, sur votre savoir. Malgré la fermeté de mes convictions, je me heurte à mille doutes qui ne peuvent être dissipés que par les indications et les conseils d'hommes pratiques. Vous êtes plus nécessaire ici que partout ailleurs[2]... »

1. Ici vient l'énumération des personnes composant le noyau primi-tif de la commission.
2. Le texte russe de cette lettre a été publié dans la *Rousskaïa Starina* (février 1880) à l'occasion du 25e anniversaire de l'avènement de l'empereur Alexandre II.

La fin de cette lettre montre combien Milutine méritait peu le reproche de faire fi des lumières de l'expérience et de n'avoir confiance que dans les travaux de cabinet. Enfermé, depuis sa première jeunesse, dans les chancelleries des ministères, il sentait mieux que personne ce qui lui manquait du côté des connaissances pratiques. Ce bureaucrate avait été l'un des premiers à réclamer les conseils de grands propriétaires au courant des usages et des besoins du peuple, et c'est parmi ces *pomêchtchiks*, dont il passait pour l'ennemi, qu'il devait trouver ses deux plus intimes et plus fidèles amis, ceux dont le nom reste à jamais inséparable du sien.

Avant Samarine, et le premier de tous les *experts* de province, était arrivé à Pétersbourg un homme d'un esprit également résolu et depuis également célèbre, qui, lui aussi, devait pour la vie se lier avec Milutine d'une amitié fondée sur la communauté des principes et exempte de toute vulgaire jalousie, le prince Vladimir Tcherkassky. Dans le comité du gouvernement de Toula, Tcherkassky avait, par son zèle en faveur des paysans, soulevé parmi la noblesse une véritable tempête. Brillant et éloquent, d'un tempérament belliqueux et fait pour la lutte, il allait jouer dans les premières escarmouches le rôle de tirailleur; c'est à lui qu'étaient réservés les plus grands succès oratoires, lorsque entrèrent en lice les députés récalcitrants des comités provinciaux.

Milutine ne s'était pas trompé en offrant comme appât à Samarine des luttes, des calomnies et des ennuis de toute sorte. La commission siégea près de deux ans, et, durant ces deux années, ce ne fut dans son sein qu'une longue guerre civile, compliquée de combats incessants contre les adversaires du dehors. Sans parler de l'opposition, tour à tour sourde et bruyante, de la cour et de la noblesse de province, les comités de rédaction étaient eux-mêmes loin d'être unis et homogènes. Le personnel en reflétait toutes les incertitudes et les anxiétés du pouvoir suprême. Aux représentants des intérêts aristocratiques ou des traditions autoritaires on avait accolé des hommes suspects de radicalisme tels que Milutine, et, pour couronner le tout, à la tête d'une assemblée divisée était un président indécis et flottant, inutilement conciliant, ballotté entre des opinions contraires et, par ses propres hésitations, peu capable d'imprimer aux travaux une ferme direction.

Au moment où siégeait cette sorte de constituante rurale, un esprit aigri et sarcastique qui, sur la jeunesse russe, devait avoir une pernicieuse influence, l'un des doctrinaires du radicalisme, Tchernychevsky, exilé depuis 1863 aux extrémités de la Sibérie, décrivait à sa manière, dans ses *Lettres sans adresse*, les procédés et les méthodes de la commission[1]. Avec la naïve ingénuité d'un sectaire ou l'ignorance soupçonneuse d'un réformateur de cabinet, l'apôtre du

---

1. *Pisma bez adressa*. Ces Lettres, qui n'ont jamais été terminées, n'ont paru qu'en 1875, à l'étranger, dans le *Vpéred* (revue révolutionnaire de Lavrof).

« nihilisme » représentait ces commissions si tourmen-
tées comme obéissant militairement aux injonctions du
président. Tchernychevsky se plaisait à décrire, à ce
propos, ce qu'il appelait avec ironie l'*ordre bureaucratique*. Rien au fond n'était plus contraire à la vérité. Si cet ordre bureaucratique, qui consiste à remplacer les convictions par un mot d'ordre, a trop souvent régné en Russie, il faisait entièrement défaut
dans les comités de rédaction. Il faut le dire à l'honneur des Russes de l'un et l'autre parti : avocats et adversaires des paysans défendaient leur sentiment avec
autant d'énergie et de liberté qu'en un libre parlement
d'Occident, et le gouvernement, en raison même de ses
propres incertitudes, ne fermait la bouche à personne.

Les adversaires de la réforme, dans la commission ou
au dehors, n'étaient pas tous des conservateurs aveugles, ennemis systématiques de toute émancipation.
Loin de là, plusieurs se piquaient d'être libéraux et
de l'être à la manière occidentale, qui leur paraissait la seule bonne. Ce qu'ils repoussaient, ce n'était
pas l'affranchissement des serfs, c'était l'autonomie, à
leurs yeux au moins prématurée, d'ignorantes communes rurales ; c'était surtout la dotation territoriale
des paysans au moyen d'une expropriation partielle des
seigneurs ; et cette loi agraire, beaucoup la combat-
taient moins parce qu'elle lésait leurs intérêts privés, que parce que, à leur sens, toute atteinte au droit
de propriété était un dangereux précédent, surtout
chez un peuple habitué au régime des communautés

de village[1]. On comprend que, placé entre ces adversaires des lois agraires et les défenseurs des droits du paysan, qui se croyait, lui aussi, un titre traditionnel à la possession du sol, un souverain équitable, désireux de ne sacrifier aucun intérêt et aucun droit légitime, ait pu être cruellement perplexe, hésiter souvent dans ses choix et, par honnêteté même, s'embarrasser parfois dans ses scrupules. Les données du problème étaient telles qu'aucune solution ne pouvait entièrement sauvegarder tous les droits et les intérêts en jeu. Le grand mérite d'Alexandre II, c'est, en présence de telles difficultés et de pareilles divergences, de n'avoir pas reculé devant une tâche aussi âpre, aussi troublante, non seulement pour son repos personnel, mais pour sa conscience d'homme et de souverain.

Au milieu de pareils conflits d'opinion, avec un gouvernement aussi peu décidé, la victoire, dans une assemblée ainsi abandonnée sans direction, devait rester aux plus convaincus ou aux plus résolus. C'est ce qui explique l'action de Milutine dans les comités de rédaction. Représentant du ministère de l'intérieur, président de la commission chargée des règlements locaux et en outre membre actif des commissions de finances et d'administration, il eut sur toute l'œuvre commune une influence bien supérieure à sa position officielle et à son rôle légal. C'est qu'il possédait à un haut degré les rares qualités qui font l'autorité de l'homme d'État dans les conseils d'un gouverne-

---

1. Voy. *l'Empire des Tsars et les Russes*, t. I, l. VII, ch. II et III.

ment. A côté de lui brillaient des hommes tels que
Tcherkassky et Samarine, qui, par l'éclat ou le mor-
dant de la parole, eussent pu remporter des triomphes
plus bruyants dans une nombreuse et tumultueuse
assemblée ; mais Milutine avait, sur les mieux doués
de ses amis comme de ses adversaires, l'avantage que
donnent seules la netteté des vues et la décision du
caractère, jointes au tact politique. Il avait le sens de
ce qui, à une heure donnée, était possible et pratique. Il avait en outre l'ascendant personnel, cette
autorité naturelle, pour ainsi dire innée, qu'il est plus
facile de sentir que d'expliquer. Tranchant et impé-
rieux parfois peut-être, mais sachant inspirer aux
autres sa foi et sa résolution ; conscient de sa supériorité, mais, en homme vraiment supérieur, incapable de jalousie et de tout sentiment mesquin, ayant
en répulsion les petits moyens et les petites intrigues,
il savait grouper autour de lui les cœurs et les dé-
vouements, non moins que les esprits et les idées.
Désintéressé pour lui-même et pour les siens, il était
d'une probité qui allait souvent jusqu'à la négligence
de ses légitimes intérêts ; ambitieux, disaient ses
ennemis, mais, comme les natures puissantes, plus
épris de l'action et du pouvoir réel que des dehors
et des avantages matériels du pouvoir. Partout à la
recherche de l'intelligence et des esprits distingués,
il aimait à faire ressortir le mérite et les services de
ses collaborateurs au lieu, comme tant d'autres, de
s'en parer à leurs dépens. Bref, il possédait les fa-
cultés qui font le chef de parti, et il y joignait les

qualités qui le font aimer de ses partisans et estimer de ses adversaires. Ainsi s'explique comment il
a pu conquérir tant de nobles et durables amitiés,
comment, dans la mauvaise comme dans la bonne
fortune, il a trouvé tant d'esprits distingués prêts à
lier leur sort à sa politique. On ne saurait s'étonner
qu'un tel homme ait eu la direction effective des comités de rédaction, dont la présidence appartenait à
d'autres. Sur les plus graves questions, sur le maintien des communautés de village et sur l'autonomie
des communes rurales, comme sur le partage et le
rachat des terres, ce furent, en dépit des modifications
de détail, ses avis qui l'emportèrent. D'une assemblée
où le *moujik* n'avait pas de représentants, Milutine
et ses amis obtinrent pour le paysan non seulement la
liberté personnelle, la liberté toute nue pour ainsi dire,
mais l'émancipation administrative et économique,
l'une par l'acquisition de la terre, l'autre par l'indépendance de la commune rurale en dehors de la
tutelle des anciens seigneurs. Sur ces deux points, les
plus contestés de la réforme, ils avaient pour eux
l'opinion, et, grâce à elle, ils triomphèrent de toutes
les résistances comme de toutes les objections.

Au commencement de l'année 1860, alors qu'après
des luttes ardentes les travaux de la commission de rédaction semblaient enfin sur le point d'aboutir, un
événement imprévu venait soudainement mettre en
péril tous les résultats obtenus et redonner du courage
aux adversaires de Milutine et des paysans. Le général Rostovtsef, président de la commission, épuisé par

les assauts incessants qui lui étaient livrés des deux
côtés, succombait en quelques jours à une maladie
soudaine. En février 1860, il mourait d'un abcès à
la nuque, dont ses amis attribuaient l'issue fatale à la
fatigue et aux ennuis de toute sorte. Chose singulière,
la perte du général, dont à l'origine ils attendaient si
peu, frappa d'un coup subit Lanskoï, Milutine, et ce
qu'on pourrait appeler la gauche du comité. Au
ministère de l'intérieur comme au palais Michel,
Rostovtsef laissait des regrets qu'un an plus tôt on
n'eût pas crus sincères. Lanskoï appelait immédiatement Milutine comme en un péril pressant[1]. On
craignait qu'à un président parfois incertain et hési-
tant, mais qui avait fini par se vouer tout entier à
la grande œuvre, ne succédât un président ouvertement ou sourdement hostile. Ces appréhensions
n'étaient pas vaines. Le comte Panine, ministre de
la justice, bientôt désigné comme successeur de Rostovtsef, s'était rangé parmi les adversaires de la réforme telle que l'entendait le ministère de l'intérieur. Les railleries et les attaques de la *Cloche* de
Herzen en avaient fait un des hommes les moins
populaires de l'empire[2]. La nomination de Panine

---

1. « Rostovtsef est mort ce matin à sept heures ; venez me voir aussitôt que vous le pourrez ; il faut nous concerter sur ce qu'il y aura
à faire. » (Lanskoï à Milutine, 4 février 1860.)

2. A propos du *Kolokol* de Herzen, il est à remarquer que, pour
fournir à la commission de rédaction tous les renseignements possibles, la chancellerie impériale lui envoyait la *Cloche*, alors que
l'organe du célèbre émigré était partout sévèrement poursuivi. (*Mém.
du sénat. Solovief.*)

était, pour le parti conservateur et aristocratique, une victoire qui devait retarder de plusieurs mois l'achèvement des travaux du comité. Il est vrai, comme Lanskoï en informait immédiatement Milutine, que le nouveau président ne devait rien changer à la marche suivie jusqu'alors[1]. Il semble qu'au moment où, par principe, on allait donner gain de cause aux défenseurs des paysans, on ait voulu faire dans les personnes une concession au parti des grands propriétaires. Soit calcul, soit indécision, cette manière de compensation et de balance allait devenir presque un système. En acceptant leurs idées, on devait bientôt écarter Milutine et ses amis pour désarmer la noblesse.

A peine nommé, le comte Panine, bien qu'il passât justement pour opposé aux bases de la réforme arrêtées par la commission, demandait à conférer avec Milutine. Lanskoï en informait son adjoint en des termes qui ne déguisaient pas ses défiantes inquiétudes.

« 13 février 1860.

« Le comte Panine désire vous voir pour avoir des renseignements exacts sur l'état et la marche des travaux des deux commissions, celle de rédaction et celle de l'organisation de la police. Quand je lui ai dit que vous étiez malade — (Milutine avait la grippe), — il a offert d'aller

---

1. « C'est Panine qui remplace Rostovtsef à la présidence de la commission, à la condition de ne rien changer à la marche des affaires ni au personnel. » (Lanskoï à Milutine, 11 février 1860.)

vous trouver chez vous dans le courant de la semaine
prochaine. Dès que vous pourrez le recevoir, il se permet-
tra de fixer le jour. Il tient, dit-il, à être instruit par vous
de la direction des travaux. On dirait qu'il l'ignore!
Faites provision de patience, et mettez dans vos idées
autant de calme que possible. »

Pour Nicolas Alexèiévitch et pour le statut d'émancipation, la situation ne laissait pas que d'être critique. On en jugeait ainsi en province comme à
Saint-Pétersbourg [1].

On redoutait un soudain revirement de la volonté
impériale. Ces appréhensions étaient heureusement
mal fondées. Comme la grande-duchesse Hélène exprimait au souverain sa surprise de la nomination de
Panine et ses craintes que les opinions du nouveau président ne fussent guère favorables à la réforme : « Bah!
répondit Alexandre II, vous ne connaissez point
Panine, il n'a d'autre opinion que d'exécuter mes
ordres. » C'était compter sans l'obstination du successeur de Rostovtsef. Le comte en effet se soumit
aux ordres du maître, mais non sans susciter à Milutine de nombreuses difficultés, non sans faire intro-

---

1. La preuve en est le billet suivant, daté du 20 février 1860, que
Milutine recevait de M. Dmitrief, professeur à Moscou :

« J'entends parler de vous souvent; votre nom est sur toutes les lèvres,
accompagné de mille invectives et d'expressions de haine de la part des
vieux (*korennikh*) propriétaires russes. Il y a peu de temps encore, et sur
la violence même de ces invectives, je devinais qu'à Pétersbourg les affaires marchaient bien et je m'en réjouissais fort. Mais il paraît que de
sombres nuages se rassemblent de nouveau, s'il est vrai que Panine est
nommé à la place de Rostovtsef... »

duire dans le statut des paysans plusieurs articles peu
en harmonie avec les principes de la réforme[1].

La situation de Milutine, en butte depuis des mois
aux traits de nombreux et puissants adversaires,
pouvait paraître ébranlée. Si ses ennemis s'étaient
flattés de le contraindre à la retraite, ils devaient
bientôt perdre cette illusion. Tout en donnant aux
conservateurs la satisfaction de voir l'un des leurs à la
tête de la commission, l'empereur, avant tout désireux
d'achever la réforme, était décidé à ne pas laisser
écarter du comité l'homme qui contribuait le plus
à en avancer les travaux. Dans une soirée, chez la
grande-duchesse Hélène, le souverain crut devoir
s'en exprimer avec Milutine et l'inviter à demeurer
à son poste. Je retrouve le souvenir de ce curieux
entretien dans un billet de Nicolas Alexèiévitch à
Lanskoï[2] :

---

1. L'opposition du comte Panine à l'esprit d'innovation devait
bientôt, du reste, amener sa retraite du ministère de la justice, lors de la réforme judiciaire. G. Samarine écrivait à ce propos
à la femme de N. Milutine (oct. 1862) : « Que dites-vous de la chute de
Panine? Après cela qu'y a-t-il de stable et de solide? Sachez que
dans ces derniers temps il m'a rempli d'un sentiment d'estime. De
tout le conseil de l'Empire, il est seul demeuré fidèle à lui-même
et n'a pas incliné sa tête grise devant l'idole du progrès ! »

Par un de ces contrastes qu'on ne rencontre guère qu'en Russie,
le fils unique du comte Panine fut compromis dans la première agitation nihiliste. Arrêté en 1861 lors des troubles universitaires et
gracié à cause de son père, ce jeune homme mourut à vingt-six ans.
Sa veuve, qui s'était adonnée à des œuvres de bienfaisance et d'éducation populaire, a été, en 1880, internée dans ses terres et inquiétée
par la police comme complice de la propagande révolutionnaire.

2. Cette lettre, comme la plupart de celles de Milutine à Lanskoï et
de Lanskoï à Milutine, a été écrite en français.

« 25 février 1860.

« L'Empereur m'a ce soir honoré de quelques paroles
bienveillantes ; il s'est d'abord informé de la santé de Votre
Excellence et a écouté avec intérêt ce que je tenais de
vous... Quant à l'émancipation, Sa Majesté a daigné exprimer le désir que je continuasse à prêter mon concours au
nouveau président, et cela dans des termes très flatteurs
pour moi. J'ai dit que nous étions tous animés du désir de
terminer l'œuvre avec le plus de célérité possible, que
nous rédigions en ce moment un rapport détaillé sur ce
qui restait à faire, que les députés [1] seuls seraient une
cause de retard, mais que nous espérions néanmoins finir
le tout pour le mois de juillet, si aucun empêchement imprévu ne s'y opposait. L'Empereur a terminé la conversation en désignant le mois d'octobre comme le dernier
terme de la décision définitive. Je m'empresse de rendre
compte à Votre Excellence de cet entretien, qui ne peut
que me donner une nouvelle ardeur au travail [2]. »

Sans les entraves et les retards inutilement apportés
par le nouveau président, le code émancipateur eût été
prêt aussitôt que l'annonçait Milutine. Grâce aux
manœuvres des adversaires du projet, les travaux de
la commission, presque systématiquement traînés en
longueur, devaient encore se prolonger près d'une
année entière. On voulait hâter la marche des affaires,
et en même temps on en confiait la direction à des

1. Délégués élus par les comités provinciaux de la noblesse.
2. Le bon Lanskoï répondit le lendemain : « Votre billet d'hier m'a
fait grand plaisir. La dernière entrevue a été plus satisfaisante que
.a première. Il paraît qu'à présent la glace est rompue. » Allusion
sans doute à la première audience de Milutine.

hommes moins désireux de l'accélérer qu'enclins à y mettre obstacle. Les mois s'écoulaient et les statuts ne s'achevaient point, toutes les instances du ministère de l'intérieur et du souverain lui-même paraissaient inutiles.

« Sa Majesté a appelé Panine ce matin pour lui recommander plus d'activité. Elle se plaint des lenteurs, écrivait Lanskoï à Milutine le 17 septembre. Panine a promis de porter son travail au comité pour le 10 octobre. » Le mois d'octobre venait, et l'œuvre de la commission, enfin terminée, était soumise à une autre instance, à ce qu'on appelait le *haut comité* (*glavnyi komitet*), assemblée presque entièrement composée de hauts fonctionnaires hostiles, où la réforme eût pu être indéfiniment ajournée, si à la tête de cette sorte de tribunal d'appel l'empereur n'eût placé son frère, le grand-duc Constantin, prince favorable au travail de Milutine et de ses amis. Voici en quels termes la grande-duchesse Hélène faisait annoncer cette nouvelle à Milutine par une de ses demoiselles d'honneur, Edith de R. :

« Je suis chargée de vous annoncer une bonne nouvelle, secrète encore, c'est que le grand-duc Constantin est nommé président du grand comité et qu'à son retour l'Empereur présidera lui-même. Avais-je raison ce matin de croire à une providence spéciale pour la Russie et pour vous tous ? — Mille amitiés[1]. »

La grande-duchesse écrivait bientôt elle-même, à

1. Lettre en français du 8 octobre 1860, signée R.

propos du même sujet, à Nicolas Alexèiévitch, alors
souffrant par suite d'excès de travail[1] :

« 14 octobre 1860.

« J'ai dit au grand-duc Constantin que la discrétion seule
vous empêchait de vous présenter chez lui pour le remercier de l'intérêt qu'il vous avait témoigné pendant votre
maladie. « Je le ferai venir, a-t-il dit avec beaucoup
« d'aménité, je dois et je veux le voir ; si je ne l'ai pas
« fait encore, c'est que je voulais parcourir les *pologenia*
« (statuts) afin de pouvoir les discuter. Je les ai lus à pré-
« sent ; c'est un monument qui à jamais fera le plus
« grand honneur à la commission, de quelque opinion
« qu'on puisse être. » Le grand-duc est indigné du procédé de Panine envers vous tous. Je l'ai vu ce matin
(Panine) et je lui ai dit mon opinion là-dessus. Il répond
par de mauvaises raisons. »

Quinze jours plus tard, l'empereur en personne
remerciait solennellement la commission de rédaction
« de l'immense travail accompli par ses membres »,
sans lui dissimuler pourtant « que, toute œuvre
humaine étant imparfaite, il faudrait peut-être faire
quelques changements à la sienne »[2]. On en fit en
effet plus d'un ; le parti des propriétaires parvint à
introduire quelques amendements qui, sans être tous
heureux, apportèrent de nouvelles lenteurs. Aux
derniers jours de janvier 1861, on en était enfin à la

1. Lettre écrite en français comme presque toutes celles de la
grande-duchesse Hélène.
2. Discours inédit prononcé le 1er novembre 1860.

rédaction du manifeste impérial, et le grand-duc
Constantin en faisait demander communication à
Milutine [1]. A cette heure même et jusqu'au dernier
moment, les partisans de la réforme n'étaient pas sans
inquiétude sur la promulgation de la charte nouvelle. Moins d'une semaine avant le jour qui, dans
l'histoire, marque à jamais l'ère de la liberté des
paysans, le 15 février 1861, Milutine recevait de la
grande-duchesse Hélène le singulier avis que voici :

« Je crois devoir vous prévenir que les gens de ma maison
ont répété que, s'il n'y avait rien pour le 19, la *tchern*
(la populace) viendrait devant le palais demander une solution. Il faudrait faire, je crois, quelque attention à ce
bavardage : une démonstration serait funeste. »

Heureusement pour les promoteurs de l'émancipation, les sinistres rumeurs dénoncées par la grande-duchesse n'eurent pas lieu d'être suivies d'effet. Le 19 février, jour anniversaire de l'avènement de l'empereur,
ne se passa point sans la signature de la charte d'affranchissement. Il est vrai qu'à la fin on ne négligea
rien pour être prêt à la date fixée. Après avoir si longtemps procédé avec lenteur, on agit presque avec préci-

---

1. « Le grand-duc vous demande de lui apporter le projet de manifeste, dimanche à deux heures et demie. » (Billet du 30 janvier 1861,
écrit à Milutine par M. G..., sur l'ordre du grand-duc Constantin.)
Ce projet de manifeste, confié à la plume de Samarine et rédigé
par lui d'accord avec Milutine, fut, sur l'ordre d'Alexandre II, envoyé
au célèbre métropolite de Moscou, Philarète, qui lui donna une
teinte religieuse conforme aux goûts ou aux habitudes du peuple
russe.

pitation dans les dernières semaines. Au Conseil de
l'empire, qui sert de corps législatif, le statut d'émancipation ne fut guère soumis que pour la forme,
l'empereur ayant nettement interdit toute modifi-
cation essentielle. Le sixième anniversaire de l'avènement d'Alexandre II au trône tint la promesse faite à
Moscou au couronnement. Quelques jours plus tard,
les paysans entendaient lire dans les églises le manifeste qui leur annonçait la bonne nouvelle. Après tant
de luttes et d'anxiétés, la noble tâche était terminée.
Malgré quelques concessions de détail, les Milutine,
les Samarine, les Tcherkassky l'avaient emporté,
mais ils devaient payer de leur crédit le triomphe de
leurs idées.

L'achèvement de la réforme, qui reste le premier
titre de gloire du dernier règne, allait être, pour ceux
qui y avaient pris la principale part, le signal de la
disgrâce. Quelques semaines à peine après la confirmation des lois qui leur avaient coûté tant de soucis,
Lanskoï et Milutine devaient être congédiés, comme si,
en acceptant leur œuvre, on eût voulu en rejeter la
responsabilité et infliger une sorte de désaveu aux
hommes qui en avaient pris l'initiative.

CHAPITRE III

Le lendemain de l'émancipation. — Récompense des membres des commissions de rédaction. — Les amis de Milutine décorés malgré eux. — Projets de réforme du ministère de l'intérieur. — Efforts du grand-duc Constantin pour retenir Nicolas Alexèiévitch aux affaires. — Lanskoï et Milutine congédiés en avril 1861. — Raisons et effets de ce revirement de la politique impériale. — Sentiment de Milutine et de ses amis sur cette « réaction ». — Tcherkassky et Samarine « arbitres de paix ». — La mise à exécution du statut d'émancipation d'après leurs lettres à Milutine.

L'acte d'émancipation est officiellement daté du 19 février 1861 ; la promulgation n'en eut lieu qu'au mois de mars, et, quelques jours plus tard, au milieu d'avril, le ministre de l'intérieur et son adjoint, Lanskoï et N. Milutine, quittaient le ministère. C'était à d'autres mains qu'était confiée l'application des statuts si péniblement élaborés par Nicolas Alexèiévitch et ses amis.

Le code d'affranchissement à peine enregistré, l'assemblée qui l'avait préparé, la *commission de rédaction*, était dissoute sans qu'il lui fût donné de suivre son œuvre dans la mise en pratique. Des deux classes d'hommes dont se composait le célèbre comité, les uns, les tchinovniks, revenaient à leurs fonctions habituelles dans les divers ministères ; les autres, les propriétaires *experts*, tels que le prince Tcherkassky et G. Samarine, allaient rentrer dans leurs provinces pour y participer à l'application des règlements discutés à Saint-Pétersbourg.

En congédiant ces volontaires de l'émancipation, dont le nom reste à jamais inscrit dans les annales russes, le gouvernement, qui se privait de leurs services, crut devoir leur donner pour récompense une distinction officielle. Il s'agissait naturellement d'une de ces nombreuses croix ou décorations dont la Russie est si riche qu'elle semble avoir voulu coter et primer tous les genres de mérite. Cette résolution donna lieu à un curieux incident qui fit beaucoup de bruit en son temps. Chose nouvelle, qui indiquait quelle révolution morale s'opérait dans ce pays où tout le monde est d'ordinaire si friand de pareilles distinctions, les Samarine, les Tcherkassky et leurs amis se révoltent contre toute décoration : la grande-duchesse Hélène et le ministre Lanskoï s'emploient à leur épargner cette mortifiante récompense. Dès le 16 février 1861, trois jours avant la signature du manifeste impérial, la grande-duchesse Hélène écrivait à N. Milutine :

« J'apprends à l'instant que le comte Panine insiste pour donner des décorations aux membres de la commission et qu'il destine entre autres le petit Stanislas à Tcherkassky. Informez-en Lanskoï, afin qu'on pare ce coup. Il faudrait que le grand-duc Constantin en fût prévenu à temps... »

Nicolas Milutine partageait les sentiments de ses

amis et de la grande-duchesse. Dans une note, rédigée
par lui pour son ministre Lanskoï et adressée officiellement au comte Panine, il donne les motifs de la
répugnance de ses collaborateurs pour toute distinction de ce genre[1]. A leurs yeux, « la participation à
une aussi grande œuvre était en soi-même un honneur
pour toute la vie[2] ». Ni croix ni ruban ne pouvait re-
hausser une telle gloire. En fait de récompense,
tout ce qu'ils admettaient, c'était une simple mé-
daille commémorative[3]. Cette noble fierté n'était peut-
être pas l'unique motif des répugnances de ces généreux esprits. Les propriétaires, qui avaient siégé
dans le comité de rédaction, étaient regardés par beaucoup de nobles de province comme des traîtres, des
transfuges, des spoliateurs de la noblesse. Ils étaient
naturellement accusés d'être vendus à ses ennemis.
Pour ne donner aucune prise aux ineptes calomnies
de ce genre, Tcherkassky, Samarine et les autres prétendaient repousser toute récompense ou gratifica-
tion officielle, de quelque nature qu'elle fût[4].

Les efforts de la grande-duchesse et du ministère
de l'intérieur ne purent détourner de leurs lèvres ce
calice bureaucratique. On tint d'autant plus à leur

1. Brouillon d'une lettre de Lanskoï au comte Panine, fin de mars
1861.
2. Lettre de Milutine à la grande-duchesse Hélène, du 16 février
1861.
3. C'est ce que constatent plusieurs lettres de la grande-duchesse
Hélène, du prince Tcherkassky et de Samarine.
4. Je crois avoir trouvé la trace de cette préoccupation dans certaines
lettres de Tcherkassky et de Samarine à Milutine.

conférer des ordres qu'ils protestaient plus vivement
contre une telle faveur. Selon l'énergique expression
de Milutine[1], « les vindicatives intentions de leur ancien président, le comte Panine, l'emportèrent ». Ils
furent décorés malgré eux. Le prince Tcherkassky
donna cours à son humeur dans sa correspondance[2];
quant à Samarine, qui détestait tout ce qui était officiel, il renvoya au comte Panine la croix qui lui était
décernée au nom de l'empereur. C'était là un acte
d'irrévérente audace sans précédent en Russie.

Ce petit incident, insignifiant en lui-même, était
une défaite pour le ministère de l'intérieur; il coïn-
cida avec la chute de Lanskoï et de Milutine. La situation équivoque faite à ce dernier pendant deux ans
ne pouvait durer. La loi d'émancipation une fois pro-
mulguée, Nicolas Alexèiévitch ne pouvait longtemps
demeurer au ministère avec le titre d'*adjoint provisoire*, auquel il ne s'était résigné jusque-là que pour
participer à la grande réforme. Par malheur, les préventions qui, en 1859, avaient empêché sa nomination
définitive, s'étaient plutôt fortifiées qu'amoindries pendant les deux ans de luttes du comité de rédaction.
Les adversaires du nouveau statut, toujours puissants
à la cour, avaient fait de Milutine leur bouc émis-

---

1. Lettre à la grande-duchesse Hélène, du 16 février 1861.
2. Le prince écrivait à Milutine : « ... Quant à la croix, vous connaissez ma *profession de foi*, elle n'a pas changé, et ainsi je n'ai pas
besoin de la répéter. L'effort que cela me contraint à faire sur moi-
même me coûte beaucoup, et, quand je vous l'écris, vous croyez à ma
sincérité. J'entends et je connais les commentaires que cela va susciter, etc. » (Lettre du 7 mai 1861.)

saire. Ses plus hauts protecteurs, le grand-duc Constantin pas plus que la grande-duchesse Hélène, ne purent le faire confirmer dans ce poste secondaire d'*adjoint du ministre*.

Milutine lui-même aurait hésité à accepter une confirmation aussi tardive. Les veilles et les tracas que, durant les deux dernières années, lui avait coûtés l'émancipation avaient peu à peu altéré sa santé; il sentait impérieusement le besoin de repos et désirait un congé illimité. Ce dessein contrariait singulièrement ceux qui, avec le grand-duc Constantin, considéraient l'émancipation comme l'inauguration d'un nouveau régime et désiraient ouvrir sans retard la série des réformes indispensables. Le fait est que, la charte du 19 février ayant modifié radicalement l'administration des campagnes, il semblait urgent de remanier en même temps toute l'administration locale. Aussi, dès le 21 février 1861, le surlendemain du jour où avait été sanctionnée la charte d'affranchissement, le grand-duc Constantin faisait demander l'avis de N. Milutine sur plusieurs points de l'administration provinciale et l'engageait à ne pas quitter le ministère, tout en lui reprochant de fournir par la liberté de son langage des armes à ses adversaires.

« 21 février 1861[1].

« Très honoré Nicolas Alexèiévitch, j'ai eu un long entretien avec le grand-duc et il m'a chargé : 1°. . . . ;

1. Lettre de M. Golovnine à N. Milutine.

2°. . . . . ; 3° de vous informer qu'il a beaucoup pensé à votre situation personnelle et qu'il est arrivé à la conviction que des changements de personnes au ministère de l'intérieur seraient en ce moment hors de saison, que dans votre propre intérêt vous devez rester dans vos fonctions actuelles d'adjoint du ministre. . . . . . ; et 4° de vous dire en toute sincérité que les relations personnelles de Son Altesse avec vous lui ont laissé l'impression que, par rapport aux personnes, vous agissiez souvent sous l'influence de préventions, supposant en elles plus de mal qu'il n'y en a réellement ; que vous vous exprimiez avec trop peu de bienveillance (selon ce qu'on rapporte naturellement), et que vous excitiez par là contre vous-même une malveillance qui vous fait du tort et qui sans cela n'existerait nullement. Comme exemple il a cité Panine et Boutkof. Il me reste à ajouter que tout cela a été dit avec un sentiment de franche sympathie et d'estime pour vous. »

On voit par ces dernières lignes quels reproches ses adversaires faisaient à Milutine, et ce qu'il était parfois obligé d'entendre de la bouche même de ses protecteurs ou de ses amis officiels. A ce billet Milutine répondit le lendemain par une longue missive, sorte de mémoire où il exposait ses plans pour une refonte de l'administration et la création d'états provinciaux qui, sous le nom de *zemtsvos*, devaient en effet être institués, trois ans plus tard, en grande partie d'après ses vues et les projets laissés par lui[1]. Cette lettre montre qu'au moment où com-

_____

1. Lettre à M. Golovnine, 22 février 1861... « Nous avons pour cela en vue deux institutions provinciales : 1° *l'administration de*

mençait la vaste liquidation du servage, le ministère
de l'intérieur avait déjà préparé tout un ensemble de
réformes administratives; que Milutine et Lanskoï
comptaient introduire le *self-government* local dans
les provinces, comme par la charte d'émancipation,
ils l'avaient établi dans les communes de paysans. A
leurs yeux, les deux réformes étaient connexes, et en
fait n'étaient-ce point les deux moitiés d'une même
œuvre? Quant aux reproches, qui, au nom du grand-
duc, lui étaient transmis par un tiers, Nicolas Alexèiévitch, avec une fierté que l'on comprendra, n'y faisait
ni réponse ni allusion. Il terminait ainsi, non peut-
être sans une secrète ironie, sa lettre au confident du
frère de l'empereur (22 fév. 1861) :

« En achevant cette lettre, je passe vite sur ce qui me
concerne personnellement. Avant tout, je ne puis pas ne
point exprimer à Son Altesse ma profonde reconnaissance
de sa gracieuse sollicitude. Les paroles que vous me trans-
mettez resteront toujours pour moi l'un de mes meilleurs
souvenirs ; j'emploierai toutes mes forces pour ne jamais

gouvernement (*goubernskoé pravlénié*), sous la présidence des gouverneurs, pour la police et les affaires courantes (*rasporiaditelnikh*);
2° *la commission territoriale* (*zemskoé prisoustvié*) ou *chambre territoriale* (*zemskaïa palata*), sous la présidence des maréchaux de la noblesse ou d'une autre personne *élue*, pour la gestion des affaires économiques, des affaires d'intérêt général, de bienfaisance, etc... Nous nous
proposons de donner à la *chambre territoriale* (*zemskaïa palata*) toute
l'indépendance possible, sous le contrôle d'élus des diverses classes et,
dans quelques cas, sous la surveillance du gouverneur et du ministère.
Le plan de cette réforme est en train d'être terminé dans un comité
spécial du ministère, et je serai heureux de pouvoir le présenter au
grand-duc d'une manière privée, avant que l'affaire suive la marche
officielle. »

obscurcir la bonne opinion qu'a de moi le grand-duc,
opinion qui me sera toujours chère et sacrée (*sviata*).
Avec tout cela, il m'en coûte extrêmement de dire que je
ne puis être d'accord avec le désir de Son Altesse, et qu'à
l'heure présente je ne me sens pas capable de travailler
comme il le faudrait. Depuis quinze ans, je n'ai presque
pas quitté Pétersbourg, et les deux dernières années surtout m'ont fatigué et physiquement et moralement. La
tension du travail, des anxiétés incessantes, ont tué en
moi toute espèce d'ambition : le repos est devenu mon
premier besoin. Serait-il convenable de travailler dans de
pareilles conditions à un moment aussi important? D'un
autre côté (et tel est aussi, si je ne me trompe, l'avis de
Serge Stepanovitch[1]), j'ai tout lieu de croire que les raisons qui, durant deux ans, m'ont fait maintenir dans
l'étrange situation d'adjoint à titre temporaire, sont encore
dans toute leur force. En de telles circonstances, ma confirmation dans mes fonctions aurait l'air d'une concession
extorquée (*vynoujdennago*) dont il me serait pénible de
profiter. »

Les appréciations de Milutine étaient fondées. On
sent en le lisant que sa santé n'était ni l'unique ni le
premier motif de son désir de retraite. Il était justement dégoûté d'une situation équivoque qui avait duré
trop longtemps, et il savait les préventions de la cour
trop puissantes pour lui laisser le champ libre. Malgré
leur franchise, ces explications ne suffisaient pas à
convaincre le grand-duc Constantin, qui se faisait
difficilement à l'idée de lui voir abandonner le
ministère en un pareil moment. Le prince persistait

---

1. Lanskoï, le ministre de l'intérieur.

à vouloir le faire confirmer dans ses fonctions d'ad
joint et à ne lui laisser accorder qu'un congé de
quelques semaines[1].

Quelques jours plus tard, le confident du grand-
duc, qui allait bientôt lui-même devenir ministre de
l'instruction publique, informait Nicolas Alexèiévitch
que Son Altesse trouvait nécessaire de lui confier le
ministère de l'intérieur dont en fait il avait depuis
plusieurs années la direction[2].

Ce désir était fort naturel de la part d'un prince
qui souhaitait donner à toute la politique intérieure
une impulsion énergique. La grande-duchesse Hélène
nourrissait les mêmes idées. Par malheur, la fatigue
de Milutine et ses scrupules à prendre la place de
son vieux chef n'étaient pas les seuls obstacles à une
telle combinaison; l'empereur lui restait opposé. Il
consentait au congé de Milutine, mais, loin d'être
disposé à le faire ministre, il ne pouvait se décider à
le confirmer dans ses fonctions d'adjoint[3].

1. « J'ai vu le grand-duc dans la matinée, mais j'ai échoué dans
mes efforts pour faire partager votre point de vue à Son Altesse. Le
grand-duc persiste dans l'opinion que vous devez être confirmé dans
vos fonctions d'adjoint, etc. » (Lettre de M. Golovnine à Milutine,
1er mars 1861.)

2. « Le grand-duc a longtemps causé avec moi; il trouve que, pour
la grande œuvre, vous êtes plus indispensable que n'importe qui et
que vous devez remplacer Lanskoï. Il veut vous parler lui-même demain... » (Lettre de M. Golovnine à N. Milutine, 3 mars 1861.)

3 «... Lanskoï m'a chargé hier soir de dire au grand-duc que vous
aviez réellement besoin d'aller à l'étranger, et que l'Empereur avait
déjà consenti préalablement à votre congé... Il ajoute qu'il ne comprend pas pourquoi l'Empereur ne veut point vous confirmer dans vos
fonctions, d'autant plus qu'en refusant cette confirmation Sa Majesté
a un air confus. » (Lettre de M. Golovnine à Milutine, 4 mars 1861.)

Cette répugnance du souverain s'expliquait aisément. Entouré d'une cour généralement hostile à
Milutine, il entendait répéter que c'en était fait de la
noblesse si l'on confiait à un pareil homme l'exécution des lois agraires sanctionnées par la charte
d'émancipation. Milutine était plus que jamais représenté comme l'adversaire systématique des propriétaires, n'ayant d'autre dessein que de les ruiner au
profit des paysans. Un prince droit et scrupuleux,
ayant l'ambition de faire le bonheur de tous et justement désireux de ne pas imposer de trop lourds
sacrifices à sa fidèle noblesse, ne pouvait fermer
l'oreille à toutes les plaintes de ce genre. Il avait
résisté tant qu'il avait cru l'adjoint de Lanskoï indispensable à l'achèvement de l'œuvre. Un billet de la
grande-duchesse Hélène montre à quel point les influences hostiles à Milutine avaient circonvenu le souverain.

« 29 avril 1861.

« ... Si vous voyez l'Empereur seul et qu'il vous parle
encore de la noblesse, vous devriez bien lui dire que vous
n'êtes pas contre elle, mais que vous êtes peiné et honteux que votre caste réponde si peu à ce qu'elle devrait
être. »

Au moment où la grande-duchesse lui donnait ce
tardif conseil, les adversaires de Nicolas Alexèiévitch
avaient déjà obtenu son éloignement. Lanskoï et
Milutine avaient quitté le ministère, tous deux ayant
été congédiés simultanément au milieu d'avril. Afin

de mettre un terme aux clameurs des propriétaires
affolés par le fantôme d'une ruine prochaine,
Alexandre II, en butte à d'incessantes obsessions,
s'était enfin décidé à retirer l'exécution de ses
oukazes aux hommes qui les avaient préparés, pour
la transmettre à des mains qui ne pussent être suspectes de partialité contre la noblesse.

La disgrâce des principaux promoteurs de l'émancipation, au moment même où l'on s'apprêtait à
appliquer leur œuvre, est une de ces contradictions
incompréhensibles de loin qui, nous venons de le
voir, s'expliquent sans peine par le milieu et le
système de gouvernement, par les intérêts et les
passions en jeu. Je ne veux pas rechercher ici les
conséquences de cette révocation qui eut pour premier effet de retarder la grande réforme administrative préparée par Milutine; j'aime mieux montrer
comment cette révolution ministérielle était à l'heure
même appréciée par Milutine et ses amis.

Un tel dénouement ne pouvait beaucoup surprendre
Nicolas Alexèiévitch; ce coup le frappait moins dans
sa carrière et ses intérêts personnels que dans son
œuvre, encore toute nouvelle et inexécutée. Plein
d'amour et d'inquiétude pour cette grande réforme
qui lui avait coûté tant de luttes et de souffrances, il
éprouvait quelque chose des sentiments d'une mère à
laquelle on arracherait son enfant nouveau-né pour le
livrer à une étrangère. Malgré ses appréhensions, il
ne se laissait pas aller au découragement et se faisait
un devoir de relever le courage d'autrui. Cette œuvre

pour laquelle tremblaient tant de ses amis, il cherchait à leur persuader qu'elle était assez solide,
assez conforme aux mœurs et aux intérêts du pays
pour résister à tous les assauts. Dès le 19 avril, encore
sous le coup de sa récente disgrâce, il exprimait cette
noble confiance à un écrivain qui, de même que plus
d'un patriote, avait voulu l'assurer en cette triste occurrence de sa sympathique admiration.

« 19 avril 1861 [1].

« J'ai hâte de vous exprimer ma gratitude pour vos
bonnes lignes; je devine le sentiment qui les a dictées, et
ma reconnaissance n'en est que plus sincère. L'approbation
des gens dévoués à la cause de l'abolition du servage sera
toujours un de mes plus chers et plus purs souvenirs.
Après trois ans d'une activité anxieuse, harassé moralement et physiquement, je suis contraint de voyager à
l'étranger, de quitter pour quelque temps le milieu natal
auquel j'appartiens par tous mes sentiments et toutes mes
pensées; mais j'emporte avec moi mon ancienne confiance
dans l'indestructibilité et la vitalité de la grande œuvre
d'émancipation. En dépit de cette force d'inertie qui, malheureusement, distingue notre société, le nouvel ordre de
choses rural se consolidera, j'en suis convaincu, à l'aide
des hommes honnêtes et droits, qui, par leurs pensées et
leurs paroles, doivent de toutes leurs forces éclairer la
conscience et relever la moralité publiques. Selon ma
profonde conviction, la littérature pourrait aujourd'hui y
contribuer plus que jamais. Elle seule peut dissiper des
préjugés séculaires, expliquer la loi nouvelle et rappeler

1. Lettre de N. Milutine imprimée dans la *Rousskaïa Starina*, février 1880.

sans cesse le but élevé, si facilement perdu de vue au milieu des petitesses de la vie quotidienne. Encore une fois, laissez-moi vous remercier de vos bonnes paroles. »

Quelques jours plus tard, dans une lettre remise par une main sûre, il s'exprimait plus librement avec son ami et collaborateur, le prince Tcherkassky. Ici encore on sent, à travers l'amertume contenue de son langage, que, pour ne pas attrister et abattre ses amis, il leur cache son anxiété et montre une confiance dans l'avenir dont son cœur était loin d'être plein.

« St-Pétersbourg, 4/16 mai 1861.

« Je profite, mon cher prince, d'une occasion sûre pour causer avec vous sans humiliantes précautions ni hypocrites réticences[1]. Malheureusement j'ai toujours peu de loisir. Du matin au soir j'emballe, j'arrange mes papiers, je fais des visites, en un mot, je me prépare à un voyage à l'étranger que je désirais depuis longtemps. On m'a donné congé pour une année entière, ou, pour mieux dire, on m'a mis de côté (*vyprovodili*) en me faisant sénateur et en me conservant mon traitement[2]. Ma femme a été si souffrante dans ces derniers temps que, pour moi personnellement, je considère ce départ comme une béné-

---

1. Milutine, par crainte des indiscrétions de la poste et de la « troisième section », correspondait autant que possible avec ses amis, alors même qu'il était aux affaires, par voie privée.

2. Le sénat russe, dont les attributions réellement importantes sont toutes judiciaires, n'est souvent qu'une chambre de retraite pour les fonctionnaires en disponibilité ou en disgrâce. On voit par cette phrase l'erreur de l'auteur anonyme des tableaux *Aus der Petersburger Gesellschaft* (t. I), qui représente la démission de Milutine comme volontaire. Il y aurait chez cet écrivain allemand, qui signe *un Russe*, plus d'une autre inexactitude à signaler.

diction du ciel. Afin de ne pas donner prise à l'accusation d'indifférence pour les affaires publiques, je n'avais demandé d'abord qu'un congé de quatre mois, mais la réaction est venue à mon secours. Lanskoï et moi nous avons été éloignés du ministère (sans aucune demande de notre part) pour complaire à la noblesse. Puissent de si modestes victimes lui donner satisfaction! Que sortira-t-il de tout ceci? Il est difficile de le prévoir. L'Empereur désire sincèrement l'application consciencieuse de la réforme. Les autres, quoique habitués à mettre les questions de personnes au-dessus de tout le reste, paraissent cette fois conserver au fond une sourde espérance de tout refaire à leur guise. La première attaque a été dirigée contre le ministère de l'instruction publique. Une commission spéciale est chargée de reviser et de restreindre les statuts des universités.

... En un mot, on est en train de calfeutrer (*kono-patit*) toutes les fentes par où l'air pur pourrait pénétrer au Palais d'Hiver. Tout cela était inévitable, mais ne saurait guère durer longtemps. La pression extérieure est trop persistante pour que les obstacles, imaginés par la *camarilla*, résistent au choc de l'air libre. En outre, les penchants humanitaires du souverain le préserveront d'une réaction à courte vue et sans idée. J'en suis fermement convaincu : le temps, la réflexion et aussi les essais même de réaction viendront à notre secours. La vraie lutte et le vrai travail ne sont plus maintenant ici (à Saint-Pétersbourg), mais en province, dans les campagnes. Je souhaite de toute mon âme que la portion libérale de la noblesse et les gens dévoués à notre cause ne s'en écartent point; en ce cas, toutes les chicanes des gens de cour et des bureaux ministériels seront impuissantes, comme a été impuissante jusqu'à présent l'opposition des propriétaires fonctionnaires (des *tchinovniks-pomechtchiks*).

« En partant d'ici le cœur joyeux pour moi et pour les miens, je voudrais regarder d'un cœur aussi tranquille notre situation générale. Je cherche involontairement un appui pour mes espérances et mes désirs, et cet appui, il est difficile de le trouver ici, où l'intrigue est en pleine fermentation. Les événements de Riazan et de Penza ont beaucoup aidé à la réaction[1]. Valouief a débuté dans son ministère avec douceur et souplesse (*miagko i ouklon-tchivo*). Il m'a promis de soutenir Solovief[2], mais il faut s'attendre à de vives attaques. Je rends mon appartement, car je voudrais pour toute une année bannir jusqu'au souvenir de Pétersbourg. Au nom des plus purs intérêts et de tous les souvenirs de notre œuvre commune, je vous conjure de vous abstenir et de faire abstenir nos amis de toute manifestation. »

Une des choses, comme on le voit, que redoutaient le plus Milutine et les avocats du peuple, c'étaient des manifestations ou des désordres qui, en effrayant ou irritant le souverain, eussent donné à leurs adversaires le prétexte de revenir sur tout ce qui avait été fait. Nicolas Alexèiévitch répète les mêmes conseils dans une lettre adressée presque en même temps à son autre ami et coopérateur, l'éloquent Samarine. Cette lettre se distingue de la précédente par un ton plus calme, plus résigné, soit que Milutine se fût calmé lui-même, soit

---

1. Il s'agissait d'émeutes de paysans pressés d'entrer en liberté ou réclamant des terres gratuites.
2. Fonctionnaire distingué, directeur du *Zemskii otdêl*, Solovief, ami et ancien collègue de Milutine aux *Commissions de rédaction*, ne devait se maintenir au ministère de l'intérieur que jusqu'en 1863, et, après avoir été congédié, il devait redevenir l'un des principaux collaborateurs de Milutine et de Tcherkassky en Pologne.

plutôt qu'en parlant à Samarine, qu'il savait enclin à
la tristesse et au pessimisme, il eût voulu rassurer
son illustre ami.

« 7/19 mai 1861.

« Malgré l'heure avancée, très cher et très honoré George
Fédorovitch, je ne veux pas laisser échapper une occasion
favorable sans vous écrire quelques lignes[1]. Dans une
semaine, je serai à l'étranger pour toute une année. Vous
n'ignorez pas notre éloignement du ministère, à Lanskoï
et à moi. Cela s'est passé sans les incidents particuliers
qu'inventent aujourd'hui le désœuvrement et la rumeur
publique. Pour trancher le mot, la réaction a pris le dessus. En sacrifiant quelques personnes, on croit plaire à la
noblesse et faciliter l'exécution de la réforme. Valouief
formule ainsi son programme : une stricte et littérale application du code d'émancipation, mais cela dans un esprit
de conciliation. J'ignore s'il est sincère, mais tel est le
sincère désir du souverain. En cédant à la réaction, il
espère la vaincre. Le vent qui souffle en ce moment
n'est pas favorable aux personnalités tranchées. On choisit
au contraire les plus incolores à la façon du prince ***,
de ***, et du reste. En attendant, la gent réactionnaire
s'agite ; on parle déjà d'une revision de l'acte d'émancipation, et pour cela on cherche à reculer les chartes réglementaires (*oustavniia grammoty*) et la nomination d'arbitres libéraux[2]. Vous voyez qu'une large carrière est
ouverte aux intrigues. Quant à moi, je ne les crains pas
pour la réussite de la réforme, si les paysans se rendent

1. Les *chartes réglementaires* étaient des contrats entre les propriétaires et leurs anciens serfs, et les *arbitres de paix* des magistrats spécialement préposés au jugement des différends soulevés par l'émancipation.
2. Il s'agit toujours d'occasion pour le transport des lettres en dehors de la poste.

compte de leurs droits et de leurs intérêts, et si la noblesse comprend que pour elle le meilleur rempart dans l'avenir est le code actuel et non une série de nouvelles commissions de rédaction. Désormais la vraie force est l'activité locale, et tout notre espoir est en Dieu, qui nous a appelés dans la terre promise et qui certainement nous aidera à nous y fixer[1]. Cette espérance me donne le droit de m'abandonner à la joie, le droit de reprendre haleine, de me rafraîchir dans le repos. L'ostracisme qui me frappe me sauve dans ce que j'ai de plus cher[2]... Vous savez qu'un voyage à l'étranger est depuis longtemps l'objet de mes désirs. Il est pénible naturellement de quitter sa patrie dans un moment aussi difficile, mais des événements indépendants de ma volonté ont tout arrangé ainsi.

« Malgré tous nos efforts, il n'y a pas eu possibilité d'écarter les récompenses pour les membres des commissions de rédaction... Pour l'amour de Dieu, n'ajoutez pas au triomphe du parti réactionnaire, qui profiterait de toute démonstration de votre part pour nuire à notre œuvre[3]. La grande-duchesse Hélène est triste et souffrante. Elle ne partira point pour les eaux avant juin. S. S. Lanskoï va aussi à l'étranger pour six mois. Je vous serre la main avec force; soyez bien portant et heureux. Tout à vous. »

Et, dans un post-scriptum, le fonctionnaire sacrifié mentionnait avec une sincère reconnaissance le bienveillant accueil du souverain en le congédiant.

« L'Empereur m'a fait ses adieux de la façon la plus

---

1. Ce dernier passage a été imprimé avec quelques variantes ou quelques altérations dans la *Rousskaïa Starina* (février 1880).
2. Il s'agit ici de la santé de sa femme.
3. N. Milutine semble songer ici aux décorations auxquelles il fait allusion dans la phrase précédente et que Samarine devait en effet renvoyer.

aimable. Il m'a remercié et embrassé à plusieurs reprises.
Je vous envoie le premier fascicule de notre recueil ; le
numéro II est sous presse, Valouief m'a promis de continuer
cette publication[1] : il est avec moi dans les termes les
plus amicaux... »

Les deux amis de Milutine n'étaient, pas plus que
lui, hommes à se laisser abattre par un tel coup.
Comme Nicolas Alexèiévitch, quoique avec diverses
nuances de caractère, c'étaient des esprits bien trem-
pés, convaincus et pleins de foi dans leur œuvre.
Moins d'un mois après la chute de Milutine, et avant
même d'avoir reçu la lettre de Nicolas Alexèiévitch, le
prince Tcherkassky lui exprimait en ces termes son
opinion sur le changement de ministre :

« Toula, 7 mai 1861.

« ... Je m'attendais à une réaction ; elle était inévitable, et je suis heureux de ce qu'elle n'ait éclaté qu'après
la nomination des nouvelles commissions provinciales
(*Goubernkiie prisoutsviia*). Je ne crois pas qu'un système
de rigueur soutenue concorde avec le caractère de l'époque
actuelle et des principaux personnages en scène. Après un
dégel printanier nous allons revenir, non pas à un hiver
rigoureux, mais tout simplement à une ennuyeuse et sale
boue de neige fondue (*sliakot*). Je ne souhaiterais à aucun
de ceux que j'aime de diriger en ce moment le ministère
de l'intérieur : beaucoup de soucis, une responsabilité
effrayante, des chances de se casser le cou sans aucune

1. Un recueil concernant les travaux des commissions de rédaction
et l'application de la réforme ; Milutine eut le chagrin de le voir
bientôt suspendu.

de se faire un nom. Ceux qui recueilleront l'héritage du nouveau ministre, dans trois ou quatre ans, auront une position infiniment meilleure sous tous les rapports; l'avenir leur appartiendra. Vous voyez par ces mots, très cher Nicolas Alexèiévitch, que je partage votre fermeté d'âme sur votre propre compte, chose du reste infiniment plus facile que de s'exercer soi-même au stoïcisme, comme vous le faites en ce moment. Non seulement je ne suis pas affligé pour vous, mais je vous dirai que je me réjouis presque dans votre intérêt propre, quoique, pour la chose publique, je regrette et les causes et les suites probablement inévitables de votre éloignement.

« Voyagez à l'étranger, reposez-vous, vous en avez besoin; jouissez de l'air pur, soignez Maria Aggèievna[1] et les enfants, et lorsque de nouveau vous vous sentirez fort et bien portant, vous nous reviendrez tout prêt pour une nouvelle et immanquable période d'activité. »

Peut-être le ton assuré et enjoué du prince Tcherkassky cachait-il un effort pour guérir la plaie faite à son ami et le consoler dans la mauvaise fortune. On sent, à lire ces lettres, que ces vaillants esprits, liés par leur dévouement à la même cause, travaillent à se soutenir et à s'encourager réciproquement, à l'heure de la retraite comme à l'heure de la lutte.

Grâce à ses deux anciens collègues, Milutine, expulsé du ministère, allait, de Saint-Pétersbourg et du fond même de l'Occident, suivre la marche de l'émancipation, avec plus de sûreté et de renseignements peut-être, que s'il avait continué à recevoir les

---

1. La femme de N. Milutine, née Abaza et sœur de M. Abaza, depuis ministre des finances.

rapports des gouverneurs de province. Les lettres
de Tcherkassky et de Samarine à Milutine offrent un
pittoresque et vivant tableau de l'affranchissement,
tableau peint sur place et à l'heure même, sans re-
touche et sans pose, par deux des plus brillants esprits de la Russie contemporaine, et cela non pour
le public, mais pour un ami auquel ils n'avaient rien
à cacher, ni surprise, ni regret, ni désenchantement.

Au sortir du comité de rédaction, où ils avaient élaboré toute la nouvelle législation des paysans, Samarine et Tcherkassky avaient tous deux donné, à la
fraction libérale de la noblesse, un exemple suivi par
l'élite de leurs compatriotes. Ils avaient l'un et
l'autre, chacun dans sa province, accepté les fasti-
dieuses et absorbantes fonctions d'*arbitres de paix*,
sorte de juges spéciaux, élus par la noblesse, pour
procéder à la délicate liquidation du servage et trancher, d'après les nouveaux statuts, les différends des
anciens serfs et des anciens seigneurs. Pour l'histoire
comme pour Milutine, personne dans toute la Russie n'eût pu mieux décrire la soudaine révolution,
en train de s'accomplir pacifiquement d'un bout à
l'autre de l'empire, que ces deux hommes qui, l'un au
bord du Volga, l'autre aux sources du Don, prési-
daient à l'exécution des lois qu'à Pétersbourg ils
avaient eux-mêmes discutées et rédigées. Il y a dans
toutes ces lettres un accent de sincérité, un abandon
et une spontanéité qui ne sauraient se rencontrer à
un pareil degré dans des écrits adressés au public.
Aussi regrettons-nous que l'espace nous oblige à en

citer que quelques extraits des lettres des deux
amis[1].

... « Dans les premiers temps[2], après la publication
du *manifeste*, la société, la littérature et l'administration
étaient tout entières à l'idylle. Je ne saurais vous dire
combien me répugnait une disposition qui répondait si
peu à la réalité ; c'est en fait la raison pour laquelle
je ne voulais pas prendre la plume. Maintenant commence
à se manifester peu à peu, et malheureusement même
assez vite, un penchant tout opposé, comme si, dans
notre[3] ... Russie, nous étions toujours condamnés à nous
précipiter d'une extrémité à l'autre, sans jamais faire connaissance avec le juste milieu[4]. Aujourd'hui, semble-t-il, le
mot d'ordre général est la peur, un abattement enfantin,
des terreurs exagérées, en un mot la disposition d'esprit la
plus lugubre, ce qui, autant que j'en puis juger par mon
expérience personnelle, n'est pas moins faux et erroné que
l'excès inverse et est au moins aussi dangereux. De péril
réel, dans l'état actuel de la question des paysans, il n'y
en a absolument pas ; il y a et il y aura encore beaucoup de
troubles et de désordres partiels, surtout de refus de travail ; d'un autre côté, des paysans à la redevance (*obrok*)
essayeront de retourner à la corvée qui, loin de déplaire,
aujourd'hui que toute autorité personnelle du seigneur
est abolie, attire plutôt le paysan par l'espoir assez fondé

1. Le lecteur trouvera dans *l'Empire des tsars et les Russes* (t. I,
liv. VII, chap. III et IV) d'autres fragments non moins curieux de la correspondance de Tcherkassky et de Samarine à propos des paysans et
de l'émancipation.
2. Autres passages de la lettre de Tcherkassky du 7 mai 1861.
3. Ici un mot illisible.
4. S *zolotoiou sredinoï*, mot à mot *le milieu doré*, allusion sans
doute à l'*aurea mediocritas* d'Horace.

de fainéantiser impunément avec la corvée. C'est là le côté faible du règlement (*pologénié*), tel qu'il est sorti des amendements du haut comité (*glavnyi komitet*) ou du conseil de l'empire, et le paysan l'a bien vite compris avec son instinct pratique habituel. Cela rend extrêmement difficile et désagréable la situation de notre ami, le modeste *arbitre de paix*. Je vous avoue que je ne songe pas sans effroi aux nombreuses épreuves qui m'attendent à ce titre, et qu'en dépit de votre demi-disgrâce, je vous envie beaucoup. On voudrait faire respirer au paysan un air nouveau, une vie nouvelle, et cela au milieu de l'universelle agitation des propriétaires et de l'administration, au milieu de l'ignorance des classes inférieures et de toutes nos pernicieuses traditions : vous voyez qu'on n'y arrivera pas vite. Dans bien des cas, hélas ! l'obstacle viendra du peu de conscience des paysans eux-mêmes, devenus friands de bien-être matériel et, malheureusement, trop souvent dépourvus de frein moral et trop ignorants pour savoir modérer leurs convoitises à l'égard du bien d'autrui. Tout cela sans doute n'est que le mauvais côté de toute grande transformation sociale, si légitime, si bienfaisante et indispensable qu'elle soit. Tout cela avec le temps ne tardera pas à disparaître graduellement ; mais il nous faut du temps, beaucoup de patience, et un tact politique qui nous fait souvent défaut. . . . .

« Il est impossible de ne pas reconnaître que la position des propriétaires, dans ces premiers temps surtout, n'a certainement rien d'enviable. Chez beaucoup de paysans fermente confusément l'idée qu'ils doivent être affranchis de toute redevance, en sorte que fréquemment les propriétaires s'attachent à notre code (*pologénié*) comme à une ancre de salut.

« Il n'y a aucune possibilité, à l'heure actuelle, d'arriver à des accords à l'amiable, quels que soient les sacrifices

consentis par le seigneur, si excessives sont les espérances
des paysans. Je voudrais que les défenseurs du système des
accords à l'amiable, à l'exclusion de tout autre, vissent
de près la situation des choses dans l'intérieur de la Russie ;
ils auraient une brillante occasion de se convaincre de la
vanité de leurs théories et du caractère enfantin de leurs
rêveries des deux dernières années. . . . .

« Voilà, très affectionné Nicolas Alexèiévitch, quelques-
unes de mes impressions générales ; mais je serais loin de
vous avoir tout dit, même en traits généraux, si je n'ajoutais
que tout ce que je viens de vous dire en toute sincérité,
comme tout ce que j'ai vu, entendu et observé, loin d'é-
branler une minute ma conviction que pour l'essentiel
nous avons suivi le vrai chemin et donné à l'affaire une
bonne direction, m'affermit au contraire davantage dans
la pensée qu'en dehors de notre système, il n'y avait pas
et il n'y a pas d'issue possible. Dans mes loisirs des derniers mois, j'ai souvent et sévèrement interrogé et ma
conscience et la sèche réalité telle qu'elle se présente au
village, sans ornements ni flatteries, et dans cette enquête,
j'ai puisé la ferme conviction que notre conscience est pure
et que nous n'avons pas fait d'erreurs essentielles.

« Si on me donnait maintenant à reviser notre statut
(*pologénié*) *à tête reposée* et sans égards pour les exigences
d'autrui, je supprimerais le rachat de l'*ousadba* (ainsi
que nous l'aurions tous fait auparavant si nous en avions
eu le pouvoir)[1], j'abandonnerais quelques parties de la ré-
glementation, je remanierais la rédaction de beaucoup d'articles en vue du manque de conscience des paysans, chose
que nous avons beaucoup trop oubliée : je réduirais tout le
statut à cent ou cent cinquante articles en trois chapitres et,

---

1. L'*ousadba* est le petit enclos ou jardin attenant d'ordinaire à
l'*izba* du moujik, en dehors des terres de la commune.

cela fait, je ne changerais rien d'essentiel. Du reste, je puis chaque jour me convaincre que, parmi les propriétaires cultivés, les préventions contre notre œuvre commencent à se dissiper. Le temps montrera jusqu'à quel point est fondée cette illusion... »

Les impressions de Samarine venaient confirmer celles du prince Tcherkassky[1].

« Samara, 19 mai 1861.

« R. m'a apporté votre lettre avant-hier, très affectionné Nicolas Alexèiévitch, et son frère, qui part aujourd'hui pour l'étranger, se charge de jeter la mienne à la poste dans la première ville allemande[2]. Au premier instant, lorsque j'ai appris le renvoi de Serge Stépanovitch Lanskoï et votre nomination au sénat, j'ai éprouvé un sentiment naturel qu'il est inutile de nommer. Le sans-façon de ce procédé est frappant. Ensuite j'en suis venu à la conviction que cela est positivement pour le mieux et, à l'heure qu'il est, je m'en réjouis sincèrement pour vous. . . . . .

« Je suis convaincu que, pour les affaires mêmes et pour votre avenir, un éloignement temporaire du service est une excellente chose. Qu'on reste en dette vis-à-vis de vous et qu'on reconnaisse qu'on est en dette. La réaction est naturelle. Je n'y vois pas tant un signe de doute dans la justice de notre œuvre que le désir de respirer après

---

1. Il y a cependant une différence sensible entre le langage des deux amis. Tcherkassky ,dans toute cette correspondance (voy. aussi *l'Empire des tsars et les Russes*, t. I, liv. VII, chap. IV.), se montre plus défiant du pays que Samarine. Aussi Milutine, qui partageait plutôt la manière de voir de ce dernier, disait-il parfois en recevant leurs lettres : « Comme Tcherkassky est plus *pomechtchik* (propriétaire) que Samarine! »

2. Précaution habituelle contre la poste russe.

une tension d'esprit et de volonté, inaccoutumée en certain milieu[1]. Il me semble que de là nous reviennent ces paroles : « Allons ! que Dieu soit avec vous ! faites ce que vous voudrez, seulement laissez-moi en repos. Maintenant vous êtes satisfaits ; ayez soin de ne plus toujours critiquer (*pristavat*), et que tout soit calme et tranquille ! » — Mais précisément le repos et la tranquillité, c'est ce qu'on ne doit pas attendre. Il est difficile de jouir du *far niente* lorsque chaque jour arrivent des nouvelles telles que les massacres de Spaski et de Bezdno[2], et, si je ne me trompe, il s'en prépare de semblables aux fonderies de Perm.

« Je suis persuadé que, dans le cours de l'année, nous verrons encore non un seul, mais peut-être deux ou trois changements. Dans les circonstances actuelles, avec la disposition présente des esprits, les hommes s'useront vite, — comme des gants de bal, — et bienheureux ceux qui durant ce temps seront de côté ! Avant qu'on imprime aux affaires une direction définie, avant qu'une politique suivie et conséquente devienne possible, il se passera bien du temps durant lequel nous avancerons tout de même, mais en zigzags. Quant à la possibilité d'une réaction suivie, je me refuse absolument à y croire et je ne la crains pas. Pour se convaincre qu'elle est impossible, il suffit de jeter un coup d'œil sur le peuple. Sans aucune exagération, il est transfiguré de la tête aux pieds. Le nouveau statut (*pologénié*) lui a délié la langue, il a brisé l'étroit cercle d'idées où, comme enfermé par un sortilège, le peuple tournait en vain, faute d'issue à sa situation. Son langage, ses manières, sa démarche, tout a changé. Aujourd'hui déjà, le serf émancipé d'hier se trouve au-

---

1. Ces lignes semblent s'appliquer à empereur Alexandre II, dont elles contribuent à expliquer la conduite.

2. Allusion à des émeutes de paysans où les troupes avaient dû recourir à la force et où il y avait eu plusieurs victimes.

dessus du paysan de la couronne, non pas naturellement
sous le rapport économique, mais comme citoyen, sachant
qu'il a des droits qu'il doit et qu'il peut défendre lui-
même. En quoi précisément consistent ces droits, il ne
s'en rend pas encore, on le comprend, un compte exact ;
mais il sait qu'ils existent et que c'est à lui de les maintenir. Or, c'est là le point capital. Si la législation des
paysans de la couronne, élaborée sans contredit sur des
principes larges et libéraux[1], a fait si peu pour le relève-
ment de l'esprit populaire, c'est que, pour ces paysans,
le fisc (*kazna*) était le propriétaire (c'est-à-dire le représentant d'un intérêt économique et d'un droit foncier en opposition avec l'intérêt et le droit du paysan), et que le fisc
propriétaire se confondait avec le gouvernement. De quelque côté qu'il se retourne, le paysan des domaines rencontre partout devant lui l'autorité à laquelle il faut se
soumettre, et avec laquelle il ne peut y avoir ni procès ni
contestation[2].

« Notre ci-devant serf, au contraire, voit devant lui un
pomechtchik (propriétaire) et se dit en lui-même : Nous
connaissons cela[3] ; nous allons voir encore qui de nous deux
l'emportera et de quel côté sera le gouvernement. Dans
cette lutte pour le droit (qui peut bien ne pas sortir des
formes légales et qui, avec l'aide de Dieu, s'y maintiendra),

---

1. C'était l'œuvre du comte P. Kisselef, oncle de Milutine.
2. Dans ce curieux passage, Samarine, grand admirateur, comme on
le sait, des communautés de villages, semble peu favorable à la propriété du sol par l'État, alors même que, grâce aux partages entre les
paysans, les terres domaniales sont soumises au mode de tenure en
usage dans le *mir* russe. En tout cas, il montre bien ici, dans la
dépendance des paysans vis-à-vis des fonctionnaires, l'un des grands
inconvénients de l'appropriation du sol par l'État. On voit par la suite
que, s'il est partisan de la propriété collective, c'est à la condition
qu'elle ne détruise pas la personnalité, l'individualité.
3. C'est une affaire connue : *Eto délo znakomoé*.

dans ce procès litigieux, le paysan apparaît pour la première fois comme personne juridique, indépendante et hors de tutelle. C'est par cette voie que doit se faire son éducation de citoyen : elle a déjà commencé et elle avance rapidement.

« A cet égard, la période des *rapports temporairement obligés*[1], malgré toute la difficulté et les incertitudes de pareils rapports, a un grand avantage. Il en aurait été tout autrement si l'affaire avait été tranchée d'emblée et tout d'un coup, si d'un trait de plume on avait converti subitement les paysans en débiteurs de l'État.

« Chez nous tout est tranquille et paisible. Les travaux des champs se font mieux qu'au commencement du printemps. L'institution immédiate des administrations communales et cantonales (de *volost*) a rendu un immense service. Maintenant je suis presque sûr que nous avons devant nous deux ans pendant lesquels la tranquillité générale, dans les provinces, ne sera pas troublée. Le peuple consent à tout, dans l'idée que durant deux ans il faut se résigner. Il a reculé ses espérances, mais il n'a pas perdu foi dans la possibilité de leur réalisation.

« Voici la question capitale du moment : dans le cours de ces deux ans, au fur et à mesure de l'introduction des *chartes réglementaires*[2], le bien-être matériel des paysans se sera-t-il assez amélioré, le passage des redevances (*obrok*) au rachat de la terre sera-t-il assez avancé pour que le peuple, instruit par la lente route de l'expérience, se soit réconcilié avec l'idée d'un progrès graduel et régulier, dans les limites du « statut », pour qu'il ait renoncé au vague

---

1. On appelait ainsi une période transitoire de deux ans durant laquelle les paysans devaient rester soumis à la corvée et aux redevances
2. *Oustavnyia grammoty*, contrats qui, d'après le statut d'émancipation, devaient régler la situation réciproque des paysans et des propriétaires.

espoir de voir son *eldorado* réalisé par je ne sais quel *coup d'État? That is the question.* » . . . . . .

Pendant que ses amis travaillaient dans le silence et l'obscurité de la province à la mise à exécution de la grande réforme, Milutine était parti pour l'étranger où, sous un ciel plus clément, il espérait refaire sa santé ébranlée et celle de sa femme. L'amertume de la disgrâce n'était pas pour lui sans compensation. La mauvaise fortune lui permettait de compter combien il avait d'amis et d'admirateurs. De tous côtés, comme nous l'avons dit, il recevait des marques d'estime et des encouragements. Entre tous ces témoignages de sympathie, l'un de ceux qui le touchèrent le plus, fut une lettre du sage Nicolas Tourguénef, qui, dans l'exil et longtemps avant le règne réparateur d'Alexandre II, n'avait cessé de faire des vœux et des projets pour l'affranchissement des serfs[1]. L'ancien fonctionnaire d'Alexandre Ier se réjouissait noblement de voir exécuter par d'autres mains l'œuvre qui avait été le rêve de toute sa vie, et, comme Milutine, il voyait dans l'émancipation la preuve qu'en fait de réforme tout était possible.

« Vert-Bois, près Bougival, 8 juin 1861.

 « Monsieur,

 « J'ai reçu par M. Grote l'exemplaire des *Matériaux des commissions de rédaction* que vous avez bien voulu m'adresser. Je vous en envoie mes remercîments les mieux

---

1. Voyez : N. Tourguénef, *la Russie et les Russes*.

sentis. Plus je me suis enfoncé dans les détails et plus je me suis pénétré de l'immensité de ce travail et de l'admirable activité de ceux qui ont accompli la grande œuvre. Ce qui en garantit l'efficacité, les résultats et, en un mot, tous les fruits, c'est l'élévation, c'est la sainteté de l'idée qui en a inspiré les ouvriers.

« Tout leur vaste travail, tant par ses principes essentiels que par les plus minimes détails, témoigne que les membres de ces commissions ont été conduits par le pur amour du vrai et du bien, par l'amour du pauvre peuple russe. Quel que soit le développement de la nouvelle législation, le principal, le décisif est fait : *les paysans sont affranchis du servage !* Je l'ai désiré si fortement et si longtemps, que ma joie a été inexprimable.

« ... En dehors de l'énormité du travail dont témoignent ces *Matériaux*, les gens impartiaux doivent aujourd'hui se rappeler et apprécier la lutte morale que ces dévoués et loyaux ouvriers ont dû soutenir contre tant d'éléments hostiles. Par là, leur service envers la Russie et envers l'humanité prend un caractère nouveau, plus remarquable et plus brillant encore. Je trouve en outre dans *les Travaux des commissions de rédaction*, indépendamment même de leur objet, la preuve incontestable qu'en Russie, on peut concevoir et exécuter les plus grandes réformes législatives. Pour ma part, je n'en avais jamais douté, mais la preuve est si évidente qu'elle doit convaincre tous et chacun.

« ... Là où l'on a pu créer le nouveau code (*pologénié*) des paysans, on peut naturellement publier de nouveaux statuts, dans les diverses branches de l'administration publique, et le faire en aussi peu de temps, c'est-à-dire en deux ou trois ans. Il faudrait seulement avoir recours aux mêmes moyens et aux mêmes hommes que pour la libération des paysans... »

Le vœu de Nicolas Tourguénef ne devait pas être exaucé. Les mains qui avaient pris la principale part à la plus glorieuse réforme d'Alexandre II devaient rester exclues des autres. La grande consolation de Milutine, dans un congé qui n'était pas sans ressemblance avec un exil, c'était l'espoir que toute son œuvre ne succomberait pas avec lui. La confiance qu'il avait mise dans la sincérité du souverain ne fut pas trompée. En consentant, par désir d'apaisement, à un changement de personnes, l'empereur Alexandre II ne permit aucune mutilation législative à la charte du 19 février. Le successeur de Lanskoï au ministère de l'intérieur, M. Valouief, tint la parole donnée par lui à Milutine. Le statut des paysans, devenu loi fondamentale de l'État, fut appliqué; mais il le fut dans un autre esprit, ce qui, pour Milutine et ses amis, devait rester jusqu'à la fin une cause de tristesse, car on sait que le mode d'application des lois n'a guère moins d'importance que les lois mêmes.

Grâce à la douceur du peuple, plus encore peut-être qu'aux précautions du pouvoir, grâce au zèle et au dévouement de la portion la plus éclairée de la noblesse qui, à l'exemple des Samarine et des Tcherkassky, se consacrait avec une admirable abnégation aux ingrates fonctions d'*arbitres de paix*, cette brusque altération de tous les rapports sociaux s'opéra paisiblement, presque sans trouble, presque sans effusion de sang. En quelques provinces de l'Est seulement, il y eut de petites émeutes soulevées par l'inévitable déception et l'incurable défiance des paysans, qui s'étonnaient d'être obligés de racheter des terres, qu'ils considéraient comme leurs. Ces désordres que, dans leur prévoyance, Milutine et ses amis redoutaient comme le pire danger pour leur cause, furent aisément apaisés ou réprimés. En affranchissant ses vingt millions de serfs, la Russie échappa à une jacquerie; en dépit des sinistres prophéties colportées à la cour, on ne revit point les jours de Pougatchef. Aux yeux de la plupart des patriotes, les émeutes avortées des paysans prouvèrent seulement combien il eût été périlleux pour l'ordre public de tenter une émancipation sans terres, ainsi que le rêvaient la plupart des adversaires de Milutine.

Chez les propriétaires comme chez les paysans, les esprits, un instant violemment surexcités, retombaient bientôt dans leur calme, ou mieux, dans leur apathie ordinaire[1]. Selon l'expression de Tcherkassky, la réforme prenait facilement racine dans la conscience du peuple comme dans celle de la noblesse. « On commence à comprendre, écrivait le prince, que le nouveau statut, tout insuffisant qu'il parût d'abord en face des exigences outrées des deux partis, est et sera le seul possible[2]. » La noblesse de province, éclairée par les faits, revenait peu à peu de ses appréhen-

1. A en croire Samarine (lettre à Milutine du 17 août 1862), un grand nombre de propriétaires n'avaient même pas pris la peine de lire le nouveau statut d'où dépendait tout leur avenir avec celui des paysans. « Le croiriez-vous? La majorité des propriétaires n'a pas seulement eu la curiosité de lire le *pologénié* et n'en connaît le contenu que par les récits de ses intendants ou de ses commis. »

2. Lettre de Tcherkassky à Milutine, 23 juillet 1861.

sions et de son antipathie pour les instigateurs de
la réforme. Les propriétaires s'apercevaient, en la
voyant mettre en pratique, qu'après tout cette charte
du 19 février, qui les expropriait partiellement, était
moins révolutionnaire et moins ruineuse pour la
noblesse qu'ils ne l'avaient craint d'abord. « Il me
semble, écrivait le prince Tcherkassky à Milutine, dès
le 7 mai 1861, que déjà les préventions contre nous
commencent à tomber une à une ; les propriétaires
les plus civilisés et les plus cultivés se rallient du
moins à notre œuvre et acceptent franchement notre
travail. » Une chose contribuait surtout à refroidir les
colères des *pomechtchiks* et en retournait un grand
nombre en les contraignant « à se raccrocher » aux
règlements tant honnis par eux : c'étaient les prétentions démesurées des anciens serfs « et la méfiance
absolue de toute la population orthodoxe barbue à
l'égard de ses maîtres de la veille[1] ». « La noblesse
dut bon gré mal gré dire adieu à toutes ses illusions
sur l'attachement de ses anciens serfs. » Sous ce rapport, les propriétaires, qui se croyaient les plus sûrs
de l'affection de leurs paysans, éprouvèrent la plus
grande déception. Les meilleurs ne rencontraient que
suspicion et ingratitude[2]. En mainte région, les
affranchis n'attendaient pas les délais légaux pour se

1. Lettre de Tcherkassky à Milutine, 23 juillet 1861. Samarine, dans
une lettre du 25 septembre, parle aussi de la méfiance des paysans
pour toute chose et pour tout le monde ; il voit même, dans cette méfiance qui leur faisait mettre en doute l'authenticité du manifeste impérial, la principale raison des désordres survenus en certains districts.

2. Tcherkassky, même lettre, 23 juillet.

regarder comme libérés de toute obligation envers le seigneur ; ils refusaient de travailler pour lui, sans tenir compte de la période transitoire de deux années sagement imaginée par le législateur, afin de faciliter le passage d'un régime à l'autre[1]. Les nombreux propriétaires qui avaient espéré s'arranger sans peine à l'amiable avec leurs anciens serfs, ceux qui avaient reproché à Milutine et à la commission de rédaction d'avoir voulu tout réglementer législativement, éprouvaient une cruelle désillusion. « A l'heure qu'il est, mandait Tcherkassky à Milutine, tout le monde a pu se convaincre de l'injustice de nos adversaires dans leurs diatribes forcenées, durant deux ans, contre notre *manie de tout réglementer* Les détails de la mise à exécution nous ont bien vengés; figurez-vous qu'aujourd'hui on nous demande pourquoi tel ou tel cas n'a pas été prévu et décidé d'avance[2]. » Dans leur désarroi, maints propriétaires accusaient de négligence impardonnable ceux dont la veille encore on dénonçait comme ridicule la minutieuse prévoyance.

Malgré les doléances et les illusions souvent simultanées des deux parties, cette colossale opération, sans

1. G. Samarine à Milutine, 25 septembre 1861.
2. Lettre de Tcherkassky, du 25 juillet 1861. Le prince ajoutait : « Tout le monde est d'accord sur un point, c'est qu'il eût été impossible de se borner aux *accords à l'amiable*, sans règlements administratifs. » Et plus loin, à propos des difficultés de sa mission d'arbitre de paix : « Où en serions-nous sans lois précises et définies? Et que nous étions naïfs lorsque nous évitions de donner une trop grande extension aux accords à l'amiable, craignant que par là les intérêts du paysan ne fussent pas suffisamment garantis et qu'il se laissât duper ! La pratique prouverait plutôt le contraire. »

égale dans l'histoire, s'accomplissait avec un ordre et
une tranquillité qui déroutaient tous les prophètes de
malheur. M. Guizot en exprimait son admiration à
Milutine, alors de passage à Paris. Au lieu de s'écrouler
avec fracas sous la loi qui en sapait la base, l'ancien
régime avait tout à coup fondu, comme une maison
de glace au soleil du printemps, selon la pittoresque
expression empruntée par Samarine aux dégels du
Nord[1].

Aussi, malgré le dur labeur auquel il s'était obscu-
rément condamné dans la province, comme arbitre de
paix, G. Samarine entonnait-il une sorte de cantique
de triomphe, de pieux *Nunc dimittis*.

« Samara, 11 novembre 1861 [2].

« ... Les lignes qui suivent s'adressent à Nicolas Alexèiévitch. Nous pouvons faire le signe de la croix et dire
comme le bienheureux Siméon : Maintenant, Seigneur, tu
laisseras ton serviteur partir en paix, etc. Nous n'avons
point bâti sur le sable, mais nous avons creusé jusqu'au
roc. Le statut (*pologénié*) a fait son œuvre. Le peuple s'est
redressé et s'est transformé. Aspect, démarche, parole,
tout a changé chez lui[3]. Cela est acquis (*dobyto*), cela est

---

1. « Enfin l'ancien régime a fondu sans laisser après lui d'irritation
ni de traces malfaisantes. Nous le devons à cette insouciance, à cette
bonhomie naturelle et aussi à cette paresse, à cette absence de ténacité qui caractérisent notre société. » (G. Samarine à Milutine, 9 août
1862.)

2. Lettre adressée à la femme de Milutine.

3. Samarine répète ici, presque mot pour mot, ce qu'il écrivait à
Milutine dans la lettre du 19 mai, citée plus haut. On sent que chez
lui la principale préoccupation était de relever le moral du peuple, de

impossible à supprimer et c'est là le principal. Dans leur lutte avec l'autre classe, les paysans font maintenant leur éducation civile. Nous autres, propriétaires, nous sommes la meule contre laquelle s'aiguise et se polit le peuple. Je ne dissimule pas que pour nous ce rôle est parfois pénible. Entre les propriétaires et les *arbitres de paix* s'établissent aussi des rapports absolument nouveaux, sans aucun précédent dans toute notre administration. Cette semence a également germé à souhait.

« Pour avoir renvoyé la croix de Vladimir j'ai reçu, de la main même du comte Panine, une lettre de quatre pages qui a considérablement enrichi ma collection de curiosités. Je regrette que les dimensions vraiment *paninéennes* de cette épître ne me permettent pas de la joindre ici en appendice[1]. » . . . .

En dépit de l'ignorance, de la mauvaise foi et de l'ingratitude obstinée du moujik, ses généreux amis se félicitaient ainsi d'avoir eu gain de cause sur les deux points les plus contestés dans cette longue lutte, sur la libre administration des communes de paysans, comme sur les lois agraires qui, aux anciens serfs de la glèbe, assuraient la propriété d'une partie du sol.

Le temps, qui seul éprouve la valeur des institutions, montrera jusqu'à quel point l'histoire doit ratifier la légitime satisfaction de ces nobles esprits.

lui rendre la dignité et la personnalité avec la conscience de son droit, et cela quelques désagréments qu'il en pût résulter pour les hautes classes.

1. Dans une autre lettre à N. Milutine (17 août 1862), Samarine répétait un peu plus tard : « Je ne suis pas optimiste, on m'accuse même souvent du contraire ; néanmoins je puis dire hardiment que nous avons cause gagnée et que le nouveau statut est sorti triomphant du choc avec la réalité. »

Toute œuvre humaine est imparfaite, comme le disait
l'empereur Alexandre II aux membres de la commission
de rédaction, en les remerciant de la tâche colossale
qu'ils venaient d'accomplir[1]. Dans le cas présent, il
était impossible de ne pas commettre d'erreurs, plus
impossible encore de ne pas faire de victimes. Si l'é-
mancipation n'a pas été exempte de faute, il serait injuste d'en rejeter toute la responsabilité sur des
hommes qui furent parfois contraints par leurs adversaires d'altérer leur œuvre contrairement à leurs vues[2] ;
sur des hommes qui, après avoir laborieusement rédigé
et codifié des lois compliquées, en durent abandonner
l'application à d'autres mains. Plus de vingt ans
après la mise en liberté des serfs, l'un des plus profonds publicistes de l'empire, un homme que nous
rencontrons au nombre des correspondants de Milutine, M. Kavéline, attribuait encore, à ce changement
de personnes et au brusque revirement de 1861, la
plupart des déceptions laissées par l'émancipation.

1. Discours de l'empereur du 1er novembre 1860.
2. Bien qu'il ne s'agit que de points secondaires, ces détails avaient
parfois leur importance. J'ai entendu le prince Tcherkassky se plaindre
de vive voix de ces altérations, et, dans ses lettres comme dans celles
de son ami Samarine, se rencontre souvent un écho de ces regrets. Samarine, par exemple (lettre à N. Milutine du 25 septembre 1861), se
plaint vivement de ce que le comte Panine eût réussi à faire réduire
la moyenne des lots de cinq *desiatines* et demie à cinq, ce qui, selon
Samarine, produisait un fort mauvais effet sur les paysans parce que
cela réduisait d'ordinaire les terres dont ils jouissaient avant l'émancipation. — Cet inconvénient a souvent été encore aggravé dans la pratique par la conduite de certains « arbitres de paix » qui ne se firent
pas scrupule de sacrifier les intérêts du paysan et d'appliquer les règlements locaux contrairement aux intentions du législateur. Voy.
l'*Empire des Tsars et les Russes*, t. I (2e édit.), p. 432.

« Le grand malheur, la faute capitale, écrit M. Kavéline, fut de transférer, immédiatement après le 19 février, les affaires des paysans aux mains des irréconci-
liables ennemis des principes fondamentaux du nouveau
statut. Ils n'ont pu, il est vrai, entièrement le détruire
ni le refaire à leur gré ; mais ils ont tout fait pour le
mutiler, le paralyser, en altérer l'esprit et le sens[1]. »

Une chose mise hors de doute par les faits, c'est
qu'à l'heure où elle parut, cette charte d'émancipation,
tant critiquée des uns, tant admirée des autres,
s'adaptait parfaitement aux mœurs et aux nécessités
du pays, à ses habitudes, à ses préjugés si l'on veut.
Autrement, une telle transformation eût-elle pu s'accomplir d'une manière aussi aisée, aussi rapide, aussi
pacifique ? l'œuvre de 1861 eût-elle pu durer et
prendre racine, en dépit de la disgrâce de ceux qui
en avait été les promoteurs ?

Les inquiétudes qui, à la veille de l'émancipation,
obscurcissaient l'horizon russe devaient être dissipées
en quelques mois comme des nuages légers. Ce n'était
pas du côté du peuple, du côté de cette masse ignorante d'affranchis, dont on craignait tout d'avance,
c'était du pôle opposé de la société, des classes civilisées, de la jeunesse, des assemblées de la noblesse
qu'allaient surgir des difficultés, en partie suscitées
par les hésitations et l'incohérence du pouvoir, par
les atermoiements apportés aux plus urgentes réformes, depuis la retraite de Milutine.

1. *Vêstnik Evropy* (sept. 1883).

CHAPITRE IV

Voyages de Nicolas Miiutine à l'étranger en 1861-1862. — Séjour à
Rome et à Paris. — Nouvelles de Russie. — Les émeutes d'étudiants
et le premier « nihilisme. » — Maladresses du gouvernement. — Opinion de Nicolas Alexèiévitch et de ses amis sur la société russe et
la conduite des affaires. — Offres d'emploi faites à N. Milutine. —
Efforts du grand-duc Constantin et de la grande-duchesse Hélène en
sa faveur. — Raisons de sa répugnance à reprendre un poste officiel.

Las de corps et d'esprit, à la recherche du calme et
du repos, Milutine avait quitté Saint-Pétersbourg et
la Russie au printemps de 1861. Durant les deux années que devait durer sa retraite, il parcourut successivement l'Allemagne, la Suisse, l'Italie, la France
(d'où il fit une excursion en Angleterre), séjournant
dans les villes les plus célèbres ou les sites les plus
riants, s'intéressant partout aux choses et aux
hommes, visitant et interrogeant, étudiant le présent
sans négliger le passé, qui seul l'explique. Pour un
bureaucrate dont presque toute l'existence s'était
écoulée dans les chancelleries pétersbourgeoises, ce
séjour à l'étranger, coupé de voyages variés, était
à la fois une récréation et un complément d'instruction que rien n'eût pu remplacer [1].

1. Milutine avait, du reste, vers l'âge de 26 ans, déjà visité l'Allemagne, la France, l'Espagne et l'Italie

Docile à l'avis des médecins, qui lui conseillaient de passer la mauvaise saison sous le ciel du midi, Milutine, accompagné de sa famille, séjourna une partie de l'hiver de 1861-1862 en Italie, à Rome surtout. On était au lendemain de la grande révolution nationale qui venait de renouveler la face de la péninsule, au moment où la mort de Cavour mettait à une première épreuve l'unité italienne à peine cimentée. L'esprit élevé de Nicolas Alexèiévitch ne se laissa pas absorber par la politique ; à l'inverse de tant de vulgaires touristes, rebutés par les sordides dehors ou la fastueuse pauvreté de la Rome moderne, Milutine subit le charme pénétrant des ruines et des grands horizons déserts et de cette calme atmosphère romaine qui enveloppe l'âme de paix. Il fut séduit par Rome, alors si peu animée, si peu vivante pour tout autre que pour un catholique ; il semble en avoir préféré le silence et l'apparente somnolence au bruit, à l'éclat, au tumulte de Paris, si goûté de ses compatriotes. Ce Scythe slave, qui avait grandi à Moscou et passé tout le reste de sa vie sous les brouillards de Pétersbourg, cet esprit si essentiellement russe et moderne, en apparence tout positif, réaliste même, ressentit profondément l'impression de la vieille culture classique et de l'antiquité. Aujourd'hui qu'en Russie et ailleurs on discute avec tant de passion sur les systèmes d'enseignement et sur le classicisme, il est, dans les lettres de ce patriote vraiment national, qu'on ne saurait accuser de vain idéalisme ou de frivole engoûment pour l'Occident, il est tel passage que je n'ai pu lire sans curiosité, et j'ose le dire, sans admiration.

« Rome, 4 décembre 1861.

« … Nous sommes enchantés de la vie de Rome; nulle part on ne saurait flâner avec autant de charme; mais, dans cette flânerie, la pensée est toujours en travail, l'attention toujours en éveil, et cela sans fatigue et sans les remords qui accompagnent le désœuvrement vulgaire et stérile. Je me suis avidement replongé dans les classiques, je relis Tacite, Tite Live, et, faut-il l'avouer? je me suis convaincu que notre indifférence russe pour les anciens est une véritable barbarie, une immense lacune dans notre développement intellectuel. Je suis convaincu qu'en vous débarrassant du banal souci de la vie quotidienne, vous auriez tous éprouvé la même chose et fini par vous ranger de mon côté. On relit ses auteurs avec admiration et l'on s'étonne de son indifférence d'autrefois pour ce qui est véritablement sublime. La science de la vie et l'expérience nous rendent plus sages. Du reste, les charmes du monde ancien n'occupent pas exclusivement mes loisirs; je n'ai pas abandonné mon projet de commencer ici l'histoire de l'émancipation, et, avant de partir, j'espère avoir fait quelque chose de ce travail[1]. »

L'observation de Milutine, à propos des études classiques, est de celles que l'étranger a souvent l'occasion de faire en Russie, et l'on est surpris de lui voir signaler une lacune qui naturellement échappe d'ordinaire aux yeux de ses compatriotes. Chez lui, du reste,

---

1. Milutine, distrait par de fréquents voyages et bientôt rappelé en Russie, ne put réaliser ce projet.

ce goût pour l'antiquité n'était pas un dilettantisme tout égoïste et stérile. En véritable homme d'action, toujours occupé de la pratique, il ne négligeait pas les moyens de faire connaître à son pays cette antiquité dont il était épris. La fortune à cet égard le favorisa ; durant son séjour à Rome, il eut la joie de contribuer à l'acquisition du musée Campana, dont la Russie, on le sait, a ravi à la France les pièces les plus belles ou les plus rares. Milutine portait un intérêt particulier à ces collections, aujourd'hui l'un des ornements de l'Ermitage, et, lors de son retour à Pétersbourg, une de ses premières visites était pour ce nouveau musée [1].

En janvier 1862, Nicolas Alexèiévitch était appelé de Rome à Paris par l'état de santé de son oncle, le comte Kissélef, alors ambassadeur du tsar près la cour des Tuileries. Le comte Kissélef, ancien ministre des domaines sous l'empereur Nicolas, était l'un des premiers hauts fonctionnaires qui se fussent préoccupés d'améliorer le sort des paysans. A cet égard, l'oncle pourrait être regardé comme le précurseur du neveu. Il approuvait et admirait le statut de 1861, et à Paris, il prit souvent la défense de Milutine et de son œuvre contre les Russes qui s'en faisaient les détracteurs [2].

---

1. « J'ai été voir le musée Campana, il renferme des choses pleines d'intérêt et superbes, c'est une des plus belles collections de l'Europe, mais l'admission n'en est ni facile ni accessible à tous. (Lettre à sa femme du 20 mai, 1er juin 1862.) Et, avec son habituelle sollicitude pour le peuple et les petites gens, Milutine s'employait à en faciliter l'accès, réservé jusque-là aux privilégiés.

2. La sympathie du comte Kissélef pour le statut du 19 février

Au commencement de 1862, la Russie et la France inclinaient ostensiblement à un rapprochement qui, sans la fatale insurrection de Pologne l'année suivante, eût pu aboutir à une alliance. Le comte Kissélef avait un grand crédit personnel à Paris et à la cour. Avec un tel garant, Nicolas Alexèiévitch était sûr de voir toutes les portes s'ouvrir devant lui. Selon son expression, « ce n'étaient tous les jours que dîners, bals et réceptions, » et il se plaignait à sa femme, qu'il avait laissée à Rome, de cette vie dépensée dans un tourbillon mondain, « qui ne laisse qu'un sentiment de vide et de mécontentement de soi[1].» Reçu partout avec intérêt et curiosité, dans les cercles officiels comme dans les salons de l'opposition, dans le monde savant comme dans le monde politique, il était accueilli avec une sympathie que les événements de Pologne devaient peu à peu changer en froideur. On savait et l'on répétait la part qu'il avait prise à l'émancipation, on l'interrogeait, on le félicitait à ce propos. « Partout, disait-il, les Français, avec l'amabilité qui leur est propre, m'abreuvent de compliments pour l'affranchissement des serfs[2]. «Nul n'est prophète dans son pays, » ajoutait-il par un retour mélancolique sur la haute société pétersbourgeoise. Un peu plus tard, à son second séjour à Paris, en 1863, il assistait au dîner mensuel de la Société d'économie politique, et

est attestée par ses *Notes et Souvenirs*, réunis en trois volumes par M. Zablotsky-Dessiatovsky (1881).

1. Lettre du 30 janvier 1862.

2. Lettre à sa femme du 10 février 1862.

il y décrivait aux Français le mécanisme de l'émancipation[1].

« Le spectacle que vous allez avoir sous les yeux, écrivait
de Pétersbourg à Milutine la grande-duchesse Hélène, est
curieux et fait pour intéresser un homme d'État, quelles
que puissent être ses convictions. J'espère que vous le
compléterez par la connaissance du sphinx lui-même ; il
faut absolument que vous le voyiez et que vous me rendiez
compte l'été prochain de vos impressions[2]. »

Nous ignorons malheureusement quelle impression
Nicolas Alexèiévitch rapporta à son auguste correspondante, et si même il vit aux Tuileries le « sphinx »
indécis dont l'Europe attendait encore avec inquiétude les obscures énigmes. Dans la famille impériale,
Milutine fréquentait surtout le salon, plus littéraire
que politique, de la princesse Mathilde. Jusqu'aux
derniers jours, au milieu même de l'insurrection de
Pologne, en 1863, quand la plupart des salons de Paris
se fermaient devant les Russes, la cousine de l'empereur Napoléon III ne cessa d'accueillir avec faveur
ce compatriote de son mari. Milutine, en échange,
s'occupait d'assurer en Russie les intérêts privés de la
princesse française, « qui, disait-il, paraissait tenir

---

1. Voyez le *Journal des Économistes*, juin 1863. Le 19 février,
(3 mars) de la même année, dans un dîner pour célébrer le glorieux
anniversaire, Ivan Tourguénef, qui, en peignant les mœurs du servage, en avait plus que personne préparé l'abolition, lisait un long
toast, écrit de sa main, en l'honneur de son vieux parent, Nicolas Tourguénef et de son comtemporain et ami, Nicolas Milutine, saluant en
l'un l'initiateur, en l'autre le principal artisan de la grande réforme.
2. Lettre de la grande-duchesse Hélène, 14-26 janvier 1862.

plus à sa part dans les mines de l'Oural (comme femme
de M. Démidof) qu'à sa dotation sur la liste civile impériale de France, trouvant à la première beaucoup
plus de chances de sécurité[1]. »

Le second empire français était au zénith de sa puis-
sance. Milutine semble n'avoir été ébloui ni par l'éclat
politique ni par le faste de la cour impériale. « La
société napoléonienne, remarquait-il dans une lettre
intime (6 janv. 1862), me paraît dénuée de véritable
élégance et de bon ton. » Ce qu'il notait, ce qu'il
admirait chez nous, ce n'était point l'habileté, alors
tant vantée, du gouvernement ou le talent des hommes
au pouvoir, c'était l'élévation générale du milieu social.
Lui qui, en Russie, était souvent attristé du manque
d'hommes, de la pénurie d'instruments intelligents
pour le pouvoir, il était toujours frappé de la supériorité à cet égard des vieux pays de l'Occident.

« Paris, 10 février 1862.

« Mes impressions se croisent et se heurtent encore trop
pour en tirer quelques conclusions générales sur les
hommes et sur les choses de ce pays. La seule observation
que je pourrais peut-être faire dès aujourd'hui, c'est que
l'habileté, si admirée chez nous, du gouvernement français,
repose moins, me semble-t-il, sur la supériorité des individus que sur l'élévation du niveau général des intelli-
gences. C'est un milieu où les idées surgissent et se dé-
veloppent d'elles-mêmes, où, une fois passées dans le
domaine des faits, elles trouvent, à tous les degrés de

1. Lettre du 23 avril 1863.

l'exécution, des interprètes intelligents. En de telles conditions, la tâche d'un gouvernement devient singulièrement
plus facile et plus digne d'envie... »

Paris et Rome, avec toutes leurs distractions et leurs
séductions, n'absorbaient point l'attention de Milutine.
De l'étranger, ses yeux se tournaient sans cesse vers
la patrie où des événements confus et inquiétants, par
leur vague indécision même, sollicitaient ses regards. A Paris, en 1862, il apprenait, « avec une vive
affliction[1], » la mort de son ancien ministre et ami, le
comte Lanskoï, dont la disgrâce avait, dit-on, hâté la
fin. Cette perte d'un vrai patriote n'était pas seule à
l'attrister. La situation, en Russie comme en Pologne,
semblait devenir chaque jour plus sombre, l'avenir
apparaissait gros d'imprévu. En face des événements
qu'il eût pu aspirer à conduire et qu'il devait considérer de loin en spectateur oisif ou en critique im-
portun, la situation de Milutine était singulièrement
complexe. Beaucoup de ses amis eussent voulu le voir
revenir en Russie et reprendre un rôle actif; mais lui
se refusait à toutes les sollicitations de ce genre. Les
nouvelles qu'il recevait du pays, plus encore que l'état
de sa santé imparfaitement remise, lui faisaient sou-
haiter de prolonger son séjour à l'étranger.

La Russie, nous l'avons dit, traversait alors une
période d'agitation fébrile. non sans analogie avec la
crise plus récente qui a suivi la guerre de Bulgarie et

---

1. Lettre du 7 février 1862.

coûté la vie au libérateur des serfs. Si grands qu'en
fussent les résultats, l'affranchissement des paysans
ne semblait que le prélude de nombreux et profonds
changements dans l'administration, dans la justice,
dans les finances, dans l'armée, dans l'enseignement,
dans toutes les branches de la vie publique. La réalisation de la plus compliquée et de la plus ardue de
toutes les réformes faisait plus vivement désirer les
autres; les retards et les hésitations du gouvernement impatientaient des esprits inquiets, depuis
longtemps prêts à de grands changements et rendus
plus exigeants et plus excitables par la grandeur même
de la pacifique révolution accomplie à leurs yeux.
L'agitation était partout, dans la noblesse, désireuse
d'obtenir des libertés politiques en indemnité de la
suppression du servage, dans les écoles et les universités chez une jeunesse ardente à espérer, promple à
tout rêver et à tout croire facile. L'agitation était dans
les provinces polonaises, qui, elles aussi, attendaient
du nouveau règne une ère de réparation et de liberté,
et où trop d'esprits aventureux et dédaigneux du possible se nourrissaient de patriotiques illusions qu'ils
devaient bientôt dûrement expier.

Il n'y avait pas de complots et encore moins
d'assassinats politiques, mais l'effervescence des esprits se traduisait déjà souvent au dehors. A l'inverse
de ce qui s'est vu depuis, les aspirations libérales se
faisaient hautement jour dans les corps constitués,
dans les assemblées de la noblesse spécialement, tandis
que les étudiants de Pétersbourg, imitant leurs con-

frères du quartier latin, s'adonnaient à de fréquentes
et irritantes manifestations. Le gouvernement était
loin de rester inactif ; cette période troublée est celle
de sa plus grande fécondité législative. Mais les lois,
préparées et rédigées par des commissions diverses
qu'animait souvent un esprit opposé, manquaient
d'unité et d'harmonie[1]. Dans toute l'administration et
la machine politique on sentait le défaut de direction,
le manque d'une volonté capable de tout conduire et
tout coordonner. En dépit des meilleures intentions,
cette sorte d'incohérence gouvernementale, trop manifeste pour ne pas frapper les yeux, effrayait les timi-
des, encourageait les audacieux ou les brouillons, et,
dans ce pays, plus que tout autre, habitué à sentir la
main du maître, détruisait la confiance qu'eût pu
donner la grande œuvre récemment achevée.

Les lettres, qu'à Rome où à Paris il recevait de ses
amis, étaient faites pour consoler Milutine de n'avoir plus
de place dans le gouvernement. Une chose cependant

---

1. C'est ainsi que les deux plus grandes réformes du règne,
l'émancipation et la réforme judiciaire, portent l'empreinte d'une
inspiration si différente qu'on a peine à les croire contemporaines.
Aussi ne saurait-on s'étonner si Milutine et ses amis surtout, le
« slavophile » Samarine et le « national » Tcherkassky se montraient
sévères pour les réformes postérieures à 1861. « Dites à votre mari,
écrivait Samarine à la femme de Milutine (oct. 1862), que le statut
des paysans ne perdra rien à la comparaison avec le projet d'institutions provinciales et le statut de la réforme judiciaire. A propos
de ces dernières productions, il y a eu entre Tcherkassky et moi,
échange de points d'exclamation et d'interrogation. Ce qu'il y a de
plus étrange, c'est le sérieux avec lequel se bâclent toutes ces choses.
Et ils s'imaginent réellement que c'est là la pierre angulaire d'une
législation organique ! »

lui rendait personnellement plus pénible le désordre
et le malaise que lui signalaient ses correspondants.
Au moment même où, malgré quelques petites émeutes locales, l'émancipation s'accomplissait dans les
campagnes avec une facilité qu'on eût à peine osé
espérer d'avance, les adversaires de Milutine et de ses
amis les accusaient d'avoir fomenté l'esprit de
révolte et d'insubordination en sacrifiant la noblesse
à leurs velléités démocratiques. Les faits pourtant
semblaient démentir assez haut de tels griefs. Alors
comme aujourd'hui, et plus encore peut-être, les
masses populaires des campagnes et des villes étaient,
au contraire, toutes dévouées au tsar libérateur. Leur
zèle, plus ardent qu'éclairé, était prêt à se tourner au
besoin contre les perturbateurs de l'ordre.

« A Moscou, écrivait-on à Milutine (2 oct. 61), les ras-
semblements d'étudiants dans les rues ont été dissous par le
peuple, qui disait, à ce que l'on assure, que ces petits polis-
sons de nobles s'ameutaient contre le gouvernement. L'un
des étudiants a été battu si fort dans la foule qu'il en est
mort. Je ne puis garantir le fait; mais s'il est vrai, il est
significatif et donne beaucoup à penser[1]. »

Le correspondant de Milutine avait raison. Le fait

---

1. Un autre ami de Milutine, le professeur Kavéline, alors de passage à Carlsruhe, lui envoyait quelques mois plus tard des renseignements analogues sur Saint-Pétersbourg. « La haine du peuple pour les
étudiants croît de jour en jour, lui écrivait-il. La société de secours aux
gens de lettres a été obligée de commander deux cents habits civils
pour les étudiants pauvres afin qu'ils ne fussent pas reconnus à leur
uniforme et battus dans les rues. » (Lettre du 13-25 juillet 1862.)

était caractéristique, et ce qui ne l'est pas moins, c'est que pareille aventure se soit reproduite à Moscou même en semblable occurrence, dix-huit ans plus tard, en 1878 ou 1879, lorsque des étudiants moscovites tentèrent une manifestation en faveur de leurs camarades de Kief, déportés par la police.

Dans une telle situation, entre la turbulence stérile ou les prétentions irréalisables des classes civilisées et l'ignorante brutalité du peuple, le pessimisme d'un penseur solitaire pouvait se donner pleine carrière. Aussi voit-on sans trop d'étonnement un des plus grands esprits de la Russie contemporaine, l'éloquent G. Samarine, qui dans ses lettres s'avouait lui-même peu enclin à l'optimisme, donner libre cours à son humeur noire et peindre à son ami l'état de leur commune patrie avec des couleurs qui, pour être trop sombres, ne sont pas encore aujourd'hui dénuées de toute vérité.

« Juillet ou août 1862[1].

« Votre décision de passer encore un an à l'étranger est des plus sages. Croyez-moi, Nicolas Alexèiévitch est trop grand, il dépasse la mesure voulue. Cela n'est ni un compliment, ni une phrase, mais une triste et profonde vérité vaguement ressentie de tout le monde.

« L'ancienne confiance en soi qui, avec toute sa stupidité, suppléait à l'énergie a disparu sans retour. Les vieux procédés de gouvernement ont été rejetés, mais la vie n'a

1. Lettre de G. Samarine, sans date précise, adressée à la femme de Nicolas Milutine.

rien créé pour mettre à la place. Au sommet, une déman-
geaison de légiférer doublée d'un défaut de talents inouï et
sans pareil ; du côté de la société, une mollesse, une paresse chronique, une absence de toute initiative avec une
envie de jour en jour plus marquée de taquiner impunément le pouvoir. Aujourd'hui, comme il y a deux cents ans,
il n'y a sur toute la terre russe que deux forces vivantes :
l'autocratie (*litchnaia vlast*) au sommet et la commune
rurale à l'extrémité opposée ; mais ces deux forces, au lieu
d'être réunies, sont, au contraire, séparées par toutes les
couches intermédiaires. Cet inepte milieu (*sréda*), dépourvu
de toute racine dans le peuple et durant des siècles cram-
ponné à la cime, commence à faire le brave et se met à
se cabrer insolemment sous la main de son propre, de son
unique soutien (témoin les assemblées de la noblesse, les
universités, la presse, etc.). Ses accents criards effraient en
vain le pouvoir et irritent les masses. Le pouvoir recule,
fait concession sur concession, sans aucun profit pour la
société, qui le taquine pour le plaisir de taquiner. Mais
cela ne saurait durer longtemps, autrement on ne pourrait
éviter le rapprochement des deux extrémités — de l'autorité suprême et du bas peuple — rapprochement dans
lequel tout ce qui est entre serait aplati et broyé, et ce
qui est entre comprend toute la Russie lettre, toutée notre
culture. Un bel avenir, en vérité ! Ajoutez à tout cela la
stagnation générale, le dépérissement, et cela à la lettre,
de tout notre midi, qui, faute de voies de communication,
faute de capitaux et d'esprit d'entreprise, grâce en particulier à l'insoutenable concurrence de la Hongrie et des
Principautés danubiennes, s'appauvrit et s'étiole de jour
en jour. Ajoutez la propagande polonaise, qui a pénétré
partout et qui, dans les cinq dernières années, a fait d'im-
menses progrès, surtout en Podolie. Ajoutez enfin la propagande d'incrédulité et de matérialisme qui s'est emparée

de tous nos établissements d'instruction, — supérieure, moyenne et en partie même inférieure, et le tableau sera complet... »

Le tableau, on le voit, n'était pas consolant, et ce qu'il y avait de plus triste, c'est que les ombres opaques et la manière noire, parfois affectionnée de Samarine, pouvaient alors sembler en harmonie avec le sujet. Les évènements et l'effervescence des esprits encourageaient les plus sinistres prophéties. A Saint-Pétersbourg, se succédaient de turbulentes manifestations d'étudiants que le pouvoir redoutait et poursuivait comme des émeutes. A Vilna, à Varsovie, on entendait les premiers grondements de la funeste insurrection qui allait éclater en 1863. Incertain et vacillant, dans les affaires polonaises comme dans les affaires russes, procédant d'ordinaire par bonds et par saccades, le gouvernement de Saint-Pétersbourg penchait un jour pour les concessions, un jour pour la rigueur, sans savoir, faute d'esprit de suite, s'assurer les bénéfices d'aucun des deux systèmes.

C'était des universités et de la jeunesse que venaient au gouvernement ses premiers ennuis. Dans les gymnases et les écoles, tenus sous le règne de Nicolas à une sorte de diète ou d'abstinence intellectuelle, sévissait déjà le nihilisme théorique, celui qu'Ivan Tourguenef a personnifié en Bazarof, dans l'une de ces œuvres qui font vivre pour les siècles toute une génération[1]. Milutine croyait que des

1. *Otsy i Diéti* (*Pères et Enfants*).

améliorations dans tout l'enseignement étaient urgentes, qu'il fallait renoncer aux procédés étroits et
méticuleux de l'empereur Nicolas, qui traitait les
sciences et la littérature en suspectes. Le système en
vigueur dans les universités blessait inutilement la
jeunesse et ses maîtres avec elle. Les restrictions de
toute sorte et les petites vexations, imposées sous
prétexte de discipline aux étudiants, les provoquaient
à d'imprudentes démarches. A Moscou, à Pétersbourg
surtout, ils se permettaient de bruyantes démonstrations, moins dangereuses peut-être que ridicules. Une
troupe d'étudiants, ou, comme le disait un correspondant de Milutine, « une poignée de gamins désarmés »
avaient tenu pendant huit jours la capitale en émoi.
Les ministres, effrayés de leur responsabilité durant
l'absence de l'empereur, alors à Livadia, déployaient
pour la répression une sévérité disproportionnée à la
faute. Les manifestations de jeunes gens, protestant
contre la gêne des règlements universitaires, étaient
châtiées presque aussi durement que des conspirations politiques. En 1862, comme une quinzaine
d'années plus tard, les rigueurs excessives du pouvoir
ne faisaient qu'irriter au lieu d'apaiser. Des proclamations révolutionnaires étaient semées dans les grandes
villes et une sinistre épidémie d'incendies, attribués
par les uns aux révolutionnaires, par les autres aux
Polonais, allait bientôt jeter l'épouvante dans l'empire.

« J'ai peine à penser quel sera notre hiver, mandait
à Milutine la grande-duchesse Hélène, en quittant Bade

pour rentrer en Russie par Stuttgart (14/26 oct. 1862).
A Varsovie, les événements ont usé Lambert[1] et tué
Gerstenszweig, qui s'est tiré deux coups de pistolet[2]. A
Pétersbourg, on dit Poutiatine[3] mis de côté et Ignatief[4] au moment de l'être. L'Empereur, d'après les
nouvelles qui m'arrivent, est fort mécontent des autorités dans l'affaire de l'université et de la maladresse
dont elles ont fait preuve. »

Le mécontentement du souverain n'était pas sans
fondement. Pour punir les étudiants, on s'était at-
taqué aux études et à l'université même. Voici avec
quelle amertume un des professeurs les plus distingués
de Pétersbourg et l'un des premiers publicistes de
l'empire, M. Kavéline, décrivait à Milutine les derniers
événements :

« St-Pétersbourg, 27 octobre 1861.

« ... Il faut avoir une foi robuste pour ne pas perdre
tout espoir en voyant ce qui se passe autour de nous. Ce
qu'il y a de plus clair pour ce qui me touche de près,
c'est le meurtre de l'université. Il serait trop long et trop
pénible de vous raconter comment deux êtres malfaisants,
P... et S..., ont en quelques mois fait périr une institution
qui promettait tant, et d'où commençait à sortir des jeunes

---

1. Le comte Lambert, vice-roi ou gouverneur général de Pologne.
2. Le général Gerstenszweig, gouverneur militaire, s'était brûlé la
cervelle à la suite d'une altercation avec le comte Lambert, altercation
provoquée par l'occupation à main armée de la cathédrale et l'incar-
cération d'un grand nombre de Polonais, arrachés de force des églises.
3. L'amiral Poutiatine, marin fait ministre de l'instruction publique.
4. Le général Ignatief alors gouverneur-général de Pétersbourg.

gens distingués. L'université de Pétersbourg n'existe plus ;
trois cent cinquante personnes sont incarcérées aux forte-
resses de Pétersbourg et de Cronstadt, cent déportées
sous escorte de gendarmes ; le reste est dispersé, ou bien
les étudiants n'ont plus accès à l'université. Ces salles où
il y avait tant de vie, où c'était une joie de faire son cours,
sont vides. Et pourquoi tout cela ? Il est épouvantable de
penser que la main de ces. . . . n'a pas craint d'as-
sassiner toute une génération... A présent, on est en train
de juger les étudiants. Pour quel délit ? On n'en sait rien,
quand ce qu'il faudrait mettre en jugement, ce serait le
rectorat, et le ministère de l'instruction publique, et P...
et S..., et surtout le *conseil suprême*, qui a gouverné en
l'absence de l'Empereur. J'espérais que son retour chan-
gerait la marche de cet absurde affaire ; mais je suis encore déçu dans cet espoir. Si les détails de cette histoire
universitaire vous intéressent, vous les trouverez dans les
journaux anglais, qui les ont donnés d'une manière assez
fidèle. A mes yeux, ce n'est pas l'affaire elle-même qui
est au premier plan ; mais cet épisode met en pleine lumière la difformité (*bezobrazie*) de la situation générale.
Jamais l'autorité n'avait encore montré une telle inintelligence des affaires, une telle pusillanimité, une telle absence
de tout autre motif et de toute autre notion de gouvernement que la police extérieure... »

Ce violent désespoir, qui à distance semble empreint
d'exagération, s'expliquait par les faits, par l'émotion
même des esprits, en un moment d'irritation où les
plus remarquables professeurs donnaient leur démission. En face des nouvelles qui lui parvenaient de
Russie, devant le désarroi trop visible des hommes
au pouvoir, Nicolas Alexèiévitch gardait son sang-froid,

ne se laissant troubler ni par les velléités de réaction
de ceux qui redoutaient une révolution, ni par les
impatiences de ceux qui, sous prétexte de réforme,
prétendaient tout bouleverser. De Rome, où il s'ini-
tiait à la connaissance de l'antiquité, il traçait, au
courant de la plume, à la fin de l'année 1861, un sai-
sissant et vivant tableau de la situation intérieure de
son pays, des différents partis ou tendances qui se
le disputaient, tableau qui, à plus de vingt ans de
distance reste encore admirable de sens, de vérité et
de prévoyance. Il y signalait, en traits d'une actualité
trop persistante, ce qui manquait à ce gouvernement,
matériellement si fort : la force morale.

« Rome, 11/23 décembre 1861 [1].

« ... Les dernières nouvelles de Russie, à cause même
de leur décousu, de leur obscurité, de leur manque de
précision, ne pouvaient pas ne point troubler la parfaite
quiétude d'esprit dont, sans cela, je jouirais ici avec une
telle plénitude et un tel calme. La fermentation chez vous
est violente, plus violente qu'on n'aurait dû s'y attendre ;
mais, je le confesse, je ne vois encore de danger nulle
part, si ce n'est dans l'inintelligence des hommes au pouvoir. Les velléités d'agitation révolutionnaire seraient tout
bonnement ridicules, si elles ne dénotaient dans quel pro-
fond dédain la société tient la force morale du gouvernement. Deux traits caractéristiques distinguent, à ce qu'il
me semble, notre opposition russe, qui en apparence a
envahi toute la société. En premier lieu, il ne se montre
au dehors que des opinions extrêmes ; par analogie avec

1. Lettre de N. Milutine à son frère, le général Dmitri Milutine.

l'Occident, on pourrait, si l'on voulait, employer les
expressions d'*extrême droite* et d'*extrême gauche*. En
second lieu, les tendances libérales n'ont pas encore revêtu
de formes définies; tout cela est vague, confus, vacillant
et plein de contradiction. Une telle opposition est impuissante au point de vue positif, mais elle peut incontesta-
blement devenir une force négative. Pour détourner ce
danger, il serait indispensable de former une opinion, ou,
si l'on veut, un parti du milieu (en langage parlemen-
taire, un *centre*), ce qui n'existe pas chez nous, mais ce
dont les éléments ne manqueraient certes pas de se trouver.
Le gouvernement seul peut le faire, et pour lui-même ce
serait la meilleure garantie. L'exemple de la Pologne
démontre trop clairement quelle est la situation d'un gouvernement, alors même qu'il dispose de toute la force
matérielle, quand dans le pays ont disparu toutes traces
d'un parti gouvernemental, parti qui existait autrefois et
qui, par suite, pourrait encore exister. (Sous Catherine II et
même sous Alexandre Ier, il y avait bien en Pologne un
parti russe.)

« En Russie, naturellement, il est cent fois plus facile
d'attirer de son côté la partie sérieuse de la société cultivée,
en faisant à temps des concessions opportunes, *mais en
les faisant au grand jour, avec dignité, sans morti-
fiantes apologies et sans captieuses finesses de chancellerie*[1].

« En quoi devraient consister ces concessions? voilà la
question capitale. Suivant moi, ce serait dans un large
développement du principe électif pour l'administration
locale, (en dehors des employés de la police), et dans le
doublement du budget de l'instruction publique. Selon
toute vraisemblance, de pareilles réformes ne sauraient

1. *Bez kantseliarskikh oulovok.*

manquer de grouper, autour du gouvernement l'élite du pays, ce qui relèverait sa force morale, rendrait les partis extrêmes impuissants et donnerait à l'opposition actuelle son véritable caractère d'insignifiance. . . . .

« Une seule et même pensée fatigue le cerveau; et, faute ici de données précises, on tombe involontairement dans les réflexions générales. Je sais combien elles doivent paraître inutiles et impuissantes au milieu des préoccupations quotidiennes de la vie pratique. Je sais que le personnel actuel de notre gouvernement n'est pas de force à s'élever à la hauteur d'un programme raisonné, fût-il rédigé par les sept sages de l'antiquité et fût-il compris dans le cadre d'un petit carré de papier. Mais, après deux mois de méditation solitaire sur un sujet qui nous touche tous de si près, il serait impossible de ne pas donner cours à ces infructueuses réflexions. . . . .

« Pour moi, je viens enfin d'atteindre à cette vie modeste et paisible dont j'ai longtemps rêvé; et, je le dis en toute franchise, l'expérience des huit derniers mois, loin de rompre le charme de ce rêve idéal, a encore accru mon dégoût pour ce *qu'on appelle* chez nous la vie politique[1].

« D'ailleurs des raisons de santé m'obligent au repos...

« Il est sans doute pénible d'abandonner sa part de travail en un pareil moment, quand d'autres succombent sous le fardeau, mais ma conscience n'a-t-elle pas de quoi se justifier? Peut-on considérer comme exorbitants deux ans de repos après vingt-cinq ans de travaux forcés? Y a-t-il un grand profit à attendre de ma part de travail, là où le champ me reste libre à présent? Je le dirai sans détour : s'il s'agissait de prendre part aux réformes que j'ai toujours rêvées, je serais prêt à sacrifier mes propres inclinations et mes coupables préoccupations personnelles.

1. *K nachei tak nazyvaémoï polititcheskoï déiatelnosti.*

Mais je suis convaincu que cela est impossible dans l'état
de choses actuel, et, quant à retourner à de nouvelles
luttes, aux *luttes d'autrefois*, non en champ découvert,
mais en guise d'éclaireur isolé, je n'en ai réellement plus
la force. C'est pour cette raison principalement et non pas
par calcul d'ambition, que je considère comme décidément
impossible et inutile pour les affaires d'accepter n'importe
quel rôle secondaire, tel que celui d'*adjoint* ou autre semblable. Les fonctions mêmes de ministre ne sont possibles,
à mon avis, qu'avec la pleine confiance de l'Empereur.
Aussi peut-on seulement accepter d'être ministre, mais ne
saurait-on d'aucune façon le solliciter. Voilà ma pleine et
sincère confession. . . . . »

On voit par cette lettre quelles étaient les vues de
Milutine sur la situation de son pays et sur sa position personnelle. En lisant ces lignes, il est difficile
de ne pas sympathiser avec ce fier langage.

L'ancien adjoint de Lanskoï ne voulait pas, comme
il devait finir par y être contraint, s'user en vains
efforts et en luttes inutiles. Il sentait qu'il n'y avait
rien à faire pour lui à un instant où, selon la pittoresque et trop expressive image de son ami, G. Samarine, la société et le gouvernement se débattaient tous
deux « dans une sorte de brouillard d'idées[1]. »

Ce n'étaient pas les offres officielles qui manquaient
à Milutine. A une époque aussi troublée, alors que de
tous côtés l'on se plaignait de la pénurie d'hommes,
l'ancien adjoint du ministre de l'intérieur ne pouvait
longtemps être abandonné aux douceurs du repos.

---

1. Lettre de G. Samarine, août 1862.

A Pétersbourg, de hautes amitiés travaillaient à lui rouvrir les avenues du pouvoir, malgré les vieilles préventions d'une partie de la noblesse et l'hostilité persistante de la cour. Les incertitudes du gouvernement, le conflit des influences en lutte au Palais d'Hiver se manifestaient dans la diversité des offres d'emploi faites à Milutine. En janvier 1862, le grand-duc Constantin, esprit éclairé et libéral, qui appréciait hautement la valeur de Nicolas Alexèiévitch, lui faisait offrir, par l'entremise du ministre de l'instruction publique, M. Golovnine, d'entrer dans le comité récemment institué pour l'organisation des paysans de la couronne[1]. Aucune œuvre n'eût pu mieux aller au talent et au cœur de Milutine, passionnément soucieux des intérêts du *moujik* et du peuple. C'eût été une tâche analogue à celle qu'il avait remplie avec tant d'énergie dans les commissions de rédaction pour l'affranchissement des serfs; mais il craignait d'y rencontrer des obstacles, des souffrances et des humiliations du même genre, sans être également dédommagé par l'importance de l'œuvre. Aussi déclinait-il les offres du frère de l'empereur, mettant comme d'habitude en avant sa fatigue mentale et corporelle. En fait, cette santé, qu'il avait si peu ménagée au ministère de l'intérieur, et dont il devait se montrer encore si prodigue, n'était guère pour Milutine, malgré son trop réel besoin de repos,

---

1. On sait que les paysans se divisaient en deux classes principales, presque égales en nombre, les anciens serfs ou paysans des propriétaires et les paysans de la couronne ou des domaines.

qu'un prétexte et l'occasion d'une défaite polie. Le
vrai motif de son refus venait toujours de ce qu'il
savait les influences hostiles à son nom prépondé-
rantes à la cour, qu'il savait ne pas posséder la première condition du succès dans un gouvernement
absolu : la confiance du maître. Ce doute, il l'exposait lui-même, non sans une pointe d'amère tristesse,
dans sa réponse au ministre de l'instruction publique,
qui dans cette affaire avait servi d'intermédiaire entre
le grand-duc et Milutine.

« Paris, 7/19 février 1862.

« .... Du reste, si ma présence à Pétersbourg l'hiver prochain était réellement indispensable pour les affaires et s'il y
avait possibilité de revenir, je n'abuserais certainement
pas d'un congé illimité. Quant à partir en ce moment pour
la Russie, comme vous le suggérez dans votre dernière
lettre, ni ma santé ni mes affaires de famille ne me le
permettent. . . . .

« ... Et d'ailleurs, qu'est-ce qui m'attend aujourd'hui
à Pétersbourg ? Tout cela est encore peu éclairci. Y a-t-il
si longtemps que ma participation aux affaires était con-
sidérée comme superflue, comme nuisible même ? Selon
ma profonde conviction, mon concours serait en tout cas
inutile, si l'on n'a pas confiance en moi et si cette confiance, au lieu d'être arrachée par des prières, n'est pas
donnée spontanément, *motu proprio*.

« Ceci m'amène au projet de me nommer membre du
grand comité [1]. L'initiative du grand-duc m'a profondément

---

1. *Glavny Komitet*, pour les vingt millions de paysans de la couronne.

touché. Ma reconnaissance n'est pas seulement officielle ; ne manquez pas de la lui exprimer avec la sincérité avec laquelle je vous écris. Mais je ne saurais à cet égard laisser oublier ce que je vous ai dit, à vous personnellement. Être membre de ce comité sans être en même temps, comme tous les autres, membre du conseil de l'empire, me mettrait dans une position exceptionnelle, non seulement blessante pour l'amour-propre, mais peu efficace pour la marche des affaires. Quelle pourrait être l'influence d'un membre placé dans une situation aussi équivoque? — Et cela n'a-t-il pas déjà été mon lot, il y a peu de temps encore, dans mon noviciat d'adjoint du ministre, après lequel on ne m'a pas jugé digne de confiance[1]? Au reste, j'écris tout cela pour votre édification. L'important pour moi serait de passer dans le ressort du grand-duc, d'être affranchi du servage sénatorial pour passer dans la catégorie des sénateurs « temporairement obligés »[2]. Dans ma lettre officielle, je demande qu'on me confie quelque travail. Il m'est très pénible de toucher un traitement sans

1. Dans un brouillon de cette lettre, Miloutine était encore plus explicite. On y rencontre la variante suivante : « Je ne puis vous cacher que revenir de nouveau à une position équivoque me semble peu séduisant. Vous savez que je ne me suis jamais plaint de l'humiliation qu'on m'a fait subir, pendant deux ans, dans des *fonctions temporaires*, dont ensuite on m'a jugé indigne. Mais ce traitement étrange ne pouvait manquer de me laisser un peu d'amertume. Est-ce qu'il me serait encore réservé dans l'avenir de pareilles humiliations? Je suis prêt à les subir si le bien public l'exige; mais je ne puis aller au-devant (*naprachivatsa*). Je ne mets pas de conditions à ma rentrée au service actif ; j'accepterai tout ce qu'on me désignera, pourvu que j'y puisse travailler d'une manière efficace aux affaires des paysans. Seulement je ne puis prendre des fonctions *de commis* (*kantseliar-skikh*) ; j'ai pour cette sorte d'emploi une telle répugnance que tout travail de ce genre m'est devenu impossible, et sous cette rubrique je comprends tout emploi de *secrétaire*, sous quelque forme que ce soit. »

2. Allusion à la condition des *serfs temporairement obligés*, durant deux ans, avant d'être définitivement émancipés.

rien faire, et je voudrais rendre service d'une façon quelconque. Je serais pleinement heureux si l'on m'employait,
principalement pour les questions concernant *l'organisation
administrative des institutions locales*. C'est une partie
que je connais très bien et où mon travail pourrait, je l'espère, être utile. »

En montrant peu d'empressement pour rentrer au
service, Milutine ne faisait que se conformer à l'avis
des plus éclairés de ses amis, tels que le généreux
Samarine. La grande-duchesse Hélène, qui, dans son
désir de voir Milutine revenir aux affaires, paraît
avoir été d'abord d'un avis différent, s'y rallia bien
vite elle-même, comme on le voit par les trois billets
suivants.

« St-Pétersbourg, 26 janvier/7 février 1862[1].

« ... Au moment de recevoir cette lettre, vous aurez
déjà reçu les propositions du grand-duc Constantin, faites
du consentement de l'Empereur. Nous pensons tous qu'il
ne faudrait pas prolonger votre absence au delà de l'été.
Appelé par l'Empereur lui-même, il y aurait de la mauvaise grâce à mettre un second hiver entre votre rentrée
au service effectif. Des questions très importantes seront
sur le tapis au mois de septembre, comme par exemple
l'organisation provinciale qui s'élabore à présent. De plus,
la coordination des paysans des domaines avec le *pologénié*
(statut d'émancipation) doit se traiter et se décider vers

1. A N. Milutine. Les lettres de la grande-duchesse Hélène sont d'ordinaire écrites dans notre langue. Aussi respecterons-nous, jusque dans
ses légères incorrections, le français pétersbourgeois de cette princesse d'origine allemande.

cette époque, question grave par rapport au rachat et où il y a divergence d'opinion entre le grand-duc Constantin, Valouief (ministre de l'intérieur), et Zelénoï (ministre des domaines). Tout cela est sérieux et s'attaque aux fibres mêmes du pays. De plus, l'organisation des États provinciaux, avec représentation de la propriété foncière (soit de la noblesse, soit des paysans et des villes, etc.), préoccupe généralement; faute de connaissances, elle se produit dans des propositions informes qui nuisent à la cause et lui font tort en haut lieu, où le mot de *zemstvo* effraie[1]. Il serait à désirer que V., qui est destiné à beaucoup dire et à peu faire, pût préparer le terrain et faire accepter cette idée avant d'être usé. A de plus habiles un jour l'exécution. Cela serait le seul moyen de former les classes intelligentes au maniement de leurs intérêts et des affaires du pays. »

« St-Pétersbourg, 2/14 mars 1862[2].

« ... J'eusse beaucoup désiré que Milutine employât son temps à l'étude du rachat arrêté en principe[3]. On cherche les moyens pécuniaires pour le mettre en pratique, il faut les trouver et faire de peu quelque chose. Qu'il pense, qu'il cherche et qu'il trouve. Qu'il revienne au printemps à Paris, qu'il se lie avec les hommes de finance et qu'il retourne en Russie armé de pied en cap sur cette question. C'est la solution généralement demandée dans tout l'empire et qui naguère encore rencontrait une opposition si formidable. Encouragez Milutine dans ce travail. S'il

1. Ce nom, définitivement adopté, rappelait le *zemskii sobor*, ou les États généraux de l'ancienne Moscovie. Voy. *l'Empire des tsars et les Russes*, t. II, liv. III, chap. I.
2. De la grande-duchesse au comte P. Kissélef.
3. Il s'agit ici, croyons-nous, du rachat des terres domaniales, concédées aux paysans de la couronne, à l'instar de ce qui avait été fait pour les anciens serfs.

devient ministre, c'est par là qu'il doit débuter. Devant une mesure pareille, bien préparée et bien menée, les haines tomberaient. Ajoutez à cela les États provinciaux et, avec la grâce de Dieu, on sortira vainqueur du chaos où nous nous trouvons en ce moment. Il faut produire quelque chose de *positif* au milieu de cette confusion générale des idées, et ce positif (*sic*), venant du gouvernement, deviendrait l'ancre de salut autour de laquelle se grouperaient les hommes sensés et les volontés incertaines. »

« 18/30 mars 1862[1].

« Le congé illimité demandé par Milutine a été obtenu. On ne peut que lui donner raison dans les vues qui ont dicté sa conduite, mais pour les affaires, son absence prolongée au delà de l'été prochain est bien regrettable.

« Le rachat obligatoire demandé par V... est tombé à plat dans le comité des finances. Les États provinciaux s'élaborent. Dans l'une et l'autre de ces questions, Milutine eût pu être bien utile, mais, je le répète, il fait bien de s'éloigner d'un champ d'action où on eût usé ses forces tout en calomniant ses intentions. Ce n'est que dans une position, où il serait à même d'être jugé par le maître lui-même, qu'il y aurait pour lui des chances de succès et d'utilité véritable... »

Ainsi qu'on l'a vu par une des lettres de la grande-duchesse, Milutine avait obtenu un congé illimité. De retour en Italie, où il était allé rejoindre sa famille, Nicolas Alexèiévitch se proposait de reprendre à Paris, au printemps, ses études interrompues sur la société française. En attendant, il jouissait, aux bords du

1. De la grande-duchesse au comte Kissélef.

Tibre, du calme de cette vie romaine qu'il goûtait si fort, tout en préparant quelques travaux pour sa patrie, lorsque tout à coup, en avril 1862, un ordre impérial vint brusquement l'arracher à sa quiétude et le rappeler précipitamment à Pétersbourg. Il ne s'agissait plus des paysans de la couronne, des États provinciaux ou de l'administration intérieure; il ne s'agissait même plus de la Russie, pour laquelle depuis des années Milutine avait fait tant de plans de réformes, mais bien d'un pays qui lui était absolument inconnu, de la malheureuse Pologne, où couvait l'impolitique insurrection de 1863.

Par un de ces changements à vue que rien ne faisait prévoir et qui ne sont possibles que dans les gouvernements absolus, Milutine, le fonctionnaire suspect à Pétersbourg, le prétendu ennemi de la noblesse, le démocrate taxé de radicalisme et de penchants révolutionnaires, était soudainement appelé à réprimer la révolution imminente à Varsovie et à étouffer dans l'œuf la rébellion de la Pologne. A l'ancien *adjoint provisoire* du ministre de l'intérieur, si brusquement congédié en avril 1861, une résolution aussi soudaine offrait, à douze mois de distance, le gouvernement du royaume de Pologne. Nous allons voir quel accueil fit Milutine à cette singulière proposition, par quel nouveau et subit revirement de la politique impériale il fut cette fois exempté de cette triste besogne, pour y être définitivement appelé l'année suivante et y rester cloué jusqu'à la fin de sa vie.

CHAPITRE V

Nic. Milutine appelé soudainement à Pétersbourg en avril 1862. —
Projet de lui confier le gouvernement de la Pologne. — Sa répulsion pour cette tâche. — Comment il y échappe. — Au lieu de
Milutine, le marquis Wiélopolski appelé à Varsovie. — Retour de Nicolas Alexèiévitch en Occident. — Persistance des défiances de
l'empereur à son égard. — Ce qu'on lui offre après le gouvernement de la Pologne. — Ses vues de Paris sur les affaires polonaises.

Incertain et vacillant dans les affaires polonaises
comme dans les affaires russes, le gouvernement de
Pétersbourg, nous l'avons dit, penchait tour à tour
pour les concessions et pour la résistance, cédant aux
impulsions et aux conseils les plus différents, sans
savoir s'en tenir à une voie droite et ferme. Aux
longues indécisions succédaient tout à coup de sou-
daines résolutions que rien ne faisait prévoir la veille
et qu'expliquaient seules les incertitudes du pouvoir,
jointes aux impérieuses exigences des événements.
La place de Milutine semblait marquée à Pétersbourg à la tête d'un des ministères chargés des
réformes intérieures, il apprit tout à coup qu'on songeait à le jeter à Varsovie, à la tête de l'administration
du royaume de Pologne. Une lettre de M. Golovnine,
ministre de l'instruction publique, l'informant de cette
décision à laquelle rien ne l'avait préparé, accompagnait l'ordre d'un subit et immédiat retour à

Pétersbourg. Le ton même de la lettre du ministre, si louangeur et encourageant qu'il fût, semblait trahir l'embarras de l'ami qui s'était chargé d'expliquer à Nicolas Alexèiévitch ce brusque rappel.

« St-Pétersbourg, 20 avril 1862.

«Très honoré Nicolas Alexèiévitch,

« Vous allez en même temps que cette lettre recevoir communication, par Dmitri Alexèiévitch (le général Milutine), d'un ordre de Sa Majesté, vous enjoignant de revenir immédiatement à Pétersbourg, pour répondre personnellement à l'Empereur, qui se propose de vous nommer chef de l'administration civile de la Pologne, (c'est-à-dire président du conseil administratif des ministres du royaume). J'en ai parlé longtemps avec Dmitri Alexèiévitch et je lui ai promis de vous dire sincèrement toute ma pensée sur ce sujet important pour la Russie, pour la Pologne, pour l'Empereur et pour vous-même. Je suis convaincu que l'idée de cette nomination appartient au souverain personnellement et c'est pour cela qu'il la poursuit avec insistance, y revenant à peu d'intervalle, en dépit de l'opposition de Dmitri Alexèiévitch. Valouief seul aurait pu lui suggérer cette idée, mais l'Empereur se méfie de lui, précisément dans les affaires polonaises, par suite, semble-t-il de la trop grande condescendance de Valouief pour Wielopolski. Cette idée atteste du reste la grande confiance de l'Empereur en vous, c'est-à-dire sa foi en votre intelligence, vos talents et votre dévouement.

« Le poste qu'on vous propose est incomparablement plus difficile que tous les nôtres; mais j'ai une si haute opinion de la libéralité avec laquelle la nature vous a doué que je suis pleinement convaincu que vous pourrez mieux que personne réussir dans une tâche presque impossible pour tout autre. Vous vous rendrez maître de la situation au lieu d'être vaincu par elle. Vous montrerez à Pétersbourg la question sous son vrai jour et vous indiquerez la ligne de conduite à suivre à Varsovie. Je ne sais si vous accepterez ou si vous déclinerez la proposition de l'Empereur ; mais en tout cas, c'est là une telle marque de confiance qu'il vous faut revenir immédiatement ici. Vous en allez du reste recevoir l'ordre formel. Le grand-duc Constantin Nicolaiévitch aurait une autre idée. Comme président du conseil de l'empire, il voulait demander votre nomination à ce conseil pour le 30 août, à la fin de votre cure d'été. Le grand-duc voudrait vous voir ministre de l'intérieur et envoyer à Varsovie Valouief, qui y a déjà été et sait le polonais ; mais il est évident que, pour les affaires de Pologne, l'Empereur n'a pas confiance en Valouief. En tout cas, soyez assuré que le grand-duc vous appuiera de toute façon dans la voie que vous choisirez. Je suppose qu'il est inutile d'en dire autant de moi. »

Aucune proposition n'eût pu surprendre plus tristement Nicolas Milutine. Rien dans son éducation ou ses travaux ne l'avait préparé à une telle tâche. Singulière destinée que celle des fonctionnaires d'un gouvernement autocratique ! Du jour au lendemain, sans égard à leurs goûts, à leurs connaissances, à leurs aptitudes, ils doivent passer d'une fonction ou d'une carrière à une autre ; ils doivent, selon les circonstances, être libéraux ou révolutionnaires, faire de la compression ou de la révolution, sans avoir toujours le droit de consulter leurs propres sentiments, par ordre et par obéissance, jusqu'à un certain point même par devoir de sujets fidèles, et cela au prix de leur réputation, ou au risque en refusant d'être taxés d'indifférents ou de séditieux.

Milutine repoussa de toutes ses forces une nomination l'attachant à un pays qui, selon ses propres expressions, « faisait à peine partie du sien[1], » à un pays dont la situation paraissait exiger des mesures rigoureuses, parfaitement étrangères aux travaux tout pacifiques et aux réformes législatives auxquels il avait voué sa vie. Dans cet appel à son énergie et à son habileté, il semble avoir vu, non peut-être sans quelque raison, moins une marque de confiance du souverain, qu'un piège tendu par de faux amis ou des rivaux, désireux de l'écarter de leur voie. Après l'avoir si longtemps et si obstinément traité de révolutionnaire, ses adversaires de la cour et de la capitale devaient être heureux de l'envoyer comprimer la révolution, curieux de voir quelle figure il ferait dans ce nouveau rôle. Aussi comprend-on toute la répulsion de Milutine pour une tâche à laquelle rien dans le passé ne le préparait, où, avec tout le zèle et le talent du monde, le succès semblait impossible.

Milutine était décidé à repousser de ses lèvres ce calice qu'il devait un jour être obligé de boire jusqu'à la lie et où il devait finir par trouver une mort prématurée ; mais l'ordre était formel. Nicolas Alexèiévitch dut se mettre en route avant même d'avoir eu le temps de se concerter avec les siens. Il partit pour le Nord,

1. Lettre à sa femme.

atterré du coup qui le frappait et qu'heureusement pour lui de hautes amitiés devaient détourner de sa tête. De Berlin, où il s'était reposé quelques jours, avec le vague espoir de donner aux événements ou aux intrigues de Pétersbourg le temps de changer les résolutions impériales, il écrivait le 8/20 mai 1862[1] :

« Je suis accablé de fatigue. Plus j'avance vers Pétersbourg, plus ce voyage forcé m'apparaît sous un jour triste et sombre. La vue seule de Berlin m'a fait une impression pénible.... Mon cœur se serre avec tristesse, mais je ne veux point me laisser aller à l'abattement et j'espère que tout pourra s'arranger encore... »

A peine débarqué à Pétersbourg, Milutine recevait le billet suivant de la grande-duchesse Hélène, toujours attentive à ce qui le concernait.

« St-Pétersbourg, 11 mai 1862.

« J'apprends que vous êtes arrivé; laissez-moi vous dire que tous mes vœux se réunissent pour vous voir éviter le poste périlleux de Varsovie, qui vous perdra pour la Russie sans que vous ayez de chance sérieuse de réussir dans un pays hostile, dont la langue, les lois, les tendances sont à étudier, et qui fera longtemps encore des victimes des Russes qui y seront envoyés. Adieu, et que Dieu vous inspire ! Je ne suis pas embarrassée de vous recevoir puisqu'il ne m'a été rien dit à votre égard. »

Le grand-duc Constantin agissait dans le même

1. Lettre à sa femme.

sens avec des mobiles différents. Ce prince, à l'esprit large et libéral, ne voulait pas désespérer encore de la réconciliation de la Pologne avec la Russie; il persistait à soutenir qu'à Varsovie, il fallait non un Russe, mais un Polonais. C'est ce qu'apprenait Milutine, en descendant du chemin de fer, par un billet du ministre de l'instruction publique, qui, quelques jours plus tôt, l'engageait à accepter la direction des affaires polonaises.

« St-Pétersbourg, 11 mai 1862.

« J'ai appris tout à l'heure votre arrivée, très honoré Nicolas Alexèiévitch, et je serais immédiatement accouru chez vous si, par malheur, toute ma matinée n'était prise. Je tâcherai de vous rencontrer vers cinq heures chez Dmitri Alexèiévitch. J'ai à vous transmettre la communication suivante : Le grand-duc Constantin Nicolaiévitch vous conseille beaucoup de refuser catégoriquement le poste de Pologne, et cela surtout parce que, dans sa conviction, il faut à cette place un Polonais et non un Russe. Pour moi, je ne connais pas la Pologne, je ne participe pas ici aux délibérations sur les affaires polonaises, par conséquent, je ne puis personnellement prendre cet avis à mon propre compte. En outre, j'ai une si haute opinion des talents dont vous a gratifié la nature que je ne saurais vous conseiller de refuser une fonction uniquement parce qu'elle est pleine de difficultés. Le grand-duc se propose de demander dès maintenant votre nomination comme membre du conseil de l'empire avec un congé pour le printemps. »

A son arrivée à Pétersbourg, Milutine trouva, en effet, dans les hautes sphères une hésitation dont,

malgre certains conseils, il tira parti pour refuser la
tâche ingrate qu'il redoutait si justement. Le changement survenu dans les dispositions du pouvoir était
tel que, lorsqu'il fut reçu en audience par l'empereur, Nicolas Alexèiévitch n'eut pas de peine à
décliner un poste qu'on était déjà résolu à confier à
un autre.

Durant cet inutile voyage de six cents lieues, les vues
du grand-duc Constantin avaient regagné du terrain.
Le refus de Milutine contribua à leur triomphe définitif. Au lieu d'un fonctionnaire russe chargé de russifier les provinces de la Vistule, ce fut un gentilhomme
polonais, ambitieux de faire un dernier essai d'autonomie nationale, qui reçut du tsar la mission de gouverner le royaume. Le grand-duc Constantin était
fait vice-roi (*namiestnik*) et, à la tête d'une administration exclusivement polonaise, était placé le marquis
Wielopolski, l'un des rares Polonais qui eussent alors
une idée nette des besoins de leur malheureuse patrie
ou des nécessités de sa triste situation. Avec le grand-
duc et Wielopolski, la Pologne retrouvait une chance
de développement régulier et national que, pour son
malheur et le malheur de la Russie, les partis extrêmes et les imprudentes excitations de l'étranger
devaient pour longtemps faire évanouir.

La lettre où Milutine, à peine remis de son voyage,
annonce à sa famille cette brusque volte-face, a toute
la valeur d'un document historique.

« St-Pétersbourg, 16/28 mai 1862[1].

« ... Enfin mon sort est décidé! J'avais, dans l'attente de cette décision, retardé ma lettre de quelques jours, et à présent, je me décide à en remettre encore l'envoi jusqu'à vendredi, afin de l'expédier par un homme sûr jusqu'à Berlin. Cela me donnera, selon votre désir, la possibilité de raconter avec plus de détails toutes mes aventures ici, sans craindre la curiosité des employés de la poste.

« Ma présentation à l'Empereur a été remise de jour en jour à cause des manœuvres et exercices militaires, etc., en sorte qu'elle n'a eu lieu qu'aujourd'hui à Tsarsko. Cependant, dès samedi, j'avais déjà eu un long entretien avec le grand-duc Constantin Nicolaiévitch. C'est à lui le premier que j'ai pu expliquer pour quels motifs je regardais comme impossible d'aller à Varsovie.

« Il ne m'a pas été difficile de le convaincre que, dans les circonstances actuelles, il n'y avait aucune possibilité d'administrer la Pologne quand on ignorait et les lois du pays, et ses affaires, et ses habitants, et ses coutumes, qu'on ignorait enfin (ce qui est le plus important) la langue, sans laquelle on ne saurait apprendre à connaître tout le reste. Ma démonstration a rencontré la plus vive sympathie, ce à quoi, du reste, je m'attendais, étant depuis la veille au courant des dispositions du grand-duc et de son entourage. Le fait est que le retard de mon arrivée ici n'est pas resté sans conséquences[2]. Le projet de l'Empereur était arrivé aux oreilles des personnages intéressés. Wielopolski s'était mis à l'œuvre et, secondé du

1. Lettre à sa femme.
2. Ce retard, Milutine le dit ailleurs, avait été facilité par la lenteur du chemin de fer qui, de Berlin à Pétersbourg, n'était pas encore ouvert à une circulation régulière.

prince Gortchakof et de quelques personnes, il avait
ébranlé les premiers plans de l'Empereur. On a inventé
une nouvelle combinaison; c'est de confier l'administration
du royaume à Wielopolski, et, pour tranquilliser ceux qui
n'ont pas foi dans sa sincérité, de placer au-dessus de lui
un vice-roi (*namiestnik*), dans la personne même du grand-
duc Constantin. Au grand étonnement de tous (y compris
l'Empereur lui-même), le grand-duc a non seulement accepté la combinaison, mais il a montré un empressement
particulier.... Tout cela a été fait en quelques jours, on
pourrait presque dire en quelques heures, et mon humble
personne, inopinément placée au premier plan, a bien vite
été reléguée au dernier pour mon entière satisfaction. Le
grand-duc a imaginé, *comme fiche de consolation*, de me
faire nommer dès aujourd'hui membre du conseil de l'empire et du comité des paysans; il en a même fait la proposition formelle à l'Empereur.

« Voilà dans quelles conditions a eu lieu l'audience
d'aujourd'hui. L'Empereur m'a reçu d'une manière affable,
amicale même. Il paraissait un peu gêné et, grâce à la
douceur et à la réelle bonté de son excellent cœur, il n'a
pas cherché à le dissimuler. Il est entré dans les explications les plus détaillées touchant mon rappel et les nouvelles combinaisons survenues, et en terminant, il a voulu
connaître mes désirs et mes intentions personnelles. A ces
franches ouvertures, j'ai répondu avec une égale sincérité.

« Voici quelle a été la substance de mes explications :
J'ai dit que ma santé n'était pas en somme assez mauvaise
pour me donner réellement le droit de décliner tout service; que pour ma femme un climat chaud était en vérité
de grande importance; mais que nous étions tous deux
prêts à faire un sacrifice dans l'état actuel des affaires, si
notre sacrifice pouvait avoir une réelle utilité. J'ai rappelé
que si, l'année précédente, j'avais dû me retirer, que si

maintenant encore je demandais une prolongation de congé, c'était principalement parce que j'étais convaincu qu'avec la haine et l'irritation soulevées contre moi, ma participation aux affaires eût été moins utile que nuisible pour la mise en vigueur du nouvel ordre de choses... Ces difficultés, ai-je ajouté, ne me paraissent pas encore entièrement écartées; mais pour moi, du reste, il m'est impossible d'être juge dans ma propre cause, et c'est à lui, le souverain, à lui seul, de décider *où* et *quand* ma participation au gouvernement peut être réellement utile. Tout cela, on le comprend, a été dit *à bâtons rompus*, avec interruptions, commentaires et réflexions de toute sorte, mais dans leur ensemble, ces explications ont été accueillies avec sympathie. Comme conclusion, il a été décidé que je retournerai à l'étranger pour l'été et que je reviendrai ici définitivement l'automne prochain. Dans mon for intérieur, naturellement, j'y mettais pour condition que votre cure d'été aurait été pleinement favorable. Tout ce que j'ai vu et entendu ici est, du reste, loin de m'avoir convaincu que ma participation aux affaires des paysans doive être utile aux affaires elles-mêmes. Cela, je le dis en toute conscience. A notre réunion les détails.

« Voilà le compte rendu fidèle de tout ce qui me concerne; je l'écris pour vous, pour Paul Dmitriévitch[1] et pour un petit nombre d'amis sur la discrétion desquels je puis compter. En outre, je peux vous dire à l'oreille que l'Empereur m'a fait part de son intention arrêtée de me nommer cet automne membre du conseil de l'empire et du comité des paysans, mais il désire que la chose soit tenue secrète . . . .

« Maintenant que mon départ d'ici est décidé, mon impatience croît d'heure en heure; mais on m'a invité *offi-*

---

1. Le comte P. Kissélef.

cieusement à étudier différentes affaires sur lesquelles j'ai
promis de donner mon avis. . . . . »

Le même jour, Milutine faisait un récit analogue à
la grande-duchesse Hélène, qui lui avait fait pro-
mettre de l'informer immédiatement du résultat de
l'audience impériale.

« St-Pétersbourg, 16/28 mai 1868[1].

« Selon l'ordre de Votre Altesse Impériale, je m'empresse
de vous rendre compte du résultat de mon voyage à
Tsarsko.

« Remise de jour en jour, la présentation officielle n'a
eu lieu qu'aujourd'hui. La réception a été des plus bienveillantes, je dirai presque amicale. L'Empereur a eu la
bonté de s'excuser à plusieurs reprises de m'avoir dérangé
inopinément. Il m'a autorisé (sans beaucoup d'efforts de
ma part) à retourner à l'étranger pour terminer ma cure ;
mais il a insisté sur son désir de me voir rentrer pour
l'hiver prochain et reprendre (selon son expression) un
service *actif*. J'ai presque pris l'engagement de le faire. En
outre j'ai profité de l'occasion pour faire ma profession de
foi. — « Ma santé, ai-je dit, n'est pas assez abîmée pour
me condamner à l'oisiveté ; il y a un an, mon concours est
devenu inutile au gouvernement pour des raisons que
l'Empereur connaît mieux que personne ; si ces raisons
existent encore, je demande comme une grâce de rester à
l'étranger. Sinon, je rentrerai au premier appel ; que l'Empereur désigne le moment opportun. Il est seul juge et
arbitre souverain. . . . .

« Toute la ville est émue de la nomination du grand-duc
(Constantin). Sauf les intrigants, on déplore généralement

1. L'original de cette lettre est en français.

cette singulière combinaison, qui laisse un grand vide dans
le gouvernement de ce pays, sans offrir beaucoup de chances
de succès en faveur de l'autre.

« Avec les vœux les plus sincères pour votre santé, je me
dis, Madame, à jamais, etc. »

On voit d'après ces lettres que, s'il se félicitait
d'être personnellement dégagé des affaires polonaises,
N. Milutine avait peu de confiance dans la combinaison qui l'affranchissait de cette pénible corvée. Le
départ du grand-duc Constantin pour Varsovie lui
paraissait d'autant plus regrettable qu'avec ce prince
la cause des réformes perdait à Pétersbourg un de
ses plus éclairés et plus puissants soutiens, et qu'il
pressentait vaguement que le grand-duc pourrait
laisser aux bords de la Vistule sa popularité et son
influence. Comme le lui écrivait de Carlsruhe, quelques semaines plus tard, un de ses amis, M. Kavéline,
Milutine savait qu'en « Pologne il n'était pas plus
aisé qu'en Russie de créer un parti libéral modéré
et que les éléments de ce parti eussent-ils existé, ils
n'auraient pas eu assez de confiance dans l'esprit de
suite du gouvernement pour oser se montrer[1]. »

Tout en pensant, comme il l'avait déclaré au sou-

---

1. Le correspondant de Milutine ajoutait (13 juillet 1862) : « A
tous les efforts pour les persuader, les hommes modérés répondent
invariablement : « Qu'est-ce qui nous garantit qu'il ne soufflera pas
« demain un vent tout contraire ? qu'il n'arrivera pas de Pétersbourg des
« ordres pour détruire ce qui aura été fait ? » Que répondre à cela ? Le
marquis de fer, comme on appelle Wielopolski, est détesté de tous les
partis : on le supporte parce qu'on voit en lui *l'homme du momen* e
vrémennik, le favori du jour) ».

verain lui-même, que le temps de son retour aux affaires n'était pas encore arrivé, Milutine ne demeurait
pas inactif à Pétersbourg. On vient de le voir
par ses lettres. Sans poste officiel, il s'occupait offi-
cieusement, pour les ministres qui le lui demandaient, de quelques-unes des plus importantes réformes du dernier règne et en particulier des *zemstvos*,
ou États provinciaux, dont il avait déjà élaboré le
plan comme adjoint de Lanskoï. Il portait à ces modestes institutions provinciales d'autant plus d'intérêt
que, dans sa pensée, ces assemblées électives devaient
habituer le pays au *self-government*, et qu'avec
plusieurs de ses amis, il semble y avoir vu, non
pour le présent, mais pour un avenir encore indéter-
miné, le germe d'un gouvernement représentatif. Ce
qu'il voyait à Pétersbourg était du reste peu fait pour
lui donner le désir d'y rester, comme nous l'apprend
le fragment suivant de sa correspondance.

« St-Pétersbourg, 20 mai /1er juin 1862[1].

« Après avoir obtenu l'autorisation de retourner à Paris,
il m'est encore plus difficile de contenir mon impatience;
mais la raison a pris le dessus, et je me suis décidé à terminer ici les travaux qu'on m'a confiés d'une façon
privée.... Mon genre de vie est très agité et fatigant. Toute
la matinée se passe à recevoir ou à faire des visites qui
n'ont pas de fin. Ensuite, chaque jour, dîners et soirées
chez les amis.... Il reste ainsi peu de temps pour le travail. La semaine dernière, j'ai dîné trois fois chez Dmitri,

1. Lettre à sa femme.

et les autres jours chez Reutern, Obolensky, Solovief, etc. En un mot, l'hospitalité russe s'est montrée dans tout son éclat. J'ai fait visite aux personnages officiels (ministres et autres), j'ai reçu leurs cartes, mais excepté Tchepkine et le prince Gortchakof, je n'en ai vu aucun, ce dont je n'ai pas trop de regret. A notre réunion le récit détaillé de tout ce que j'ai vu et entendu. En général, il y a peu de changements dans les personnes ou les conversations. Mêmes histoires, mêmes discussions, mêmes critiques, mêmes craintes; seulement tout cela a pris un caractère encore plus vague et fébrile. Ils ont tous l'air d'attendre quelque chose, de redouter quelque chose, et ils parlent, ils parlent sans discontinuer....

« .... Il fait ici un froid horrible. Le soleil est dans tout son éclat, mais l'air est glacé. Les bouleaux ne font que commencer à verdir, et sur les tilleuls et les buissons, à peine si l'on voit quelques feuilles. On ne peut regarder sans compassion ces pauvres arbres phtisiques, qui tremblent comme pris de la fièvre. Et s'il n'y avait d'affreux que le climat! mais le vide, la pauvreté, la malpropreté, l'absence de tout confort!... »

On voit quelle impression de mélancolie laissait à Milutine la pâle et indigente nature du Nord après le beau ciel et les opulentes campagnes d'Italie, après la vive et brillante société parisienne. Aussi, se hâtait-il de revenir à Paris jouir des derniers mois de son congé. Triste et fatigué, il quittait les rives de la Néva sous de sombres auspices au moment où des incendies, attribués aux Polonais, répandaient l'inquiétude et l'irritation dans la société et le peuple[1].

---

1. « .. Toute la ville est en grand émoi à cause des incendies qui,

Bien qu'il eût peu de confiance dans le succès de la
mission confiée en Pologne au marquis Wielopolski,
Nicolas Alexèiévitch s'éloignait sans prévoir que
l'échec des plans pacificateurs du sage et courageux
Polonais allait bientôt rejeter sur lui le pesant fardeau
dont il se félicitait d'être débarrassé.

Après ce court séjour à Pétersbourg, N. Milutine se
trouvait plus que jamais dans la dangereuse situation
d'un homme d'État en disponibilité, sur lequel, aux
heures d'embarras, on pouvait, d'un moment à l'autre,
jeter les yeux pour les besognes les plus diverses et
les moins aisées. Les anciennes préventions, entrete-
nues contre lui par les gens de cour, n'avaient pas
tout à fait disparu. On le voit par une lettre du ministre de l'instruction publique, M. Golovnine.

« St-Pétersbourg, 15/27 septembre 1862.

« .... Il y a un mois, j'ai écrit au grand-duc, à Varsovie, le priant de rappeler à Sa Majesté le projet de votre
voyage à Pétersbourg et de votre nomination au conseil
de l'empire, mais jusqu'à présent je n'ai pas reçu de réponse. D. A. m'a dit qu'il refusait positivement de prendre
à ce sujet l'initiative auprès de l'Empereur. Or, aujour-
d'hui je présentais à Sa Majesté les trois premiers comptes
rendus du comité du ministère de l'instruction publique
pour l'étude du nouveau statut universitaire (cette affaire
est traitée dans un comité, conformément à la marche
suivie dans la *commission de rédaction* pour les affaires

depuis déjà trois jours, éclatent tantôt d'un côté et tantôt d'un autre.
Involontairement la pensée du peuple s'arrête sur des incendiaires... »
Lettre à sa femme. 24 mai 1862.

des paysans). J'ai dit à l'Empereur qu'il serait très important pour moi d'avoir votre opinion sur cette question ;
que je demandais l'autorisation de vous communiquer
notre projet et que je regrettais que votre absence me
privât de la possibilité d'en parler avec vous, ce qui pour
l'affaire serait fort utile. L'Empereur m'a donné son consentement et demandé quand vous deviez revenir. J'ai
répondu que je ne le savais point, que, vous connaissant depuis longtemps et connaissant votre délicatesse, je
supposais que vous étiez prêt à exécuter les ordres de Sa
Majesté, mais que vous craigniez sans doute de vous
mettre en avant et d'avoir l'air d'imposer vos services. J'ai
ajouté qu'on vous accusait de libéralisme (sur quoi il m'a
été répondu : « Oui ») ; mais que ce libéralisme consistait
à désirer l'émancipation des paysans, rêve qui, ainsi que
la suite l'avait montré, était fort conservateur. L'Empereur
m'a répondu qu'au printemps il vous avait fait venir pour
la Pologne, et que, ce projet ayant été abandonné, il vous
avait permis de rester à l'étranger aussi longtemps que
cela serait nécessaire pour votre rétablissement. Il a ajouté
qu'il me chargeait maintenant de vous demander quand
vous pourriez revenir. J'ai transmis immédiatement cette
nouvelle à D. A. — I. F. vous dira que son opinion,
comme celle de D. A., est que vous devez revenir, et que,
si vous n'obtenez pas immédiatement votre nomination au
conseil de l'empire, vous devez assister aux séances du
sénat. Pour ma part, je n'ose vous donner un pareil avis,
je suis pour cela trop épris du beau ciel et des hivers
d'Italie, et, considérant qu'on ne vit qu'une fois, je passe-
rais, à votre place, l'hiver dans le Midi. Au printemps,
votre position ici serait la même qu'aujourd'hui. A quoi
bon sacrifier inutilement un hiver que vous pouvez passer
à Nice, à Florence et enfin à Paris ? Remarquez que je ne
parle pas en égoïste, car pour moi votre présence ici serait

aussi utile qu'agréable : on aurait avec qui causer et de qui recevoir des idées lumineuses (*svétlia*).... »

En le laissant maître de passer encore un hiver en Occident, cette lettre comblait tous les vœux de Nicolas Alexèiévitch. Aussi n'est-on pas surpris de sa réponse au ministre de l'instruction publique.

« Paris, 1/13 octobre 1862.

« Très honoré A. V.

« Votre lettre a été une grande joie pour moi. Je ne sais comment vous témoigner ma reconnaissance de votre bon souvenir et de cette marque de franche amitié. Mon premier mouvement a été de vous adresser mes plus sincères remercîments ; mais, pour répondre d'une manière précise à la gracieuse question de l'Empereur sur le moment où je pourrai revenir, il faudrait attendre la décision des médecins sur l'ordre desquels je suis venu à Paris.

« Avant tout, je dois vous dire combien j'ai été profondément touché de cette nouvelle marque d'intérêt de Sa Majesté. L'Empereur, comme vous me l'écrivez, a daigné se rappeler que le printemps dernier, dans une entrevue personnelle, il m'avait autorisé à rester à l'étranger aussi longtemps que l'exigerait ma santé. Ce souvenir a été pour moi comme une ratification de mon congé officiel, dont je ne jouissais jusqu'à présent qu'avec beaucoup de scrupules. Craignant d'abuser de la bonté de Sa Majesté, je me demandais avec anxiété si je pourrais prolonger durant l'hiver mon séjour à l'étranger. Votre communication a définitivement écarté mes scrupules et je me décide à me conformer aux conseils des médecins qui, pour l'achèvement de ma guérison, me recommandent avec insistance un second hiver sous un climat chaud. Aussi, puisque

mes faibles travaux ne sont pas nécessaires à Pétersbourg,
je suis heureux de mettre à profit mon congé. Il va sans
dire cependant que, si l'on veut me confier, durant mon
séjour ici, un ouvrage quelconque, je l'accepterai avec une
profonde reconnaissance et je lui consacrerai tout ce que
j'ai de force et d'intelligence. En outre, si les circonstances l'exigent, je suis prêt à rentrer au service à Pétersbourg, quand et comme il plaira à l'Empereur.

« Voilà, très honoré A. V., la réponse que je vous prie
de porter à la connaissance de Sa Majesté. Tout mon désir
est de me conformer strictement à la volonté de l'Empereur. ». . . . .

Ici se place un incident en lui-même sans importance, mais, pour nous, aussi caractéristique que bizarre. Les offres d'emplois poursuivaient Milutine à
Paris et variaient avec les mois de la façon la plus
singulière. A cet esprit si énergique et épris d'action,
à cet homme qui avait été l'âme d'une colossale réforme, et auquel on avait longtemps pensé pour le
ministère le plus difficile dans les circonstances
d'alors, celui de l'intérieur, on ne saurait imaginer
quelle place l'on proposa tout à coup. Après l'avoir
fait venir précipitamment de Paris à Pétersbourg, en
avril 1862, pour lui confier, avec l'administration de
la Pologne, le poste le plus périlleux de l'empire, on
lui offre à moins d'un an de distance, en avril 1863,
une sorte de sinécure littéraire entièrement étrangère
à la législation et à la politique, la direction de la
Bibliothèque impériale. Si l'on n'était en Russie, où
rien n'étonne, on se dirait qu'après avoir en vain

essayé de le compromettre ou de le perdre en le jetant dans la fournaise de Pologne, ses ennemis de Péters-bourg tentaient de le faire oublier et de l'annihiler en l'enfermant dans les riches salles de la Bibliothèque. La proposition lui en était faite par un homme connu pour son ami et qui naguère encore lui demandait des projets pour les plus graves réformes, par le ministre de l'instruction publique, qui, ayant dans son ressort une place libre, stable et bien rentée, avait cru sans doute ne pouvoir mieux faire que de la lui offrir.

La réponse de Milutine, dont quelques personnes avaient parlé pour le ministère même de l'instruction publique[1], est bien caractéristique de l'homme, du temps et du pays. A cette offre singulière, qu'en d'autres États un homme comme lui aurait pu trouver blessante ou déplacée, Milutine répond avec le calme et le sérieux imperturbables, toujours de mise en un état d'absolutisme bureaucratique. Le refus longue-ment motivé est formulé en termes modestes, à tra-vers lesquels perce à peine une pointe d'humeur ou d'ironie contenue. Cette proposition, qu'il eût été en droit de prendre comme une manœuvre de rivaux désireux de le faire disparaître de l'horizon politique, l'ancien adjoint du ministre de l'intérieur l'accepte comme un honneur et une faveur; il la repousse seule-ment comme trop lourde pour son instruction, en mon-trant qu'il n'y avait pas chez lui l'étoffe d'un bon bibliothécaire.

---

1. On le voit par une lettre de la grande-duchesse Hélène.

« Paris, 22 avril 4 mai 1863.

« Très honoré A. V.

« Je n'ai reçu votre lettre qu'avant-hier et je m'empresse de vous remercier de tout cœur pour cette nouvelle preuve de bon souvenir, de constant et amical intérêt. Je vous dirai sans détours que la place de directeur de la Bibliothèque impériale conviendrait beaucoup à mes goûts. Une modeste et tranquille vie de cabinet, loin de m'effrayer, a toujours à mes yeux été pleine de charme et d'attrait. Mais ma conscience soulève de sérieux scrupules que je ne puis ni ne dois vous cacher. D'abord la direction de la Bibliothèque exige, avec certaines connaissances techniques, une connaissance des langues étrangères dont par malheur je suis également dépourvu. Si les premières peuvent encore s'acquérir, je crains qu'à mon âge et avec mon incapacité pour les langues étrangères, je ne doive désespérer de la seconde[1]. Ensuite le poste que vous m'offrez appartient de droit à un savant ou du moins à un bibliographe. L'expérience administrative n'est pas, il me semble, nécessaire à la Bibliothèque, surtout après les récentes améliorations faites par le dernier directeur et qu'i suffirait de poursuivre. En de telles circonstances, ma nomination ne serait-elle pas un *passe-droit* vis-à-vis d'autres personnes ayant plus de titres à de telles fonctions?

« Le second de mes scrupules est d'un caractère plus personnel. Après deux ans de repos, je ne me considère pas en droit de solliciter un poste quelconque, et encore moins une sinécure. Je ne voudrais pas non plus, après tant de bonté de la part de l'Empereur, lui donner lieu de croire que je profite de votre amitié dans des vues person

---

1. Milutine savait très bien le français, un peu l'allemand, mais il ignorait l'anglais et les langues du Midi.

nelles, que toute cette affaire a été arrangée par mes intrigues, antérieurement à mon retour, et m'exposer ainsi
à des soupçons qu'en conscience je n'ai pas mérités et que
je ne voudrais pas attirer sur moi.

« Voilà mes craintes. Je vous écris franchement sans
aucune arrière-pensée, et je vous prie de recevoir ces explications avec une égale cordialité et franchise. Si, après
cela, l'affaire est telle que vous la supposez, et si l'Empereur désire me confier la Bibliothèque, j'entrerai dans ce
genre d'occupation tout nouveau pour moi avec une conscience parfaitement calme et une profonde reconnaissance.
L'administration de la Bibliothèque, je le répète, satisfe-
rait tous mes goûts, tous mes désirs, car la passion (*strast*)
des livres et de ce qui touche les livres ne m'a jamais
abandonné et est chez moi plus forte que jamais.... »

En rappelant au ministre l'indispensable nécessité
de connaissances techniques et d'instruction profes-
sionnelle pour certaines fonctions, Nicolas Alexéiévitch lui donnait à mots couverts une des leçons dont
les gouvernants avaient le plus besoin, dans un pays
accoutumé de longue date à voir distribuer les emplois civils sans égard à l'éducation ou aux aptitudes
des fonctionnaires, sans autre souci que de respecter
la hiérarchie surannée du *tableau des rangs* et la
bizarre équivalence du *tchine*, qui peut faire passer
un militaire de la caserne au palais de justice, et un
administrateur d'un comité législatif à un fauteuil de
bibliothécaire.

Le projet du ministre de l'instruction publique
n'eut pas de suite. Nicolas Alexéiévitch eût-il accepté
les offres du ministre que la haine de ses ennemis de

cour ne lui eût peut-être pas permis de se reposer dans ces modestes et tranquilles fonctions[1]. Milutine demeura quelques semaines encore à Paris, observant avec une anxieuse sagacité le cours des événements qui se précipitaient en Pologne. Son oncle, le comte Kissélef, avait été contraint par sa santé de donner une démission depuis longtemps imminente. Il avait été remplacé par M. de Budberg. Les affaires polonaises étaient, pour le malheur des intéressés, devenues une question internationale. L'insurrection avait éclaté ; la France, l'Angleterre, l'Autriche adressaient au cabinet de Pétersbourg des notes comminatoires qui, ne devant être appuyées d'aucune mesure effective, n'étaient pour la Pologne qu'un impolitique et coupable encouragement à une révolution sans espoir comme sans issue.

Milutine, naguère encore si désireux de prolonger

---

1. Son frère, le général Dmitri, lui écrivait de Pétersbourg le 9/21 mai 1863 : « J'ai eu ces derniers jours un long entretien avec la grande-duchesse Hélène Pavlovna. Comme d'habitude, elle a beaucoup parlé de politique, du choix des hommes et particulièrement de la nécessité de te faire rentrer dans l'administration, ce en quoi je suis pleinement de son avis. Je regrette souvent qu'avec notre manque d'hommes (*bezlioudi*), tu sois laissé de côté. La grande-duchesse prétend maintenant pour toi au ministère des domaines, mais je lui ai dit qu'il n'y avait aucune chance de ce côté, parce que Zélénoï (le ministre en fonctions) est en grande faveur. Pour ce qui est de la Bibliothèque publique, je trouve ta réponse à G. très régulière et raisonnable. Il ne fallait pas donner un refus catégorique, de peur de faire soupçonner que tu ne désires un poste qu'avec des vues ambitieuses. Mais je dois te dire que, même pour cette place, il y aurait peu d'espoir pour toi, parce que la combinaison de Golovnine, quant au baron Nikolaï et à Délianof, ne réussira probablement pas, du moins maintenant... »

son séjour en Occident, souffrait de la défiante ani-
mosité qu'il voyait partout à l'étranger grandir contre
la Russie. L'hostilité peu déguisée de la société pour
les Russes, depuis l'explosion de l'insurrection polonaise, éprouvait cruellement son patriotisme et son
amour-propre national. L'air de Paris et de l'Europe
lui devenait lourd à respirer; aussi, comme il le disait
à la fin même de sa réponse au ministre de l'instruction publique, avait-il décidé de ne plus retarder
son retour en Russie.

« Dans trois semaines [1], je me propose d'aller de Paris à
Ems, et ensuite, après l'achèvement complet de ma cure,
de revenir par Dresde à Pétersbourg, où je désirerais
m'installer avant le mois de septembre, et cela de peur
qu'un voyage d'automne ne compromette tous les résultats
de la cure. Je ne tiens plus à rester davantage à l'étranger,
d'abord parce que, depuis longtemps, il me répugne de
conserver mon traitement sans le gagner; ensuite parce
que, dans les circonstances actuelles, il est des plus pénibles de vivre en dehors de la Russie. A vrai dire, cela
n'est même pas facile. L'atmosphère d'ici nous est trop
hostile pour y demeurer de bonne volonté sans une entière
nécessité.

« Il n'y a pas de mal sans bien. Le réveil du sentiment
national en Russie m'a sincèrement réjoui. Il va, je l'espère, dégriser bien des Russes de leurs confuses et mal-
saines aspirations et resserrer les liens relâchés de notre
société [2]. Qu'est-ce que tout cela va devenir? Quand l'Eu-

---

1. Suite de la lettre précédente (22 avril 4 mai 1863).
2. Samarine, dans ses lettres à Milutine, faisait du fond de la Russie
l'observation analogue, qui a été en effet pleinement justifiée par les
faits. « En province, écrivait Samarine le 5 juin 1863, le sommeil

ıope sera convaincue que nous ne sommes pas si faibles d'esprit qu'elle l'imaginait et que nous n'avons pas besoin de ses leçons sur la voie de notre développement, elle mettra vite un frein à ses emportements. En outre, il faudrait sérieusement étudier ce qui aujourd'hui est le principal souci de tout gouvernement, l'art de se mettre en rapport (*obrochtchatsa*) avec l'opinion. Une bonne part de cette tâche retombe sur vous, ministre de l'instruction publique!... »

Nicolas Alexèiévitch avait raison, il sentait ce que trop peu de ses compatriotes comprennent encore aujourd'hui, c'est que l'hostilité, tour à tour sourde et déclarée, de l'Occident pour Pétersbourg et Moscou tient en grande partie au régime absolutiste de la Russie. Ainsi s'explique comment l'Europe se montre presque aussi défiante des Russes, lors qu'ils se présentent en émancipateurs des Slaves du Sud, que lorsqu'ils apparaissent comme oppresseurs de la Pologne. Milutine a parfaitement compris les causes de cette vague et persistante antipathie, qui ne prendra fin qu'avec une nouvelle et définitive évolution libérale aux bords de la Néva.

Paris, 23 avril 1863[1].

« ... Je passe maintenant au plus essentiel en te pré-

léthargique se dissipe pour tout de bon. La secousse que l'Europe nous a donnée nous a en somme été fort utile. Si les réformes nouvelles ont renversé les cloisons qui gênaient la communion morale des différentes classes, il restait, à la place des anciennes barrières, des poutres et des planches pourries, et il fallait une grande secousse pour que la société sentît son unité et sa force. »

1. Lettre de N. Milutine à son frère, le général D. Milutine, alors ministre de la guerre.

venant que j'ai pour cela les encouragements ou les pleins
pouvoirs du baron Budberg[1], avec lequel nous sommes
dans les rapports les plus amicaux. Le même courrier
vous apporte són rapport officiel sur l'impression faite
ici par les notes du prince Gortchakof. Le fait est que
l'impression produite par ces notes, quoique en apparence
favorable, ne pouvait guère au fond modifier la face des
choses et les rapports mutuels des puissances. L'amour-
propre de Napoléon peut être flatté de leur extrême amabilité de formes ; mais notre diplomatie se trompe étran-
gement si elle s'imagine par ces formes aimables faire
oublier à la France le fond de l'affaire. Il est encore plus
étrange d'attendre quelques résultats sérieux de ces cor-
diaux épanchements[2]; et quel autre nom donner aux notes
diplomatiques destinées à Napoléon? Lui demander quel
est son but, quelles sont ses intentions et ses arrière-
pensées, c'est par trop naïf. Tout cela ne se comprend
que si vous voulez gagner du temps ; ni les cajoleries, ni
la dialectique ne peuvent dénouer la question.

« L'opinion publique de l'Europe nous est hostile, c'est
un fait. Ce sont des antipathies vagues et confuses, mais
toutes, il faut le reconnaître, dirigées contre l'absolutisme. Plus je vis ici, et plus je m'en assure. Les préventions contre nous atteignent l'invraisemblable, et elles sont
enracinées si profondément qu'il faudrait beaucoup d'efforts, des efforts prolongés et constants pour les déraciner,
même de l'esprit des gens modérés, tels qu'il y en a
partout. Il s'est fait, et il se fait encore chez nous bien
des choses qui pourraient y contribuer, mais l'Europe,
mais la France, en particulier, ne les connaît pas ; et ce
qui se fait chez nous, nous ne savons même point l'entourer de formes intelligibles pour l'étranger, témoin

1. Successeur du comte Kisselef à l'ambassade de Russie en France.
2. *Serdetchnikh izliianii.*

l'amnistie donnée mal à propos, témoin l'abolition des peines corporelles faite à la façon d'un *jugement dernier à huis clos*, etc.[1]; mais je me laisse involontairement entraîner en dehors du cercle diplomatique.

« Dans les affaires actuelles, il y a deux catégories de mesures qui chez nous s'embrouillent visiblement dans les esprits, quoique la logique exige leur séparation : ce sont les mesures radicales et les mesures palliatives. Sur les premières il faudrait s'étendre en dehors du cadre d'une lettre écrite à la hâte ; le temps et la place ne me le permettent pas. J'en viens donc aux secondes. Le résultat des dernières explications avec Napoléon a été sa proposition d'ouvrir une conférence. Il est douteux qu'il en sorte rien, mais cela est toujours moins sérieux que le congrès dont rêve le prince Gortchakof. Il en a écrit à Budberg. C'est là une sorte d'aveuglement. Nous ne pouvons pas, nous ne devons pas (même de notre plein gré) paraître en qualité d'accusé devant toute l'Europe assemblée, qui vient de nous montrer avec tant d'unanimité sa malveillance dans la question polonaise. De quels sophismes peut-on appuyer une idée aussi biscornue (*rogatouiou*) ?.., »

« Quoi qu'il en soit, le palliatif le plus efficace serait aujourd'hui une action militaire énergique en Pologne et en Lithuanie. Je ne saurais te dire quelle triste impression produisent ici toutes ces infructueuses escarmouches avec des bandes mal armées de prêtres (*popof*), d'adolescents (*maltchikof*) et un ramassis (*sbroda*) de gens de toute sorte. Si cela dure encore longtemps, aucune diplomatie, aucune mesure libérale ne nous serviront.

---

1. Allusion à un mot du poète Toutchef qui, en entendant raconter, vers 1860, les doléances du chef de la IIIᵉ section, prince B. Dolgorouki, à propos de la trop grande publicité donnée aux travaux

« Il est temps de finir, et j'aurais encore bien des choses à dire. Je ne sais si V. P. Botkine t'a transmis ma commission verbale. Comprend-on chez vous que, dans les deux derniers mois, le gouvernement a placé une question intérieure sur un terrain fort glissant où il est impossible de s'arrêter? Comprend-on que les demi-allusions (*polounameki*), les demi-promesses, *sans actes positifs*, amèneront tôt ou tard à une collision; — que, pour la Russie, il n'y aurait pas de plus grand malheur que de laisser échapper l'initiative des mains du gouvernement; — qu'il serait temps d'y réfléchir sérieusement, de se rendre compte à soi-même de ce qui est possible et de ce qui ne l'est pas? Quel dommage si, dès le principe, l'affaire tombait en des mains qui, par mauvaise foi ou par niaiserie, lui donnassent une fausse direction! »

Les patriotiques anxiétés de N. Milutine s'expliquaient assez par l'ensemble de la situation de l'Europe et le mauvais vouloir des cabinets étrangers, par la durée de l'insurrection lithuano-polonaise et l'apparente impuissance du gouvernement russe, par les longues indécisions, les vagues desseins et les brusques coups de tête de l'empereur Napoléon III, qui, à en croire les Polonais les mieux informés, conseillait alors sous main aux insurgés de tenir jusqu'au printemps suivant, comme pour se donner à lui-même, par cette inutile effusion de sang, le loisir de peser ses habituelles irrésolutions. Ce qui peut-être inquiétait le plus un esprit énergique et décidé comme

préparatoires de l'émancipation des serfs, s'était écrié : « Ne voudrait-il pas que le jugement dernier se passât aussi à huis clos ? »

Nicolas Alexèiévitch, c'étaient les atermoiements et les hésitations du cabinet de Pétersbourg dans son attitude vis-à-vis de l'étranger, comme vis-à-vis de la Pologne. Il redoutait une collision, et il eût voulu que le gouvernement la prévînt par une conduite nette et résolue dans les affaires polonaises. Ce qu'il demandait à la Russie, c'était d'adopter, vis-à-vis de l'Europe et de la Pologne, une direction ferme, droite, dont aucune considération ne pût la faire dévier. Il ne semblait pas se douter qu'à peine revenu à Péters-bourg, il allait être lui-même invité à mettre à exé-cution le programme qu'il ébauchait de Paris dans ses lettres à son frère. Il croyait donner des instruc-tions pour autrui et ne prévoyait point que c'était à lui qu'allait être définitivement confiée la périlleuse mission de décider « ce qui en Pologne était possible et ce qui ne l'était pas, » que ce traitement radical qu'il conseillait pour les provinces insurgées, c'était Ni-colas Milutine qui devait être chargé de le prescrire et de l'appliquer.

CHAPITRE VI

Situation de la Russie au retour de Nicolas Alexèiévitch (août 1863).
Il apprend en arrivant à Pétersbourg que l'empereur veut de nouveau lui confier l'administration de la Pologne. Audience impériale à
Tsarsko. — Entretien d'Alexandre II et de Milutine sur les affaires
polonaises. — Comment les préventions du souverain et de la cour
étaient un des motifs du choix de Milutine pour la Pologne.

La Russie avait à certains égards singulièrement
changé durant les deux années d'absence de Nicolas
Milutine. L'insurrection polonaise a eu, en effet, par
contre-coup une influence considérable sur la situation
intérieure de l'empire. Comme l'annonçait, dans le
cours de l'été, George Samarine à Nicolas Alexèiévitch[1], la secousse soudaine, imprimée à la nation
et à la société par l'intempestive rébellion lithuano-
polonaise et les platoniques menaces de la diplomatie
européenne, avait violemment soulevé le sentiment
national ; et la surexcitation du patriotisme avait temporairement mis fin à la stérile agitation du dedans
et enlevé toute force aux velléités révolutionnaires
naissantes. Par un de ces prompts revirements, plus
familiers au peuple russe qu'à tout autre, et comme
par une brusque saute de vent de Londres à Moscou,

1. Passage d'une lettre de Samarine de juin 1863.

la direction de l'esprit public, qui, peu de mois plus tôt, semblait dévolue à Herzen et à *la Cloche* de l'émigration révolutionnaire, était inopinément passée à la *Gazette de Moscou* et à M. Katkof[1].

Deux causes au fond bien distinctes, quoique, aux yeux des Russes, plus ou moins solidaires, celle de la Pologne insurgée et celle des révolutionnaires russes, s'étaient trouvées atteintes en même temps par cette rapide volte-face de l'opinion. C'était sur la Pologne naturellement, qui en était la cause et l'objet, que devaient retomber les premières conséquences de ce revirement de l'esprit public. Avant l'insurrection, les Polonais pouvaient compter sur la bienveillance d'une grande partie de la société russe, aux deux extrémités surtout et comme aux deux pôles de l'opinion, ainsi du reste que cela se voyait au même moment à l'étranger et en France même. Les conservateurs à tendances aristocratiques et les néophytes révolutionnaires de l'Occident nourrissaient également, pour des raisons diverses, à l'égard de la malheureuse Pologne, des sympathies, dont avec plus de patience et d'esprit politique, les Polonais eussent pu, à la longue, tirer un bénéfice sérieux. Ces sympathies polonaises, l'insurrection de 1863 les étouffa dans l'immense majorité da la nation, qui ne pardonna pas aux Polonais ses inquiétudes pour son intégrité et sa sécurité. Déjà suspecte par d'impru-

---

1. Il est juste de dire que l'influence de Herzen et de l'émigration avait déjà été singulièrement ébranlée par la façon dont avait été effectuée l'émancipation.

dentes revendications, la Pologne redevint l'objet des
colères et des haines nationales, elle redevint l'ennemi héréditaire contre lequel les patriotes moscovites prononcèrent leur *Delenda Carthago*. Ses
anciens amis l'abandonnèrent ou se turent. Les révolutionnaires furent seuls à oser se dire encore amis
de la Pologne et des Polonais.

« Le public est en général infiniment mieux disposé aujourd'hui que par le passé, » écrivait de Pétersbourg à Nicolas Alexèiévitch, le général Dmitri Milutine, le 9 mai 1863.
« Il n'y a plus que les nihilistes déterminés qui croient de
leur devoir de manifester leur impartialité ou même leur
sympathie à l'égard de la Pologne; toute la masse des gens
sensés montre un incontestable élan de patriotisme qui
dément beaucoup des idées répandues à l'étranger par nos
émigrés révolutionnaires et nos stupides touristes. »

En prêtant à la révolution polonaise le stérile concours de leurs encouragements publics ou de leurs
vœux secrets, les révolutionnaires russes avaient
tourné contre eux le sentiment national[1]. Ils s'étaient
compromis devant l'opinion avec la Pologne, ils partageaient son impopularité. Leur attitude avait porté
aux idées anarchiques, à l'ascendant de l'émigration
de Herzen et de Bakounine, un coup dont la propagande radicale ne s'est relevée qu'à la fin du règne

---

1. D'après la *Gazette de Moscou*, le groupe révolutionnaire, rallié
dès 1861-1862, sous la devise de *Terre et Liberté* (*Zemlia i Volia*),
était dans les provinces occidentales composé à la fois de Russes et
de Polonais.

d'Alexandre II. A cet égard, on peut dire que, par leur folle prise d'armes, les Polonais avaient à leur insu rendu un service signalé au gouvernement contre lequel ils s'étaient soulevés; ils avaient retardé de dix ou quinze ans l'éclosion des germes révolutionnaires déjà semés dans les écoles et les universités.

Les radicaux et les anarchistes n'étaient pas seuls affaiblis et vaincus avec la Pologne; la défaite de cette dernière, ou mieux l'échec de toute tentative de conciliation avec elle, rejaillissait indirectement sur les libéraux à l'européenne, sur ce qu'on appelait en Russie les *Occidentaux* (*Zapadniki*), pour tourner au profit temporaire du parti qui se vantait plus spécialement du titre de national. Pour la Pologne, si ce n'est pas pour la Russie elle-même, c'étaient les vues de ce dernier qui devaient triompher.

Après l'insuccès du grand-duc Constantin et du marquis Wielopolski, il était difficile que le gouvernement revînt, envers les provinces de la Vistule, à une politique de libéralisme et de concession, qu'à Pétersbourg et à Moscou l'on rendait responsable de tout le mal. Wielopolski, malgré les gages qu'il avait donnés à la Russie, malgré sa conscription de 1863 qui, selon le mot de lord John Russell, était plutôt une proscription, Wielopolski passait dans la foule pour un traître et était suspect au gouvernement qui l'employait. Le grand-duc Constantin lui-même, le prince le plus libéral et le plus éclairé de l'empire, n'était pas à l'abri des soupçons ou des attaques; pour le malheur de la Russie, il avait perdu à cette loyale tentative la meilleure part de sa popularité.

Au moment du retour de Milutine, la Pologne, encore en insurrection, était la grande préoccupation du pays et du gouvernement. *Que va-t-on faire de la Pologne?* allait bientôt demander, dans une célèbre brochure, un spirituel publiciste des Provinces Baltiques[1]. C'était la question que, du golfe de Finlande à la mer Caspienne, se posait tout l'empire, et d'ordinaire on y répondait d'une tout autre manière que le baron russe-allemand. La Pologne était aux flancs de la Russie une plaie toujours ouverte qu'il était manifestement périlleux de laisser s'envenimer. Par malheur, il ne se présentait pas, parmi tous les hauts fonctionnaires russes, de médecin de bonne volonté pour en tenter la guérison. L'entreprise semblait trop hasardeuse. Nicolas Alexèiévitch revint juste à point pour en être chargé.

Le jour même de son arrivée à Saint-Pétersbourg, le 25 août 1863[2], il apprenait que, le grand-duc Constantin étant rappelé de Pologne, on devait mettre à la tête de l'administration du royaume un nouveau personnage. Dès le lendemain, 26 août, Nicolas Alexèiévitch recevait de Tsarskoé-Sélo la visite de son frère, le général Dmitri Milutine, ministre de la guerre. Le général l'informait que c'était sur lui, Nicolas Alexèiévitch, que s'était définitivement fixé le choix de l'empereur pour la Pologne.

---

1. Schedo-Ferroti, pseudonyme ou anagramme du baron Firks.
2. Les dates données ici sont naturellement celles du calendrier russe, en retard, comme on le sait, de douze jours sur le nôtre.

Plusieurs fois dans le cours de l'année, aux mauvaises nouvelles qu'il recevait du royaume, Alexandre II avait paru regretter d'avoir cédé aux instances du grand-duc Constantin et des partisans de l'autonomie polonaise. « Si j'avais tenu bon et nommé Nicolas Milutine, disait-il parfois, tout cela ne serait pas arrivé. » L'explosion de l'insurrection, l'impuissance' du gouvernement de Varsovie, l'isolement moral du grand-duc et de Wiélopolski avaient peu à peu confirmé l'empereur dans ses vues sur la nécessité d'un changement de personnes et d'un changement de régime. Durant le mois d'août, il s'était plusieurs fois informé avec impatience du retour de Nicolas Milutine. D'après ses instructions, le chef de la IIIᵉ section, le prince V. Dolgorouky, tenait tout prêt un ordre de rappel pour le cas où Milutine aurait trop tardé à rentrer dans sa patrie.

Cette nouvelle fut pour Nicolas Alexèiévitch comme un coup de foudre. Les raisons qui, l'année précédente, lui avaient fait repousser tout poste en Pologne n'avaient rien perdu de leur force. Encore sous le coup des fatigues du voyage, il refusait de croire qu'il pût être chargé d'une pareille tâche ; mais cette fois il ne devait pas réussir à l'éviter. Le bruit de sa nomination à Varsovie courait dès le lendemain de son arrivée de bouche en bouche. Le général Dmitri Milutine lui apprenait qu'ayant vu l'empereur dans la matinée, il avait en vain supplié Sa Majesté d'épargner à Nicolas Alexèiévitch le poste de Pologne. La résolution d'Alexandre II était prise, rien ne pouvait plus

l'ébranler. « Quel retour, grand Dieu ! s'écriait Milutine. On s'obstine à me creuser une fosse. » Et, revenant sur cette première impression, il ajoutait avec
tristesse : « Ma position est vraiment tragique ; l'heure
est solennelle, l'horizon est chargé d'orage, et il y
aurait lâcheté à marchander ses services, si l'on sentait
pouvoir être utile. » Ce qui l'arrêtait, c'est qu'il croyait
ne pouvoir l'être.

Les événements appelaient trop impérieusement
une décision pour que le souverain laissât longtemps
Milutine aux angoisses de l'incertitude. Il lui avait
fait immédiatement assigner une audience à Tsarskoé-Sélo, la résidence impériale d'été. C'était pour le
31 août, moins de huit jours après le retour de
Milutine et le lendemain de la Saint-Alexandre, c'est-
à-dire de la fête du tsar.

L'entrevue dura près de deux heures. L'empereur
accueillit l'homme, contre lequel il avait été si longtemps prévenu, avec une cordiale affabilité. Il s'ou-
vrit à lui avec une entière franchise et une noble
simplicité, lui confessant ses soucis et ses inquiétudes ;
lui exposant les raisons qui, malgré sa mansuétude
naturelle et son désir de conciliation, le contrai-
gnaient, dans le royaume de Pologne, à un changement de politique ; examinant avec une singulière
netteté de vues les différentes attitudes que pouvait
prendre l'empire vis-à-vis de ce satellite polonais que
les fatalités de l'histoire ont attaché à ses flancs[1].

---

1. Les détails sur cette audience impériale, et d'autres du même

On s'explique d'ordinaire fort mal à l'étranger les causes réelles de l'irréconciliable antagonisme de la Russie et de la Pologne. Bien des Russes, et l'empereur tout le premier, sentaient que la Pologne était pour leur patrie plutôt une source d'embarras qu'un principe de force. Beaucoup, encore aujourd'hui, comme Alexandre II le disait alors à Milutine, abandonneraient volontiers les Polonais à eux-mêmes, leur accorderaient sans peine une large autonomie ou mieux une pleine indépendance, s'ils croyaient le petit royaume de Pologne assez fort pour vivre tout seul, ou assez sage pour ne pas revendiquer, avec les anciennes limites de la république polonaise, des provinces intermédiaires qui, aux yeux des Russes, sont russes de nationalité.

Dans un faubourg de Varsovie, à côté d'une église élevée à saint Alexandre en l'honneur de l'empereur Alexandre Ier, restaurateur du royaume de Pologne, il y a deux arbres, deux cyprès, si ma mémoire ne me trompe, qui, d'après la légende populaire, marquent l'emplacement de la tombe de deux frères, tués l'un et l'autre dans un duel impie pour l'amour de leur sœur. Cette païenne légende, d'origine sans doute mythique, pourrait, on l'a remarqué avant nous[1], servir de symbole à la lutte fratricide des deux peuples slaves, se disputant à main armée leur commune sœur, la Lithuanie.

---

genre que l'on rencontrera plus loin, sont empruntés à des notes recueillies à cette époque de la bouche même de Milutine.

1. Voyez Murray, *Handbook for Russia, Poland and Finland.*

Entre les Russes et les Polonais, en effet, le principe de discorde, c'est cette vaste zone intermédiaire,
peuplée de diverses tribus slavo-lithuaniennes, qui
formait l'ancien grand-duché de Lithuanie, jadis réuni
à la Pologne sans y avoir jamais été entièrement
incorporé, et, depuis les trois partages du dernier
siècle, passé aux mains des Russes, qui, sur ces terres
en grande partie petites-russiennes ou albo-russiennes,
prétendaient à leur tour faire valoir de vieux titres de
propriété. La Volhynie, la Podolie et Kief, provinces que les Russes appellent petites-russiennes et
les Polonais ruthènes, et plus encore la Lithuanie, avec
les parties voisines de la Russie-Blanche, telle a été
la pomme de discorde entre les deux pays, qui,
appuyés l'un et l'autre sur l'histoire et l'ethnographie,
réclamaient également ces régions mitoyennes comme
une terre nationale, une propriété légitime[1].

Dans les trois partages de la Pologne, conduits de
1772 à 1795 par Frédéric et Catherine, les Russes
prétendent n'avoir fait que reprendre leur bien, usurpé
par leurs voisins à la faveur du démembrement de
l'ancienne Russie et de la domination tatare. Ils
prétendent ne s'être annexé aucune terre polonaise,
avant que les traités de 1815 aient réuni à l'empire le
noyau de l'éphémère grand-duché de Varsovie, con-
stitué par le tsar Alexandre Ier en royaume de Pologne[2]. Quand les Russes parlent de la Pologne, ce

---

1. Voy. *l'Empire des Tsars et les Russes*, deuxième édition, t. I,
liv. II, ch. IV.
2. Pour l'exactitude historique, il faut mentionner, de 1795 à 1815,

qu'ils désignent de ce nom, c'est toujours le pays de la Vistule annexé en 1815, c'est la petite contrée circulaire dont Varsovie est le centre et que les traités de Vienne ont érigée en royaume. Aux yeux de leurs hommes d'État comme de leurs historiens, il n'existe pas d'autre Pologne, si ce n'est dans les États de l'Autriche et de la Prusse.

Les Polonais, naturellement, ont peine à accepter ce point de vue. Après 1815, ils ont persisté à regarder comme polonaises et, à ce titre, comme destinées à rentrer dans le giron du nouveau royaume, la plus grande partie de ces provinces qui, pendant des siècles, étaient demeurées unies à la Pologne et où l'aristocratie reste encore aujourd'hui polonaise ou polonisée. Cette réunion qu'avant et après 1815 beaucoup d'entre eux avaient espérée de l'empereur Alexandre Ier, vers laquelle le petit-fils de Catherine II semble lui-même avoir plus d'une fois incliné[1], les Polonais, qui avaient cru y toucher en 1815, qui pour cette raison s'étaient en grand nombre franchement ralliés à la Russie, n'en voulaient pas encore désespérer en 1863. Pour les peuples comme pour les individus, alors même que la raison et l'intérêt semblent l'exiger, il est dur de se résigner à une sorte de déchéance qui paraît imméritée. En dépit de leur

l'annexion du district de Bialystok, que Napoléon concéda à Alexandre Ier, à Tilsitt en 1807.

1. Voyez, par exemple, la correspondance d'Alexandre Ier et du prince Adam Czartoryski (lettre du 31 janvier 1811 entre autres), et dans *la Russie et les Russes* de Nicolas Tourguénef (t. Ier, appendice), un mémoire de Pozzo di Borgo et une lettre de l'historien

faiblesse vis-à-vis de leurs concurrents de Pétersbourg
et de Moscou, les Polonais n'ont pas su, pour sauver
leur nationalité dans la Pologne proprement dite,
renoncer à la Lithuanie et à la Ruthénie du Dnieper
et du Boug. Le fantôme de l'union de Lublin, dont
leurs frères de Galicie ont, en 1869, célébré le troisième centenaire, les a toujours hantés, et cette ob-
session leur a été fatale. Au lieu de reprendre la
Lithuanie, ils ont perdu la Pologne. J'ai entendu
raconter qu'au commencement de l'année 1863, avant
l'insurrection, l'empereur Alexandre II, recevant un
des chefs de l'aristocratie polonaise, lui avait demandé ce que, pour la satisfaire, il faudrait à la Pologne : « Sire, répondit le Polonais, avec l'intrépidité
ou l'imprudence fatale à ses compatriotes, la Pologne
ne peut oublier ses frères de Lithuanie. — Monsieur,
répliqua l'empereur, vous savez que ce n'est pas moi
qui ai fait les partages de la Pologne, mais vous ne
pouvez me demander le démembrement de la Russie. »
L'empereur tint en août 1863 un langage fort analogue à Milutine.

Aux yeux de tous les Russes, comme aux yeux du
souverain, les Polonais, en réclamant la Lithuanie, en
insurgeant les provinces occidentales jusqu'à la Duna
et presque jusqu'aux portes de Pétersbourg, exigeaient
le démembrement de la Russie et appelaient l'étranger
à les aider à l'effectuer. C'est ce qui explique le ra-

Karamzine, adressés également à l'empereur Alexandre II, le mémoire en 1814, la lettre en 1819, pour le dissuader de réunir à la
Pologne les provinces annexées à la Russie par Catherine II.

pide soulèvement de l'opinion contre la Pologne en 1863, la violence du courant national qui, à l'époque même où la Russie et son gouvernement semblaient le mieux disposés pour les Polonais, amena contre eux un brusque revirement et une sorte de déchaînement passionné. C'est ce qui explique comment le gouvernement et le pays en vinrent à méconnaître la nationalité polonaise là où précédemment ils ne l'avaient jamais contestée, et s'étaient toujours piqués de la respecter. C'est ce qui fait comprendre, enfin, et les rigueurs d'un prince naturellement doux et humain comme l'émancipateur des serfs, et la politique de Milutine et de ses amis. Dès lors qu'ils furent convaincus que les Polonais ne se contenteraient pas du petit royaume où le patriotisme russe voulait cantonner leur nationalité, qu'à Varsovie, on ne regarderait le pays de la Vistule que comme une base d'opérations pour détacher de la Russie ses provinces occidentales, le tsar et le peuple russe ne devaient voir de solution, que dans l'assimilation de la Pologne, dans la destruction de ses privilèges, dans l'abolition de sa constitution spéciale.

Une autre raison décidait l'empereur Alexandre II à substituer en Pologne, à la politique relativement libérale, une politique dictatoriale radicalement différente. Pour que la Pologne se résignât à demeurer unie à la Russie, il ne pouvait suffire de lui rendre une administration autonome. Le récent insuccès de Wiélopolski en était la preuve; il lui fallait avec l'autonomie un gouvernement à la fois national et

constitutionnel. C'est ce qu'avait tenté Alexandre Ier.
L'empereur Alexandre II n'avait pas plus de répugnance que son oncle pour le rôle de monarque constitutionnel; il le déclarait dans cette audience à
Milutine, et au même moment, il le montrait publiquement en convoquant à Helsingfors la diète de
Finlande, suspendue sous le règne de Nicolas; mais,
aux yeux du tsar, une diète polonaise ne pouvait être
à Varsovie qu'une cause de désordre et d'illusion de
plus. Pour lui, l'expérience de 1830 montrait l'erreur
d'Alexandre Ier.

Puis, entre le souverain de la Russie et les naturelles prétentions des libéraux polonais, se dressait
une fatale et insurmontable barrière qui a été l'une
des raisons de l'irréparable malentendu des deux pays.
La Pologne avait beau sembler politiquement plus
avancée que la Russie, il était malaisé au tsar d'accorder à ses sujets polonais des droits et libertés qu'il
refusait à ses sujets russes. Aux yeux de ces derniers,
c'eût été faire au pays conquis une situation privi-
légiée au milieu du pays conquérant. Le patriotisme
ou l'amour-propre de Pétersbourg et de Moscou,
eussent difficilement toléré une anomalie pareille.
Désormais la Pologne russe ne peut plus espérer de
libertés et de constitution, sans que la Russie soit
tout entière appelée aux mêmes biens. « Comment,
disait dans cet entretien l'empereur à Milutine, comment donner une constitution à des sujets en révolte
et n'en pas accorder aux sujets soumis? » Comme
tsar russe, Alexandre II ne pouvait parler autrement.

Pour avoir le droit de restituer aux Polonais une diète et une charte, il lui eût fallu convoquer le *Zemskii sobor*[1] à Pétersbourg ou à Moscou. Or, tout en faisant personnellement bon marché du pouvoir autocratique dont, en ces dures années, il sentait lourdement le poids, le tsar libérateur ne croyait pas le peuple russe, ce peuple en grande partie affranchi de la veille, mûr pour un tel changement de régime; et cela, il ne le disait pas seulement du peuple qu'il regardait, non sans raison, « comme le plus sûr élément d'ordre en Russie, » mais aussi des classes supérieures, qui ne lui paraissaient pas « avoir encore acquis le degré de culture nécessaire à un gouvernement représentatif ». Sur ce point encore, Nicolas Alexèiévitch n'avait pas de peine à s'entendre avec son maître. A l'inverse de beaucoup de ses contemporains, contrairement à l'avis alors hautement exprimé jusque dans les assemblées de la noblesse, N. Milutine regardait toute demande de constitution comme prématurée. Si, en principe, il était lui aussi partisan d'une constitution, il pensait qu'avant d'aborder les réformes politiques, il fallait achever les réformes administratives, et, pour dresser le pays à se régir lui-même, le mettre à l'apprentissage du *self-government* local.

En examinant ainsi la question à Tsarsko, le maître et le sujet ne trouvaient aucun moyen de conciliation avec l'infortunée Pologne. Après l'insuccès du grand-

---

1. Assemblée plus ou moins analogue à nos anciens états généraux.

duc Constantin et du marquis Wiélopolski, l'empereur,
à la fois las et irrité des embarras et des périls qu'au
dedans et au dehors lui suscitaient les provinces polonaises, en était naturellement revenu à la politique
opposée, à la politique d'assimilation et d'absorption
qui, jusque-là, sous Nicolas même, n'avait jamais été
sérieusement essayée, du moins aux bords de la Vistule. Et pourquoi le tsar s'adressait-il à Milutine pour
une pareille tâche? Alexandre II ne lui dissimula pas
les raisons de son choix, et, si inattendues qu'elles
fussent dans la bouche impériale, ces raisons étaient
aisées à comprendre. Ce n'était pas seulement le
manque d'hommes capables, le défaut d'hommes intègres qui, au dire même de l'empereur, ne s'était
nulle part plus fait sentir que dans l'administration
de la Pologne, où tout contrôle était plus difficile
qu'ailleurs; ce qui avait fixé le choix du souverain sur
Nicolas Alexéiévitch, c'était précisément sa réputation
d'ami du peuple et de démocrate. Les tendances radicales que la cour reprochait à Milutine, les instincts
niveleurs, que lui attribuaient ses ennemis et qui pour
lui avaient été un motif d'exclusion en Russie, deve-
naient un titre de recommandation en Pologne.

Et comment cela? Pourquoi ce qui semblait un défaut ou un vice sur la Néva devenait-il une qualité sur
la Vistule? Parce qu'en Pologne, comme en Lithuanie,
l'opposition au gouvernement du tsar venait surtout
des hautes classes, de l'aristocratie, ou mieux de la
szlachta, de la nombreuse et parfois indigente noblesse des campagnes et des villes; parce que, aux

yeux des Russes, en cela du reste sincères dans leur
exagération même, la Pologne est essentiellement un
pays aristocratique, n'ayant jamais eu d'autre force ni
d'autre raison d'être que son aristocratie, et que,
pour triompher de sa résistance, c'était à la noblesse et
à ses droits à demi féodaux qu'il fallait s'attaquer. La
question ainsi posée, l'homme, dénoncé à Pétersbourg
comme l'ennemi systématique de la noblesse, devait
sembler à sa place à Varsovie. Il était pour ainsi dire désigné par la haine et les rancunes des gentilshommes
moscovites ou des courtisans du Palais d'hiver.

Alexandre II ne le cacha pas à Milutine. L'empereur savait ce qu'il faisait en l'appelant à ce poste
inattendu ; il n'y avait là, de la part du souverain,
aucune contradiction. Ce choix lui était en partie dicté
par ses anciennes préventions. Alexandre II le con-
fessa à Nicolas Alexéiévitch : ce qui avait attiré sur
lui le choix impérial, c'étaient bien « ses principes
démocratiques, ou s'il aimait mieux anti-aristocra-
tiques » qu'on lui avait tant reprochés à la cour. Aux
yeux du tsar, tout était fini entre l'aristocratie polonaise et le trône. Il croyait avoir en vain épuisé tous
les moyens de la rallier, il se sentait obligé de rompre
définitivement avec elle, de renoncer au système de
concession inauguré par Alexandre Ier et repris en
pure perte par le grand-duc Constantin et Wiélopolski.
La Russie n'ayant en Pologne rien à espérer de la noblesse, c'était vers le peuple, vers le paysan des campagnes, d'ordinaire resté sourd aux appels des insurgés,
que le tsar voulait se tourner ; c'était, selon lui, au

fond de la plèbe rurale que le gouvernement russe devait chercher l'appui qu'il ne pouvait rencontrer ailleurs, et qui était mieux fait pour une pareille besogne que l'ancien adjoint de Lanskoï, l'ennemi des
seigneurs et l'ami du *moujik*?

Tout n'était pas satisfaction pour Milutine dans
une marque de confiance où se manifestaient si visiblement les anciennes préventions. Il lui répugnait
justement d'être toujours regardé comme un déma-
gogue, de devoir à cette réputation même cet appel
à une mission qui lui était si antipathique. Aussi se
permit-il de représenter à l'empereur qu'on l'avait
dépeint à Sa Majesté sous d'assez fausses couleurs,
que, pour être dévoué au bien du peuple, il était fort
loin de penser qu'on pût jamais gouverner sans le concours des classes éclairées, et en Russie notamment,
sans le concours de la noblesse, aujourd'hui encore la
seule classe cultivée.

Quant à la Pologne, N. Milutine partageait entièrement les nouvelles vues de son maître. Comme lui,
il croyait la noblesse polonaise irréconciliable et il
rappelait que, dans les cours et les capitales de
l'étranger, il venait de la voir dénoncer, par la parole
et par la presse, le gouvernement et le peuple russes
et leur chercher partout des ennemis. « En dehors de
l'aristocratie et de la noblesse, sur quoi, disait-il
à l'empereur, pouvons-nous nous appuyer? Sur le
clergé? Mais il nous est encore plus hostile que la
szlachta et il prêche des croisades contre le schis-
matique moscovite. Sur la classe commerçante et les

juifs? Mais la Russie n'a jamais été bien libérale envers les israélites, et nous ne saurions sans illusions
prétendre à leurs sympathies. Sur l'administration et
les employés du gouvernement? Mais la plupart de
ces derniers appartiennent à la petite noblesse polonaise; beaucoup ont pris à l'insurrection une part
ouverte ou clandestine, et l'on ne saurait se fier à
eux pour l'exécution de lois qu'ils sont intéressés à
décrier et à voir échouer. Reste le peuple, reste le
paysan; mais comment et par quelle voie arriver
jusqu'à lui? Et, en admettant qu'il ne nous soit pas
hostile, qu'on puisse le gagner à l'aide de quelque
allègement de ses charges ou de quelques lois agraires,
était-ce à un homme étranger aux affaires polonaises
de se charger d'une aussi délicate mission? »

Et Milutine exposait avec feu au souverain qu'il
manquait personnellement de toutes les connaissances
indispensables à une pareille tâche. Ignorant du pays
et de la langue, ignorant des coutumes et des traditions du peuple polonais dans le passé, il ne pouvait,
disait-il, en comprendre ni les besoins présents ni les
aspirations pour l'avenir. Il ajoutait que, pour s'occuper du paysan polonais avec sûreté, il lui faudrait
autant de temps et de travail qu'il en avait consacré
au paysan russe. Ne pouvant se mettre en relations
directes avec le peuple, il serait toujours dans la dépendance d'intermédiaires, pour la plupart hostiles
ou corrompus, il s erait fatalement la dupe des Polonais qu'il devait administrer. « Je serais aveugle,
sourd et muet! » s'écriait-il avec douleur, et, pour

le bien même de la Russie, il suppliait l'empereur de
lui épargner cette tâche, le conjurant de ne pas renouveler les fautes si souvent commises, en envoyant
à Varsovie un fonctionnaire hors d'état de diriger les
affaires, condamné d'avance à n'être qu'un automate,
couvrant les fautes de ses subalternes, ou un jouet aux
mains des intrigues locales.

Toutes ses supplications furent vaines. L'empereur
tenait à son projet : Milutine eut beau représenter
qu'il était incapable d'un pareil service, que
les mesures répressives, inévitables dans un pays
insurgé, étaient contraires à son caractère, à sa santé
même, encore nerveuse et ébranlée ; aucune de ses
objections ne demeura sans réponse. Il fut assuré
que les mesures de rigueur, confiées aux autorités
militaires, lui resteraient entièrement étrangères.

En parlant des fonctionnaires de Pologne, l'empereur s'était plaint amèrement de la corruption de
certains d'entre eux. « Au moins avec toi, dit-il à
Milutine, cette honte me sera épargnée. » En le congédiant, le souverain lui remit les mémoires et les
correspondances de Pologne, entassés sur son bureau,
et lui donna huit jours pour en prendre connaissance.
Ce délai passé, Nicolas Alexèiévitch reçut l'ordre de
venir rapporter à Tsarsko sa réponse définitive. Milutine sortit du cabinet impérial, ayant entendu bien
des choses flatteuses, mais plus triste et découragé
qu'il n'y étaît entré, n'ayant pas donné son consentement à l'empereur, mais sentant qu'il ne pourrait le
lui refuser jusqu'au bout.

CHAPITRE VII

Hésitations de Milutine à quitter les affaires intérieures de la Russie pour celles de Pologne. — Conseils de G. Samarine. — Nouvelle audience à Tsarsko. — Pour ne pas se laisser enchaîner à la Pologne, Milutine se résigne à accepter une mission mal définie. — Appel à ses amis G. Samarine et Tcherkassky. Tous deux lui donnent leur concours. — Exaltation du sentiment national et empressement des patriotes à servir sous Milutine.

Les huit jours qui suivirent furent pour Nicolas Alexèiévitch une semaine d'angoisses. Ses amis assurent qu'au temps des luttes les plus acharnées de l'émancipation, ils ne l'ont jamais vu si abattu. Conformément aux ordres du souverain, il se plongea dans l'étude des documents, qui lui avaient été remis à Tsarkoé-Sélo, et en outre dans les dossiers des divers ministères relatifs à la Pologne. Cette lecture n'était pas faite pour dissiper ses perplexités. Dans ces dossiers, il rencontrait tour à tour des intentions généreuses, transformées par la fatalité de la situation ou par la faute des hommes en utopies stériles, et des sévérités intempestives ou mal réglées, procédant par accès et rendues inutiles par le défaut d'esprit de suite. Partout la confusion, la contradiction, l'absence de tout programme, de tout système défini. Souvent, aux moments les plus graves, un échange oiseux de vides et formalistes correspondances bureaucratiques. A ses yeux

il n'y avait dans tout cela qu'illusions et aveuglement
à Saint-Pétersbourg, illusions et mensonges à Varsovie.
Ce qui le frappa surtout, c'est que, dans ces paperasses officielles ou ces rapports confidentiels, il crut
découvrir les traces d'une secrète connivence, et
comme d'une entente ténébreuse, entre le comité révolutionnaire de Varsovie et certains bureaux du ministère de Pologne à Pétersbourg.

Les nouvelles de Varsovie étaient peu encoura-
geantes. Dans les campagnes du royaume sévissait
toujours l'insurrection; dans la capitale, c'étaient des
bombes Orsini, l'incendie de l'hôtel de ville et des
archives, des assassinats en pleine rue, un attentat sur
la personne même du gouverneur général, le comte
Berg. L'occulte gouvernement révolutionnaire semblait maître du pays. Ce qui faisait reculer N. Milutine, ce n'étaient cependant pas tous ces périls, c'était
par-dessus tout la crainte d'user, sans profit pour le
pays, des forces dont il eût pu faire un meilleur usage
à Pétersbourg.

Ce que Milutine entendait dire autour de lui était
également peu fait pour le décider. Parmi ses amis ou
ses partisans, le plus grand nombre était au désespoir;
ils craignaient pour son avenir, pour ses jours même.
Beaucoup ne voulaient voir dans toute cette affaire
qu'une intrigue de cour, une combinaison machia-
vélique pour éloigner Milutine de la capitale et du
centre des affaires : à leurs yeux, on ne voulait
l'envoyer en Pologne que pour se débarrasser de lui,
pour le compromettre vis-à-vis des libéraux et l'en-

sevelir dans un pays où tous les fonctionnaires
russes laissaient fatalement leur réputation, leur
popularité ou leur vie. D'après eux, il eût dû à
tout prix se réserver pour la Russie, où ses connaissances et son énergie auraient trouvé un champ plus
vaste et plus sûr.

Tel semble avoir été au fond le sentiment personnel de Milutine. A tout prendre, la Russie aurait
gagné à garder pour elle-même, pour ses réformes
intérieures, l'infatigable travailleur qui allait s'user
et se tuer pour elle en Pologne. En général cependant,
l'opinion publique se montrait favorable au choix du
souverain. La gravité des affaires de la Vistule, les
dangers qu'elles suscitaient au dehors frappaient tous
les yeux et les détournaient momentanément des
grands problèmes du dedans. La Pologne était le
principal souci, la principale difficulté de l'empire :
il semblait naturel d'y employer les talents d'un
homme dont personne ne contestait la valeur. Ainsi
pensait le plus grand nombre, tandis que certains
hommes politiques trouvaient peut-être leur compte
personnel à expédier au poste le plus périlleux un
compétiteur redouté. Amis et adversaires de Milutine
pouvaient, pour des raisons opposées, se trouver un
moment réunis dans la même opinion.

Un jour de cette triste semaine où il devait définitivement faire son choix, Milutine avait à dîner chez
lui le prince Dmitri Obolensky, l'ami qui, en 1860,
avait refusé de lui enlever le poste d'adjoint du
ministre de l'intérieur. Le prince cherchait à remon-

ter Nicolas Alexèiévitch et lui assurait que, s'il était
nommé en Pologne, il y serait soutenu par l'opinion
et secondé par les meilleurs patriotes. Milutine en
doutait, la besogne lui paraissait trop ingrate. « Et
qui donc, demandait-il, consentirait à me suivre ?
— En premier lieu, répondit le prince, Samarine et
Tcherkassky. » A ces deux noms, la figure sombre de
Milutine s'illumina pour se rembrunir bientôt. Il ne
se sentait pas le courage d'inviter ses amis à une
pareille œuvre, surtout après l'espèce de désaveu qui
leur avait été infligé pour l'émancipation des serfs.
Puis, il savait Samarine au moins décidé à repousser
toute fonction officielle ; il se rappelait que, l'été précédent, Samarine lui écrivait encore qu'à ses yeux le
rôle le plus utile était en province et qu'il ne l'échan-
gerait contre nul autre[1]. Milutine avait cru deviner
là un avis discret de ne songer à son ami pour aucun
poste d'aucune sorte. Le prince D. Obolensky était
parent de Samarine ; il crut pouvoir se porter garant
de la bonne volonté de son cousin et fit si bien qu'il
emporta pour lui une lettre de Milutine, lettre qu'il
se chargea de lui faire remettre sans l'intermédiaire
toujours suspect de la poste impériale.

---

1. Lettre du mois de juin 1863. C'était là du reste, chez Samarine, une
idée fixe. Il disait à Milutine, avec son style imagé habituel : « Les deux
années que je viens de passer à l'intérieur du pays m'ont profondément
convaincu que c'est là, en province, qu'est aujourd'hui la sphère d'activité la plus utile.... Pour ce qui me concerne, je ne l'échangerais
contre aucune autre. En élaborant les plus beaux plans d'édifice législatif, il ne faut pas oublier les matériaux de construction qui nous
font souvent défaut. Ce sont les briques qui nous manquent, et les
briques se frappent pièce à pièce. »

‹ Saint-Pétersbourg, 4/16 septembre 18.5.

« Après bien des pérégrinations, nous sommes enfin rentrés au pays, très honoré Iouri Fédorovitch. Vous avez promis de venir nous voir à Pétersbourg aussitôt que vous auriez appris notre retour. Cette pensée me souriait tout le temps de notre long, pénible et ennuyeux voyage. A peine arrivé ici, je me suis trouvé en présence de circonstances qui me font désirer encore plus ardemment une très prompte entrevue avec vous. Je ne puis en dire davantage. Sachez seulement qu'il s'agit encore de la question des paysans, pour laquelle nous avons, ou plutôt *vous* avez déjà fait tant de sacrifices. Si vous en avez la moindre possibilité, hâtez votre arrivée ici, je vous le demande avec instance. Il se peut que j'aie moi-même bientôt à repartir et il serait extrêmement fâcheux de nous manquer. J'espère qu'on va me laisser une dizaine de jours au moins de tranquillité. Pouvez-vous dans ce délai venir ici? Je vous dirai seulement que cela est extrêmement urgent.

« Ne sachant pas l'adresse de Tcherkassky en ce moment, je me décide à vous prier de lui communiquer cette lettre; elle est pour lui comme pour vous. Exécutez-vous et arrivez de grâce tous deux ici, car il est indispensable de nous concerter. La question le mérite pleinement... Si vous vous décidez, informez-m'en au plus vite, soit directement, soit par D. Obolensky, qui se charge de vous faire parvenir cette lettre. » . . . .

On remarquera le ton énigmatique de cet appel. Nicolas Alexèièvitch semblait craindre d'effrayer ses amis en prononçant le nom de Pologne; il leur parlait seulement de la question des paysans, sachant qu'avec eux c'était la meilleure amorce. Il se réservait de leur dire de vive voix le mot de l'énigme. L'occasion

ne se fit pas attendre. Dès le lendemain, George Samarine était à Pétersbourg chez N. Milutine. Fidèle à
sa promesse, il n'avait pas attendu, pour lui faire visite, d'être informé du retour de son ancien collègue
des commissions de rédaction. La lettre confiée au
prince D. Obolensky l'avait croisé en route. La Pologne
fut naturellement le sujet de l'entretien des deux amis.
Toujours réfléchi, calme, retenu dans ses paroles, Samarine semblait plus soucieux et plus préoccupé que
de coutume. Sans prétendre imposer à son ami une
acceptation qui lui répugnait tant, Samarine, avant
tout désireux de donner un autre tour aux affaires de
Pologne, l'engagea à ne pas se refuser entièrement à
une pareille mission. Il examina longtemps avec Milutine
la question polonaise, la retournant sous toutes les faces
avec sa rare faculté d'analyse, et indiquant les solutions
avec son implacable logique. Comme naguère dans la
solitude de Raïki, pour les paysans russes, le fonctionnaire et l'écrivain esquissaient ensemble, dans une
obscure rue de Pétersbourg, le plan des réformes à accomplir au profit du paysan polonais. Ces deux hommes,
si différents de tempérament, comme d'allures et
d'éducation, avaient l'un sur l'autre un ascendant singulier : ces deux esprits, si indépendants, ou, comme
disaient leurs adversaires, si entiers et tranchants,
étaient pleins d'une déférence respectueuse pour leurs
mutuelles convictions. Dans leurs entretiens, mêlés de
graves et calmes discussions, ils se corrigeaient et
s'équilibraient pour ainsi dire l'un l'autre. Malgré la
divergence fréquente de leurs vues (Milutine ne s'étant

jamais inféodé à aucune école), ils faisaient si grand
cas de leur opinion réciproque qu'isolés ils semblaient
presque se croire incomplets.

G. Samarine et N. Milutine demeurèrent trois jours
ensemble et, durant trois fois vingt-quatre heures, ils
ne se quittèrent presque point, examinant et discutant
ensemble toutes les données du redoutable problème
imposé à leur pays. Samarine était obligé de retourner
dans sa famillle à Moscou. Les deux amis se séparèrent
sans avoir pris d'engagement l'un envers l'autre. Nicolas Alexèiévitch espérait encore éluder le fardeau
tombé inopinément sur ses épaules; néanmoins, après
cette entrevue qui lui rappelait les anxiétés et les con-
solations de l'époque la plus féconde de sa vie, il se
sentit plus confiant, plus calme; il envisagea les événements d'un œil plus ferme et retrouva un peu de
la quiétude morale qui lui faisait défaut depuis son arrivée à Saint-Pétersbourg.

L'empereur venait de rentrer dans sa capitale. Il
était allé à Helsingfors ouvrir la diète de Finlande,
suspendue durant le règne de son père, comme si, par
le contraste de sa conduite envers le grand-duché et
envers le royaume de Pologne, il eût voulu rendre
plus sensible et plus amère aux sujets rebelles, dont il
s'apprêtait à supprimer toute l'autonomie, l'impolitique folie de leur insurrection. Milutine fut appelé en
audience le second ou troisième jour du retour impérial. Sa résolution était prise : il était inébranla-
blement décidé à refuser tout poste qui l'attachât
d'une manière définitive à la Pologne; mais, s'il ne

pouvait se dégager autrement, il se résignait à accepter une commission temporaire dans le royaume.

Cette fois, l'empereur ne parut pas aussi pressé de
le recevoir; il remit à trois heures l'audience indiquée pour midi. C'était encore à Tsarskoé-Sélo, le
Saint-Cloud ou le Versailles russe, par une belle
journée du précoce automne du Nord. Nicolas
Alexèiévitch mit ce retard à profit en faisant quelques visites aux hauts fonctionnaires en villégiature
autour de la résidence impériale, puis, ses visites
faites, il erra le long du lac sous les beaux arbres du grand parc à l'anglaise. C'était précisément
l'heure où les brillants papillons du *high-life* y viennent voltiger. Quoique le beau monde de Tsarsko fût
fort réduit à cette fin de saison, les élégantes prome-
naient, dans les allées indiquées par la mode, leur oisiveté et leurs toilettes aux regards des aides de camp
et des jeunes officiers de la maison militaire, tandis
que de hauts dignitaires civils se délassaient des
soucis de leurs graves fonctions en courtisant ou rail-
lant les dames. Il y avait dans tout ce cadre de vie de
cour, dans cette atmosphère mondaine qui enveloppe
les abords des palais aux heures mêmes les plus graves de l'histoire, une futilité extérieure d'autant plus
sensible et plus attristante, pour un homme comme
Milutine, qu'à ce moment elle contrastait davantage
avec son anxiété intérieure.

Dans sa promenade comme dans ses visites officielles, il recueillit des encouragements et des félicitations dont la banale politesse ou l'équivoque sin-

cérité lui étaient pénibles. On l'assurait que, pour la
Pologne, il était l'homme de la situation, qu'il saurait
réussir là où tous avaient échoué ; on se montrait
surpris de ses hésitations. Le chef de la IIIᵉ section
par exemple, le prince Dolgorouky, lui reprochait, en
vrai ministre de la police et directeur des consciences,
« de faire trop peu de cas de l'insigne confiance que
lui témoignait Sa Majesté et de l'opportunité de prouver
au souverain son dévouement. » On n'épargnait rien
pour vaincre ses répugnances ; après les considérations politiques, on faisait valoir des considérations
d'un ordre privé qui, en Russie, n'ont pas moins de
poids qu'ailleurs. On lui représentait qu'il ne savait
pas servir ses intérêts, qu'au poste de Wiélopolski, il
recevrait un traitement de 33 000 roubles, soit une
centaine de mille francs, au lieu de ses maigres ap-
pointements de sénateur à 8000 roubles[1].

Le prince Gortchakof, alors encore vice-chancelier
et à l'apogée de sa popularité, pour ses notes sur les
affaires polonaises, tint à Milutine un langage plus
digne d'un patriote. Après lui avoir vivement représenté les périls qui entouraient la Russie, l'habile di-
plomate lui demandait comment, à une heure où
chacun devait payer de sa personne, il aurait le courage de refuser ses services, là où le souverain les
jugeait utiles. « Et moi qui comptais sur vous ! lui
répétait le prince. Voilà, ajoutait-il, avec une sorte de

---

1. Milutine, ayant décliné toute fonction officielle en Pologne, n'y
toucha, m'assure-t-on, pas plus de 10 800 roubles par an, y compris
les indemnités de voyage, si bien qu'il s'y endetta.

jactance fréquente chez lui, un an que je tiens l'Europe
en bride, et vous refuseriez de nous venir en aide !
Cela n'est pas possible ! » Milutine avait peine à repousser de tels assauts. Fidèle à la résolution qui lui
paraissait concilier ses devoirs de sujet avec les droits
de sa conscience, Nicolas Alexèiévitch finit par répondre au chancelier qu'il se laisserait poster en sentinelle
à la porte du *namiestnik* (vice-roi), plutôt que de se
laisser investir de pleins pouvoirs dont il n'était pas
sûr d'user à la gloire de son pays. « Après cela, ajou-
ta-t-il, si l'on a besoin d'un simple ouvrier, je ne refuse
pas mon travail. Qu'on m'envoie, si l'on veut, en
commission dans le royaume, et ensuite, si l'on a confiance dans l'efficacité du traitement que j'indiquerai,
qu'on charge de plus compétents de l'appliquer. — Eh
bien, répliqua vivement le prince Gortchakof, c'est tout
ce qu'on vous demande. Allez en Pologne au titre que
vous voudrez, mais allez-y. »

Et, en effet, c'était tout ce qu'on exigeait de lui.
Sans qu'il s'en rendît bien compte, Milutine venait de
déposer les armes ; les conditions, mises par lui à sa
capitulation, lui étaient en réalité peu favorables et ne
pouvaient longtemps être respectées. En acceptant
une pareille mission, Nicolas Alexèiévitch ne prévoyait pas encore qu'une fois la main dans les affaires
polonaises, il y serait bientôt pris tout entier. Ses
réserves devaient être vaines ; il allait malgré lui être
absorbé par ces poignantes affaires auxquelles il eût
voulu seulement se prêter. A ses restrictions et précautions, il n'avait personnellement qu'à perdre. En

refusant les titres et emplois qu'on lui proposait, il allait seulement, à l'inverse de ce que lui conseillaient les fonctionnaires pratiques, sacrifier sa fortune ; il allait prendre tous les embarras, tout le labeur et la responsabilité des hautes fonctions, dont il déclinait l'éclat et les avantages matériels.

L'heure de l'audience impériale était arrivée. Dès les premières paroles, Nicolas Alexèiévitch s'aperçut que l'empereur était déjà au courant de sa conversation avec le prince Gortchakof. Sa Majesté semblait satisfaite que Milutine consentît à se rendre à Varsovie, fût-ce sans poste défini. Nicolas Alexèiévitch se sentait condamné ; il fit néanmoins un dernier effort pour se dérober aux offres, ou mieux aux ordres qui allaient, jusqu'à la fin de ses jours, l'enchaîner à ce cadavre vivant de la Pologne. A toutes les raisons données à l'audience précédente, il ajouta en vain que les documents remis par l'empereur, et tous les dossiers, consultés depuis huit jours, n'avaient fait que le pénétrer davantage de son incompétence pour une pareille œuvre ; Alexandre II avait réponse à tout, interrompant Milutine, lui répliquant avec son habituelle bonté, le priant, l'encourageant, tout cela à bâtons rompus, en prince dont la résolution est prise, en homme pressé et distrait.

La famille impériale allait quitter Tsarsko, sa résidence d'été, pour la riante côte de Crimée et Livadia, sa résidence d'automne. Les souverains, comme les simples mortels, ont, au milieu même des plus graves circonstances politiques, leurs préoccupations person-

nelles, leurs soucis ou leurs affaires de famille, de
ménage même. Alexandre II, d'un tempérament ner-
veux et impressionnable, ennuyé de la vie d'apparat de
Pétersbourg et de Tsarsko, las surtout moralement et
physiquement des inquiétudes de l'hiver et du printemps précédents, altéré de repos et de liberté, était
impatient d'aller sur les rivages embaumés de la Tau-
ride oublier les âpres soucis de la politique. Au moment où il recevait Milutine, il était en train de faire
ses préparatifs de départ. Durant l'audience, donnée
à la hâte, entre deux voyages, les jeunes grands-ducs
et la princesse Marie[1] entraient et sortaient, apportant
des messages de l'impératrice, interrompant de leurs
questions indifférentes l'entretien du souverain et de
l'homme d'État. Il y avait dans ce contraste, partout si
fréquent, entre la grandeur des intérêts publics en jeu
et les minutieuses préoccupations de la vie quotidienne,
entre l'anxiété intérieure du fonctionnaire, dont la vie
et la réputation dépendaient de cet instant fugitif, et
la hâte naturelle du souverain, jaloux d'en finir avec
les affaires, quelque chose de plus décourageant et de
plus pénible, pour Nicolas Alexèiévitch, que dans les
ordres les plus catégoriques. Pour lui, c'était la plus
inflexible condamnation. Il sentit, non sans un serre-
ment de cœur, qu'il devait se résigner et il en prit viri-
lement son parti.

Avant de se retirer, il fit de vains efforts pour obtenir de l'empereur un programme défini. Alexandre II

---

1. Aujourd'hui duchesse d'Édimbourg.

semblait s'en remettre à lui et lui laisser carte blanche. Nicolas Alexèiévitch se borna à répéter qu'en allant
en Pologne, il ne faisait que se soumettre à la volonté
de son maître, qu'il ne pouvait accepter aucune
nomination à un poste dans le royaume, qu'en tout
cas, il ne saurait rien faire immédiatement, qu'avant
tout il lui faudrait s'instruire lui-même, étudier et
sonder le terrain pour voir ce qui pourrait être entre-
pris. Il eut soin d'ajouter qu'il demandait à s'occuper
spécialement de la population rurale et de la question
des paysans, la plus urgente à ses yeux en Pologne, et
la seule où, sur ce sol nouveau, son expérience du passé
pût lui être de quelque utilité. « C'est ainsi que je
l'entends, répliqua l'empereur, mais je ne voudrais
pas te voir te borner à cela ; toute l'administration de
Pologne est en mauvais état, il faut t'occuper de tout[1]. »
Milutine eut beau protester contre cette trop grande
marque de confiance, la résolution de l'empereur était
arrêtée. Il le congédia avec son affabilité accoutumée
après lui avoir permis de prendre pour collaborateurs
qui bon lui semblerait, même en dehors du personnel
administratif, des hommes sans grade bureaucratique
comme Samarine, dont le nom prononcé par Milutine
parut d'abord étonner le souverain. Il y avait à peine

---

1. Un peu plus tard, dans une lettre datée de Livadia, le chef
de la IIIe section, prince V. Dolgorouki, répétait la même injonction au
nom de son maître : « L'Empereur veut espérer que votre commission dans le royaume de Pologne sera féconde en résultats et que vos
considérants (projets de réforme), loin de se borner à la question des
paysans, s'étendront aux autres branches de l'administration polonaise. » (Lettre du 26 septembre 1863).

dix-huit mois, en effet, que Samarine avait fait scan-
dale en renvoyant au comte Panine la décoration dont
il avait été gratifié à propos de l'émancipation des
paysans. Après un instant de silence, Alexandre II
consentit à Samarine, si ce dernier agréait la proposition, puis il dit adieu à Milutine en daignant lui recommander de prendre soin de sa santé et de sa sécurité personnelle, en l'assurant que dans le royaume
tous les ordres seraient donnés pour le préserver de
tout péril. C'est ainsi, dans cette entrevue précipitée et
cette conversation à bâtons rompus, au milieu des préparatifs d'un voyage, que l'ancien adjoint de Lanskoï
reçut, sans pouvoirs définis ni instructions précises,
une mission qui, pour le royaume de Pologne, devait
être le point de départ d'une révolution radicale[1].

1. Quelques jours plus tard, dans une lettre adressée au prince
V. Dolgorouki, chef de la IIIe section, alors à Livadia près de l'empereur,
N. Milutine, cherchant à bien déterminer le caractère de sa mission
en Pologne, s'exprimait ainsi :

« .... Profondément pénétré de la gravité de l'affaire d'État qui m'est
confiée, je ne l'aborde que par soumission à la volonté de l'Empereur. Cet
essai prouvera s'il m'est oui ou non possible d'être utile à l'administration
polonaise. Après avoir examiné mes propres doutes et sondé ma conscience,
après m'être convaincu sur les lieux de l'opportunité de continuer ce travail
d'un nouveau genre pour moi, j'exprimerai mon opinion sur ce point, loya-
lement et franchement, n'ayant en vue que l'Empereur et le bien de
l'État.... »

Et plus loin, dans la même lettre, il ajoutait en protestant contre
toute nomination au conseil du royaume de Pologne :

« Mon séjour en Pologne ne saurait être long, il aura en outre un but
spécial, la question des paysans. Je ne pourrai assister au conseil que pour
me donner une idée de la marche des affaires, non pour prendre une part
directe à l'administration locale, que je ne connais pas et que je pourrai à
peine connaître dans un si court espace de temps. Jusque-là ma conscience
s'oppose décidément à ce que j'accepte un poste dans le royaume, où, vu

Le sort en était jeté; malgré sa répugnance et ses
efforts, Nicolas Alexèiévitch restait seul à l'improviste
en face de l'insoluble problème polonais. Dès qu'il ne
vit plus d'issue par où se dérober, il regarda avec
fermeté autour de lui et envisagea la situation avec
un mâle sang-froid. Pour grandes qu'elles fussent, un
homme de sa trempe ne pouvait longtemps rester af-
faissé en présence des difficultés. Incertitude, découragement, défaillance se dissipèrent comme par en-
chantement. Il recouvra le calme, mais avec une
ombre de mélancolie que rien ne devait plus effacer
de son front.

Une fois résigné à se mettre à l'œuvre, il se plongea tout entier dans l'étude des affaires polonaises. Il
commença par s'entourer de tous les livres, bro-
chures, traités, mémoires, de tous les documents im-
primés ou manuscrits, publics ou secrets, touchant
cette terre pour lui inconnue, où il était jeté subitement sans guide et dont le sort semblait remis entre
ses mains. Son cabinet se remplit de *polonica* de tout
genre, de toute tendance, de toute langue. Ouvrages
russes, français, allemands, sur l'histoire, la législation, l'économie politique, l'administration, les
finances, la religion, spécialement sur les classes

les troubles actuels, il faut des fonctionnaires énergiques auxquels la
connaissance de la langue et des mœurs du pays puisse donner la fermeté
et l'autorité nécessaires. Ce n'est qu'après être resté quelque temps à Varsovie
et avoir vu les choses sur place que je pourrai décider si je suis à même de
continuer ce genre d'occupation, et c'est seulement l'espérance de pouvoir
m'expliquer là-dessus franchement à mon retour, qui me donne aujourd'hui
le courage d'entreprendre un travail qui m'est si étranger et dont les
conséquences sont si graves pour l'avenir. » (Lettre du 16 septembre 1863,
traduite sur un brouillon de Milutine.)

rurales, il ramassa tout ce qu'il put découvrir de livres
concernant la Pologne, la Galicie, la Posnanie, s'adres-
sant à Samarine et à ses amis pour recevoir d'eux des
listes d'ouvrages, lisant et annotant le jour et la nuit.
On représente d'ordinaire N. Milutine comme partant
en Pologne à l'improviste, avec un programme pré-
conçu et un système entièrement arrêté d'avance, sans
souci des usages et des coutumes du pays, décidé à le
pétrir et à le modeler à la russe, comme une terre
inerte et informe. C'est là une opinion, en partie au
moins, erronée. Les lettres de Milutine en font foi[1].
Loin d'envisager la Pologne comme une table rase ou
une carte blanche, sur laquelle il pouvait impunément
se permettre toutes les expériences et légiférer dans
le vide, à la manière d'un réformateur de cabinet, il
n'épargna rien pour connaître le passé et les traditions du pays et du peuple, pour se rendre compte de
ce qu'il était possible d'y tenter ou d'y improviser. Ce
n'est pas sa faute si le manque de temps, si l'urgence

---

1. Voici par exemple ce qu'il écrivait, le 16 septembre 1863, dans
sa lettre au chef de la IIIe section, prince V. Dolgorouki, qui lui
servait d'intermédiaire près de l'Empereur à Livadia : « Conformément à l'ordre de Sa Majesté, je me suis livré aux travaux préliminaires pour ma *commission* dans le royaume de Pologne. La position
des classes rurales y est si différente de ce qu'elle est en Russie que
l'examen de la législation actuelle, dans ses liens avec l'histoire et la
situation politique du moment, présente à lui seul de grandes difficultés.... Avant de partir, il m'a donc paru indispensable de donner
quelque temps à l'étude des matériaux et documents qui sont à ma
portée ici (au ministère de Pologne et ailleurs), de me faire une idée
nette, en théorie du moins, de ce que doit être la position du paysan polonais *de jure*, pour examiner ensuite sur place ce qu'elle est *de facto*,
au point de vue économique et administratif. »

des événements ou l'impatience des hommes ne lui ont pas permis d'approfondir ces études préliminaires.

Milutine, en cette circonstance, semble mériter moins encore le reproche d'infatuation bureaucratique qu'en Russie, comme au dehors, on lui a tant de fois adressé. Sa répugnance à entrer dans les affaires polonaises montre que, sur ce terrain glissant, il était moins que jamais enclin à la présomption. Loin de s'en fier à ses propres lumières, il appela immédiatement à son aide des collaborateurs qui avaient la triple indépendance de l'esprit, de la position et de la fortune, des hommes fiers qui n'eurent jamais rien de servile ni dans l'intelligence ni dans le caractère, qui avaient en toute chose leur propre point de vue et tenaient à leurs idées, des hommes en un mot qui, pour la docilité, étaient les plus mauvais instruments qu'on pût trouver dans tout l'empire.

La première invitation de Nicolas Milutine fut naturellement pour George Samarine et, par Samarine, pour le prince Vladimir Tcherkassky, lequel, grâce à sa paresse en fait de correspondance, était en rapports moins fréquents avec Nicolas Alexèiévitch.

« St-Pétersbourg, 13/25 septembre 1863.

« Mon sort est décidé, très cher Iourii Fédorovitch. Les motifs pour lesquels je regardais comme impossible d'accepter aucune fonction exécutive en Pologne (et à plus forte raison l'administration du royaume) ont pour cette fois été pris en considération. Mais l'Empereur a exigé que je me rendisse à Varsovie pour l'examen des questions soulevées en Pologne, et en particulier de la question des paysans. . . . .

« Il a été décidé que je partirai vers le 1ᵉʳ octobre par
exemple, et qu'aussitôt les *considérants*[1] rédigés, je les
apporterai à Pétersbourg. Ce qu'il adviendra de moi ensuite
sera décidé par la nature même de l'affaire. Si la question
rurale, en Pologne, peut réellement être tranchée d'une
manière satisfaisante, je suis prêt à lui consacrer mon
travail et mes forces. Telle est manifestement la volonté de
la Providence, et je m'y soumets sans murmure. Rien n'a
plus contribué à cette décision que votre opinion et vos
conseils.

« Je ne puis pas ne pas reconnaître que je suis soutenu
par l'espérance de votre concours actif. Je n'aurais jamais
osé réclamer de vous un aussi pénible sacrifice, si votre
sympathie ne s'était exprimée d'elle-même. Je vous avouerai
que je n'ai point caché cet espoir à l'Empereur et que j'ai
obtenu de lui une autorisation catégorique. Maintenant le
sort de l'affaire est en partie entre vos mains. Vu mes
connaissances purement théoriques dans les questions
d'économie rurale[2], je ne puis me passer de votre coopération. En Pologne, je ne trouverai aucune aide, cela est
hors de doute. Peut-être mes vues personnelles n'embras-
seraient-elles involontairement qu'un côté des choses[3], et
les chances de succès en seraient à mes propres yeux considérablement diminuées.

« Réfléchissez à tout cela avec la sympathie que vous
m'avez témoignée ici. J'attends votre décision avec angoisse.
Vous resterez absolument maître de participer à cette affaire
dans la mesure qui vous conviendra. Quant à la forme
officielle de votre collaboration, on me laisse pour cela

---

1. *Soobragéniia*, considérants, ou peut-être mieux ici, projets de
loi.
2. Mot à mot : de vie villageoise, *selskago byta*.
3. *Odnostoronny*, unilatéral, *einseitig*, onesided.

pleins pouvoirs. . . . .

« Je voudrais bien aussi avoir le concours ou les conseils du prince Tcherkassky pour les affaires de Pologne. Ne ferait-il pas quelque chose sur notre commune prière?

« Il me faut avoir sous la main des renseignements sur la Posnanie et la Galicie. N'en auriez-vous point? . . . »

La réponse de son ami affligea vivement Nicolas Alexèiévitch. Samarine lui donnait peu d'espoir. Une chose surtout l'arrêtait, la crainte d'effrayer sa mère en partant pour un pays en pleine insurrection et, au su de tous, terrorisé par un comité révolutionnaire occulte. La situation des agents du gouvernement dans le royaume était en effet peu rassurante : ils y étaient chaque jour victimes du poignard, du revolver ou des bombes. Varsovie était naturellement l'effroi des mères ou des sœurs, des femmes ou des filles de fonctionnaires russes. Samarine, il est vrai, n'avait un moment reculé devant les appréhensions de sa famille qu'avec le dessein d'en triompher. Deux jours plus tard, il écrivait que sa mère consentait à le laisser partir et qu'il était aux ordres de Milutine. La joie de ce dernier éclate dans sa réponse.

« Saint-Pétersbourg, 22 septembre 1863.

« Je ne saurais vous exprimer, très cher ami Iourii Fédorovitch, la joie que me cause votre lettre. L'espoir de votre concours, dans le difficile travail qui m'attend, m'a donné une force et une confiance dont j'avais bien besoin (surtout dans ces derniers temps). Je dois vous avouer que, plus j'avance dans l'étude du problème posé devant nous, et moins je suis disposé à m'en remettre à mes propres forces. Votre collaboration m'est particulièrement précieuse. Involontairement, en se souvenant du passé, on envisage plus bravement l'avenir. Merci à vous, très cher Iourii Fédorovitch ! Vous me soutenez dans un des plus cruels moments de ma vie.

« J'attendrai très volontiers votre arrivée ici. Je partira pour Varsovie vers le 6 du mois prochain ; le retard sur mon premier projet ne sera pas considérable. En tout cas, ce temps ne sera pas perdu, car dans l'intervalle je pourrai mieux me préparer aux investigations locales postérieures. J'ai encore ici une masse de lectures à faire, sans lesquelles le travail sur les lieux serait ensuite moins efficace.

« Je vous avais d'abord parlé d'un mois pour la durée de notre séjour en Pologne ; c'est là naturellement une évaluation approximative. En vertu de l'autorisation qui m'en a été donnée, nous pourrons raccourcir ou allonger le temps de ce séjour, selon ce qui sera *réellement* nécessaire. Il va sans dire qu'une fois mis au travail, il faudra l'achever consciencieusement, aussi bien que nous le permettront les circonstances, par cette époque de troubles. Par malheur ces circonstances mêmes nous obligeront à aller au plus vite au dénoûment.

« On a perdu tant de temps que nous serons contraints de marcher du pas le plus accéléré[1]. C'est pour cela que je vous ai parlé d'un mois de séjour. Du reste, nous en jugerons mieux sur place.

« La nécessité de procéder d'une manière dictatoriale (*diktatorialno*) est également évidente. Par bonheur, personne ici ne le met en doute. . . . .

« Ne faudrait-il pas donner à votre voyage une forme officielle quelconque (indépendamment du rapport verbal

---

1. *Idti samym ouskorennym chagom.*

dont je vous ai parlé)? Est-ce qu'à tous les sacrifices que
vous faites déjà, vous voulez encore ajouter toute la charge
des dépenses matérielles? Je suis honteux de vous parler
de pareille chose, mais je n'aimerais pas vous imposer des
frais inutiles. Indiquez-moi ce que je dois faire à cet
égard[1]. » . . . .

« P. S. — On nous promet de nous installer au château
(à Varsovie) et de veiller de toute façon sur nous et notre
sécurité. Je vous écris cela dans l'espoir de calmer les
inquiétudes de votre mère. »

La coopération de Samarine n'était pas la seule consolation de Milutine. Il était en même temps assuré du
concours du prince Tcherkassky, dont il avait également
réclamé l'aide dès la première heure. Tcherkassky arrivait de la campagne à Moscou au moment
où Samarine revenait dans cette ville, après son entrevue avec Milutine à Pétersbourg. A peine eut-il
appris la mission inattendue dont était chargé Nicolas
Alexèièvitch, et les transes de ce dernier, qu'avec sa
décision habituelle il prit un parti soudain : sans
balancer un instant, le prince quitta toutes ses affaires et se mit en route pour Pétersbourg. De la gare
du chemin de fer Nicolas, il se fit immédiatement
conduire chez Milutine et lui déclara qu'il était tout

---

1. G. Samarine, qui avait personnellement de la fortune, refusa
d'abord toute espèce d'indemnité. Ensuite, pour ne pas se distinguer
des autres membres de la commission, il consentit à recevoir quelques
centaines de roubles (900 roubles, si je suis bien informé) pour frais
de voyage. Voilà les hommes dont on devait dire à Pétersbourg « qu'ils
ruinaient les finances du royaume de Pologne ».

entier à sa disposition. Le jour même, une dépêche
était envoyée au souverain, à Livadia, et le lendemain,
le chef de la IIIe section, prince Dolgorouky, répondait par le consentement de l'empereur à l'enrôlement
du prince.

L'exemple de Tcherkassky et de Samarine devait
être contagieux. Plus d'un compatriote allait se joindre
à Milutine ; plusieurs hommes distingués, les uns déjà
vétérans, les autres nouvelles recrues, allaient s'engager en volontaires à servir sous sa bannière. Parmi
ses anciens collègues du ministère et des *commis-*
sions de rédaction, Milutine devait entre autres
retrouver, un peu plus tard, Jacques Solovief, alors
renvoyé du ministère de l'intérieur où il s'était main-
tenu depuis le départ de Lanskoï[1].

La Russie était à l'une de ces heures solennelles où
le patriotisme est prêt à tous les sacrifices. Le sentiment national, imprudemment provoqué par les
téméraires revendications de la Pologne, surexcité
par les intempestives et coupables manifestations de la
diplomatie, animait subitement tout le pays d'une

---

1. N. Milutine écrivait à cet égard à G. Samarine, dans sa lettre
du 13/25 septembre 1863 : « Vous n'ignorez pas sans doute l'éloignement de Solovief du *département économique* (*zemskii otdel*).
Cela s'est fait d'une manière absolument inattendue pour lui sous prétexte de *diversité de tendances*. N'est-il pas étrange qu'après être
resté deux ans en place, tant qu'il y a eu du travail et de la responsabilité, il soit maintenant déclaré nuisible?... Il y a apparemment au ministère surabondance d'hommes capables ! Autrement comment expliquer, dans les circonstances actuelles, l'éloignement d'un homme
qui avait donné tant de preuves d'expérience et d'intelligence des
affaires?... »

ardeur fiévreuse et d'une sombre résolution. A la voix stridente de M. Katkof et de la *Gazette de Moscou*, la Russie oubliait les difficultés, les illusions, les préoccupations et les déceptions de la veille. Toute l'attention, à Moscou et en province surtout, s'était reportée vers la Pologne. Une fois qu'on crut voir à la tête des affaires polonaises un homme dévoué et énergique, l'opinion et le pays ne lui marchandèrent pas leur appui. Le caractère russe allait dans la malheureuse Pologne donner carrière à ses élans d'enthousiasme et à ses engouements passionnés, comme douze ou quinze ans plus tard en Serbie et en Bulgarie. Aux yeux des patriotes de Moscou, c'est au fond la même cause que soutenait la Russie dans les provinces insurgées de la Vistule et dans les contrées du Danube, révoltées contre le joug ottoman. A leurs yeux, en 1863 et 1864 comme en 1877 et 1878, chez les Polonais comme chez les Bulgares et les Serbes, ce qui était en jeu, c'était toujours, sous des aspects différents, la cause slave, non moins menacée aux bords de la Vistule par les traditions latines et occidentales de la Pologne que, sur les versants du Balkan, par la lourde et stérile domination ottomane. Aussi ne saurait-on s'étonner de rencontrer à ces deux époques voisines, dans ces deux œuvres à nos yeux si différentes et disparates, les mêmes sentiments, les mêmes inspirations et parfois les mêmes acteurs. Lorsque éclatait la guerre serbo-turque et bientôt après la guerre de Bulgarie, Nicolas Milutine et George Samarine étaient tous deux morts; mais leur ami, le prince Vladimir

Tcherkassky, leur avait survécu; il fut naturellement au premier rang des missionnaires militaires ou civils, envoyés par Moscou aux Slaves du Sud. Quand il acceptait la tâche ingrate d'organiser les contrées bulgares que venaient émanciper les armes du tsar russe, Tcherkassky croyait bien continuer l'œuvre commencée à Varsovie avec Milutine.

Grâce à cette exaltation du sentiment national, l'heure, tant redoutée de Nicolas Alexèiévitch, allait devenir pour lui le signal d'une sorte de triomphe plus flatteur que toutes les vaines récompenses ou distinctions officielles. Il allait voir se grouper spontanément autour de lui des hommes qui, par leur caractère, leurs talents, leurs services, pouvaient être regardés comme l'élite de la nation, des hommes dont, en tout autre pays, plusieurs eussent aisément conquis une renommée européenne. Il semblait que la vieille Russie s'apprêtât à marcher sous sa direction à une sorte de croisade contre le polonisme et le latinisme, contre l'aristocratie et la révolution, liguées ensemble contre la sainte Russie. A Pétersbourg, où l'on est d'ordinaire moins enclin à l'enthousiasme qu'à Moscou, les adversaires de Nicolas Alexèiévitch allaient bientôt dire qu'il avait rassemblé autour de lui une sorte de garde prétorienne, pour aller avec elle à la conquête du pouvoir et revenir en vainqueur dans la capitale de l'empire.

CHAPITRE VIII

Milutine, Tcherkassky et Samarine en exploration dans la Pologne insurgée. (oct.-nov. 1863). — Entrevue à Vilna de Milutine et du général Mouravief. — Identité de leurs vues avec des mobiles diffé-rents. — Arrivée de Milutine à Varsovie. Comment il allait s'y trouver en antagonisme avec le vice-roi, le comte Berg. — Voyage et impressions des trois amis dans les campagnes polonaises.

La volonté impériale envoyait malgré lui Nicolas Milutine en Pologne, l'amitié et le patriotisme lui donnaient pour associés dans cette tâche inattendue ses deux plus illustres compagnons d'armes dans la grande campagne de l'émancipation, George Samarine et Vladimir Tcherkassky. Une rapide exploration de la Pologne en révolte par ces trois fils de Moscou, dans l'automne de 1863, devait être pour la Pologne russe le point de départ d'une transformation politique et économique si profonde, qu'à travers tous les chan-gements réservés au pays de la Vistule, les siècles en sauraient difficilement effacer la trace.

En accompagnant les trois amis dans les villes et les villages de Pologne, nous les laisserons autant que possible parler eux-mêmes, nous exprimer sur les lieux et à l'instant, sans apprêt et sans fard, entre eux pour ainsi dire, dans le laisser-aller de la correspondance quotidienne, leurs impressions et leurs vues, leurs mobiles et leurs desseins. Sans nous

départir de l'impartialité qui seule convient à un
étranger en cette délicate et attristante question, sans
être infidèle aux traditionnelles sympathies de la
France pour la malheureuse Pologne, nous allons, par
l'organe des Russes les plus compétents, connaître
dans toute leur vérité les sentiments et le point de
vue russes dans les affaires polonaises.

Après un mois consacré à des études préliminaires,
N. Milutine, G. Samarine et le prince Tcherkassky
durent se mettre en route pour le royaume de Pologne. Le départ eut lieu au commencement d'octobre 1863. Nicolas Alexèiévitch laissait à Pétersbourg
sa femme et ses enfants, qu'il ne voulait pas exposer
aux périls d'un pays en insurrection. Pour Milutine
et ses amis, cette première visite en Pologne était
presque un voyage de découverte en pays inconnu.
Aussi cette expédition, destinée à tout renouveler dans
le royaume, était-elle peu nombreuse. Milutine, Samarine, Tcherkassky, un ou deux fonctionnaires, dé-
tachés des administrations pétersbourgeoises, qui
devaient les rejoindre en route, et trois jeunes secré-
taires ou traducteurs en composaient tout le personnel.

Entre Pétersbourg et Varsovie, Nicolas Alexèiévitch
fit une halte en Lithuanie, à Vilna. La jolie capitale
des provinces du nord-ouest présentait alors un aspect
sinistre et navrant. La répression, comme l'insurrection, avait en Lithuanie quelque chose de plus dur,
de plus âpre que dans le royaume de Pologne. A
Vilna plus encore qu'à Varsovie, les habitants, placés

entre les comités révolutionnaires polonais et les
commissions militaires russes, étaient courbés sous
une double terreur. Vilna était la résidence de Michel
Nikolaiévitch Mouravief, le fameux général auquel
l'empereur avait confié le soin de dompter la révolte
dans les provinces lithuaniennes. Mouravief s'était,
au temps de l'émancipation, montré l'un des adversaires les plus décidés comme les plus passionnés de
Milutine et de ses amis. Homme du passé, conservateur et autoritaire par principe autant que par tempérament, il était de ceux qui, à Pétersbourg, avaient
le plus tonné contre les machinations révolutionnaires
du « rouge Milutine ». Par une singulière ironie du
sort, ces deux antagonistes de 1860, dans lesquels on
eût pu personnifier les deux tendances opposées qui
se disputaient la Russie, le défenseur des privilèges et
l'avocat des serfs allaient se rencontrer aux frontières
de l'empire comme collaborateurs involontaires.

L'antipathie de ces deux hommes était de notoriété
publique ; ce ne fut pas un obstacle à leur entente
lorsqu'ils se retrouvèrent à Vilna. Ils comprenaient
tous deux que, l'un dans le royaume de Pologne,
l'autre dans les provinces occidentales, ils ne pouvaient, pour une tâche analogue, suivre une voie
différente. Milutine l'avait senti dès les premiers
jours, et il avait fait taire sa répugnance pour la personne, les idées et les procédés de Mouravief. A peine
sa difficile mission acceptée, il cherchait à se concerter avec son ancien adversaire. Craignant que le général
ne lui gardât rancune, Milutine avait pris comme

intermédiaire entre eux un ami commun, le général
Zélénoï, officier qui s'était distingué au siège de
Sébastopol et qui, après avoir été d'abord adjoint de
Mouravief, lui avait depuis quelques mois succédé au
ministère des domaines. Entre tous les ministres
d'alors, Zélénoï était du petit nombre de ceux sur
lesquels Milutine croyait pouvoir compter. Près de
Mouravief, du reste, il eût pu se passer d'intermédiaire. En homme d'action ou en politique, plus soucieux du présent que du passé, le gouverneur général
des provinces du nord-ouest répondit sans hésitation
aux ouvertures de Milutine. Dès le 25 septembre, il
prenait les devants et de Vilna adressait cette lettre à
son ennemi politique de la veille :

« J'apprends que Votre Excellence est en ce moment
particulièrement occupée de la question de l'organisation
des paysans dans le royaume de Pologne.

« C'est là un sujet d'une extrême importance pour le
maintien futur de notre domination dans le royaume de
Pologne, et principalement dans les provinces occidentales.
La population rurale (*selskoé naselenié*) est notre seul
appui. Les autres classes nous sont manifestement hostiles,
oppriment les paysans et s'efforcent de les soulever
contre nous. Je fais ici tout ce qui est en mon pouvoir
pour donner à la population rurale l'indépendance et le
bien-être, et pour enlever aux propriétaires la possibilité
de l'opprimer : il semble que je commence à atteindre
le résultat désiré. Les paysans le comprennent, et presque
partout, dans les six provinces qui me sont confiées, ils
prêtent, sans distinction de religion, leur concours au
gouvernement pour dompter l'insurrection et l'émeute.

« Dans le royaume de Pologne, la chose est plus difficile, mais je ne la regarde pas comme impossible. J'ai
déjà envoyé dans le gouvernement d'Augustof, confié à
mon administration, une commission spéciale chargée de
rédiger un projet pour arracher la population villageoise
des mains des propriétaires, de leurs comptoirs et de leurs
intendants (*Woyt*), et en même temps pour modifier le
système des taxes et redevances. Je ne sais si, dans la
province d'Augustof, il me sera donné d'atteindre le
résultat souhaité; j'y consacrerai du moins tous les efforts
possibles. Ce que je sais, c'est que là aussi les paysans
sont bien disposés pour nous. Il faut seulement mettre fin
à la terreur (*strakh*) répandue dans les villages, parmi la
population rurale, par les assassinats et les perquisitions
du parti révolutionnaire dans les campagnes.

« Je souhaite ardemment que cette grave affaire de
l'organisation des paysans, tant dans les provinces occidentales que dans le royaume de Pologne, nous permette
d'assurer pleinement pour l'avenir notre domination en
ce pays. Aussi ai-je appris avec joie que les propositions
à faire dans ce dessein, pour le royaume de Pologne,
avaient été confiées à Votre Excellence, car je suis fermement convaincu que, s'il est encore possible de faire
quelque chose sous ce rapport, vous parviendrez à le faire.

« Nous devons marcher dans toute cette grave affaire
la main dans la main; pour moi, je vous offre en toute
sincérité ma coopération. Nous ne désirons qu'une chose :
l'avantage de la Russie; et, pour cette raison, je suis persuadé que les divergences mêmes de vues, qui pourraient
s'élever entre nous, ne nuiront pas à notre œuvre, mais
ne serviront qu'à l'élucider.

« J'ai cru utile de vous communiquer tout ce qui est
dit plus haut, pour vous témoigner mon empressement à
vous prêter mon concours dans la mesure de mon intel-

ligence, et je reste convaincu que Votre Excellence se montrera non moins empressée à réunir ses efforts aux miens pour notre action commune, en vue de l'achèvement de l'œuvre en question.

« Agréez, etc.

Un tel langage, à moins de trois ans de distance, de la part d'un des adversaires déclarés de la charte d'émancipation, devait être doublement agréable à Nicolas Alexèièvitch. C'était pour lui comme un acquiescement au passé en même temps qu'une garantie pour l'avenir. « Voilà un homme complètement retourné ! » s'était-il écrié à la première lecture de la lettre du général. En fait, la transformation de Mouravief était plus apparente que réelle. Comme N. Milutine, c'était sur le paysan qu'il voulait attirer l'attention et les bienfaits du gouvernement en Pologne, c'était dans le peuple des campagnes qu'il prétendait chercher un point d'appui ; mais, jusqu'en cette unité de vues, leurs mobiles étaient bien différents. Pour le général comme pour beaucoup de ses compatriotes, cette préoccupation du paysan et du peuple dérivait uniquement de considérations politiques. A ses yeux, la question agraire n'était qu'une machine de guerre contre le polonisme. Si, dans les provinces occidentales, il vantait et appliquait, en renchérissant encore dessus, des procédés qu'il avait énergiquement repoussés et flétris en Russie, ce n'était point qu'il cessât de les considérer comme révolutionnaires, c'était bien plutôt qu'il y voyait un instrument commode pour battre les propriétaires polonais. Peu lui importait que cette arme fût empruntée à la révolution, il s'en servait sans scrupule contre les ennemis de son maître et de son pays, parce que, contre de tels ennemis, les armes les plus sûres lui semblaient les meilleures.

Tout autre était le point de vue des Milutine, des Tcherkassky, des Samarine. Leur préférence pour le paysan et leur intérêt pour le peuple n'étaient pas une affaire de circonstance. Les lois agraires, qu'ils devaient conseiller et appliquer en Pologne, n'étaient pas seulement de leur part un expédient politique ou une mesure de guerre justifiée par la révolte. Les maximes et les procédés qu'ils allaient recommander en Pologne, ils les avaient préconisés et en grande partie fait adopter pour la Russie. L'insurrection leur fournissait seulement l'occasion d'appliquer leurs principes d'une manière plus radicale, avec moins de ménagements pour les droits ou les intérêts des propriétaires, la noblesse polonaise s'étant par ses sympathies pour les rebelles privée de l'appui, prêté dans les hautes sphères à la noblesse russe.

En Pologne et en Russie, Milutine et ses amis devaient, dans des circonstances diverses, faire au fond une œuvre analogue. Envisagées de cette façon, toute la conduite et la carrière de Milutine se montrent empreintes d'une singulière unité. Dans ces inextricables affaires polonaises, si étrangères à ses études et à ses goûts, Nicolas Alexèiévitch avait découvert un point conforme à ses instincts, une tâche semblable à celle

qu'il avait accomplie en Russie, et il s'y était attaché
avec passion. C'était une autre et nouvelle émancipation que ses amis et lui prétendaient achever aux
bords de la Vistule, en dotant de terres le paysan
polonais, comme naguère le moujik russe, car à leurs
yeux il n'y avait pas pour le paysan d'affranchissement réel sans dotation territoriale.

Trois ans plus tôt, l'empereur Alexandre II lui-
même, présentant au conseil de l'empire le statut
d'émancipation, avait solennellement regretté que,
dans le royaume de Pologne, comme dans les
provinces Baltiques, l'ancien serf eût été affranchi
sans recevoir en propriété une partie du sol qu'il
cultivait[1]. Pour Milutine et pour ses amis, l'insurrection polonaise fournissait une occasion de faire disparaître cette fâcheuse anomalie, une occasion d'appliquer au royaume les mesures législatives destinées à
préserver l'empire des tsars de la formation d'un
prolétariat, ce qui, aux yeux de la plupart des Russes,
est la grande plaie des sociétés occidentales et le
grand péril des États modernes.

Il est naturellement permis de différer de vue sur
ces principes, de n'avoir pas une foi entière dans
l'efficacité de ces maximes slaves sur la diffusion de
la propriété territoriale. Ce sont là des questions que
nous avons examinées ailleurs[2] et sur lesquelles nous

---

1. Discours de l'empereur dans l'hiver de 1860-61.
2. Voyez particulièrement l'*Empire des Tsars et les Russes*, t. II, liv.
VII et VIII, et, dans la *Revue des deux Mondes* du 1er mars 1879, l'étude
intitulée *le Socialisme agraire et le régime de la propriété en
Europe*.

ne voulons pas revenir. Ce que nous devons rappeler,
ce qu'on a trop souvent oublié en Europe, c'est que
les mesures, appliquées par le gouvernement russe
en Pologne, n'ont pas été spécialement imaginées pour
les Polonais et uniquement machinées par la haine
politique. On ne les a importées en Pologne qu'après
en avoir fait l'essai avec les Russes. Le gouvernement
de Pétersbourg ne pouvait néanmoins s'étonner que
les procédés, mis en usage dans les provinces de
la Vistule, fussent taxés de révolutionnaires par la
presse européenne : les pratiques plus ou moins analogues, adoptées pour l'émancipation des serfs, n'a-
vaient-elles pas, trois ans auparavant, été dénoncées
au même titre, dans la cour impériale, par la noblesse
et par plus d'un des conseillers du tsar, par plusieurs
même de ceux qui, avec Mouravief, en recomman-
daient aujourd'hui l'emploi en Pologne et se réjouis-
saient de voir la *szlachta* polonaise livrée sans
défense aux mains des « rouges » législateurs de
l'ancienne *commission de rédaction?*

A Vilna, Milutine et Mouravief ne discutèrent point
sur les principes. Peu leur importaient les dissenti-
ments théoriques, il leur suffisait de se savoir d'accord
sur les faits, sur la conduite à tenir. A cet égard leur
entente fut facile. On en peut juger par le récit de
Nicolas Alexéiévitch[1].

« Nous sommes arrivés ici en parfaite tranquillité, et

1. Lettre à sa femme, de Vilna, 9/21 octobre 1863.

sans le moindre retard, c'est-à-dire à cinq heures du
matin. Après avoir pris trois heures de repos, je me suis
rendu chez Michel Nikolaïèvitch Mouravief et j'y suis resté
jusqu'à quatre heures de l'après-midi. Dans une heure, j'y
retourne de nouveau pour dîner, en sorte que nous ne
nous serons presque pas quittés de la journée. Notre
entrevue et toutes nos explications ont eu le caractère le
plus cordial. Nous avons même abordé le passé, et nous
nous sommes trouvés pleinement d'accord[1]. Tout ce qu'il
m'a dit a d'ailleurs été fort sensé et instructif pour moi.
Outre une claire intelligence des choses et des hommes
qui l'entourent, il possède en réalité une remarquable
capacité pour l'administration. L'énergie non plus ne lui
fait pas défaut, mais j'ai été frappé chez lui d'une certaine
teinte de tristesse que je ne lui connaissais pas autrefois
et qui s'explique par une continuelle tension des nerfs.
D'après ce qu'il m'a dit, on a, dans l'espace de six mois,
exécuté quarante-huit personnes; mais, quand on songe
que par cette rigueur on a sauvé des centaines, et peut-
être des milliers, de victimes innocentes, les sorties de la
presse européenne semblent étranges, surtout si l'on
compare à cela ce qui se fait en ce moment même à
Naples[2]. Il y a, il est vrai, beaucoup d'arbitraire, mais cet
arbitraire en réfrène un autre plus brutal, celui du parti
révolutionnaire ou clérical. L'affaire est encore loin d'être
terminée, même en Lithuanie, et quant à la Pologne elle-
même, il n'y a pas à en parler; je m'abstiendrai du reste
de tout jugement définitif sur la situation de cette dernière,
tant que je ne serai pas sur les lieux. . . . .

1. Milutine racontait que, dans cette entrevue, le général Mouravief
lui avait dit à ce propos : « Je reconnais que la vérité était de votre
côté. »

2. Milutine faisait sans doute allusion à la répression des bandes
bourboniennes dans le sud du nouveau royaume d'Italie.

« Pour moi personnellement, depuis que je suis monté en wagon, je passe absolument tout mon temps dans les paperasses et les conférences d'affaires. Durant toute la route, le zèle de mes compagnons de voyage n'a pas faibli, même la nuit, de sorte que nous avons à peine fermé l'œil. Cela me réjouit plus que je ne saurais le dire, car je ne voudrais point perdre un seul jour, pour ne pas retarder mon retour sans nécessité.

Milutine, on le voit, était trop pressé de terminer cette besogne pour s'attarder longtemps en chemin. Il ne passa que trois jours à Vilna et de là fit route directement jusqu'à Varsovie à travers le pays insurgé. Voici ses premières impressions de voyage dans le royaume[1].

« Nous sommes partis de Vilna samedi dans la nuit, et nous sommes arrivés ici à sept heures du soir sans le moindre accident. Il y a partout des troupes en si grand nombre qu'il n'y a aucun danger. Il est seulement pénible de voir le pays dans une situation aussi anormale. Mouravief et moi, nous nous sommes séparés aussi amicalement que nous nous étions rencontrés. Ses explications m'ont été fort utiles, et en somme je ne regrette pas les trois jours passés à Vilna. Ici nous avons trouvé à la gare des gendarmes qui nous ont escortés jusqu'aux appartements qu'on nous avait préparés. Au palais du vice-roi, où l'on a dû depuis l'incendie transporter l'hôtel de ville, on est tellement à l'étroit que pas un de mes compagnons n'y pouvait loger en même temps que moi. A cause de cela, nous nous sommes décidés à descendre à l'ancien hôtel de

---

1. Lettre à sa femme, de Varsovie, 13/25 octobre 1865.

l'Europe, où il y a largement de la place pour nous tous[1].

« Quant à notre sécurité, tu peux être parfaitement tranquille; il y a autour de nous une multitude innombrable de sentinelles et d'agents de police, et en outre on a attaché à ma personne, en qualité de gardes et de courriers, trois cosaques de ligne qui, avec leur grand bonnet de peau de mouton et leur costume circassien, divertissent les regards de toute la compagnie. La figure même de L.[2] s'est éclaircie, il a déclaré qu'il se sentait rempli d'une ardeur guerrière dont il ne se serait jamais cru capable. En somme, toute notre société se distingue par le courage, par la bonne humeur et par un grand zèle pour le travail. Artémovitch[3] nous a préparé quelques matériaux intéressants, mais à présent il voudrait au plus vite s'esquiver d'ici; je le comprends si bien que, si cela ne dépendait que de moi, je ne mettrais aucun obstacle à son départ.

« J'ai vu le comte Berg immédiatement à mon arrivée; je suis encore retourné aujourd'hui chez lui en grande tenue et je lui ai présenté l'un après l'autre tous mes compagnons de voyage. En même temps, j'ai eu là l'occasion de faire connaissance avec les ministres d'ici, qui ne m'inspirent pas la moindre confiance. Le comte Berg a, pour commencer, invité à dîner tous mes collaborateurs sans exception et demain les principaux. Il se confond en amabilités, mais on ne saurait compter de sa part sur un concours *sérieux*. Du reste, il ne me sera pas facile d'apprendre le dessous des cartes, à cause surtout de mon ignorance de la langue. . . . .

1. Le vaste palais Oginski, alors, croyons-nous, transformé en caserne, et, depuis la fin de l'insurrection, rouvert comme hôtel sous le même nom.

2. Un des traducteurs.

3. Fonctionnaire d'origine polonaise qui se sentait mal à l'aise dans es rangs des fonctionnaires russes à Varsovie.

Le général comte Berg, un peu plus tard feld-
maréchal, avait succédé à Varsovie au grand-duc
Constantin. S'il ne portait pas encore le titre de vice-
roi (*namestnik*), qui allait lui être conféré quelques
semaines plus tard, durant le séjour même de Milutine
en Pologne[1], il en remplissait les fonctions. C'était
à la fois un soldat et un homme de cour; comme
beaucoup de militaires, il avait plus de courage et de
présence d'esprit sur le champ de bataille que de résolution dans la vie civile. D'une vanité que l'âge
avait accrue et par cela même fort accessible à la flat-
terie, le comte Berg était indécis et obstiné à la fois,
très jaloux de son autorité et peu capable d'en user
avec esprit de suite.

Milutine, on vient de le voir par sa première lettre
de Varsovie, s'aperçut dès son arrivée qu'il ne pouvait beaucoup compter sur le chef officiel de l'administration du royaume. N'ayant pas l'intention de
rester en Pologne ou de demeurer attaché aux affaires
polonaises, il ne pouvait cependant prévoir encore
tous les tracas et les obstacles que lui devait susciter
le comte Berg. Ce qui le frappait immédiatement,
c'était le manque d'unité et de direction, le manque
de programme et de système. A cet égard, il trouvait
une grande différence entre la Lithuanie et la Pologne

---

1. Milutine, revenant d'une tournée dans les campagnes du royaume,
écrivait de Varsovie à sa femme le 25 octobre (6 novembre) 1865 :
« J'ai trouvé Berg transporté (*v vostorghé*) de sa confirmation comme
namestnik. Dans son ravissement, il consent à tout, mais pour les
mesures à prendre la bonne volonté seule ne saurait suffire. »

proprement dite, comme le montre une lettre à son
frère le ministre de la guerre.

« Varsovie, le 13/25 octobre 1863.

« ... La différence entre Vilna et Varsovie est énorme ;
à Vilna l'autorité est réellement établie, elle a foi en elle-
même et on a foi en elle. Entre les chefs et leurs subor-
donnés il y a, autant que j'ai pu en juger, une complète
unité de tendances et d'action ; il y a, en un mot, un plan
qui se distingue peut-être par une rigueur excessive, mais
qui, dans le fond, est raisonné et sensé, et qu'on exécute
strictement. Ici je n'ai encore réussi à rien découvrir de
semblable, et je ne saurais guère y parvenir. En tout cas,
on est, dès la première minute, frappé de la mutuelle défiance et de la désunion des autorités. On a jeté un tel
levain de méfiance réciproque, non-seulement entre les
services civils et le service militaire, mais au sein même
de ce dernier, que, pour tout rallier ensemble et imprimer partout une direction ferme, il faudrait une personnalité puissante, et précisément c'est cette personnalité
qui manque. Vous serez peut-être étonné d'un jugement
aussi précipité, mais, d'après les bruits qui sont déjà arrivés jusqu'à moi et surtout après deux longs entretiens
avec le comte Berg, je ne puis me délivrer des plus tristes
impressions ; je souhaiterais ardemment être dans l'erreur
et, si je puis m'en convaincre, je le confesserai avec joie.
En attendant, je ne saurais cacher que je n'ai trouvé ici
aucun plan arrêté. Tout se fait *au hasard (po oudatchou)*,
selon l'inspiration du moment, et je crains même qu'on
n'atteigne pas le but qu'on se propose : produire de
l'effet.

« Mouravief a nettement compris que des rencontres
avec les bandes insurgées ne tranchent pas la question,

qu'il faut vaincre et détruire l'organisation révolutionnaire
locale, couper les fils de cette toile d'araignée souter-
raine. Pour cela il oppose à la révolution une organisation
civile et militaire à lui, pour cela il relève le peuple et il
tarit les sources pécuniaires de l'insurrection[1]. Il m'a en
réalité réjoui par la lucidité de ses vues et même par la
lucidité de sa parole dans cette question, ce qui ne l'em-
pêche pas du reste, dans toutes les autres questions, de se
distinguer généralement par l'extrême versatilité des idées
et du langage. Le fait est qu'il a trouvé à Vilna sa véritable vocation, et, au moins pour un temps, il y rendra
d'incontestables services.

« Ici c'est l'inverse, la rigueur est une affaire de hasard.
A côté, se manifestent des indices de tendances oligar-
chiques polonaises[2]. Pour la cause des paysans, il n'y a pas
la moindre sympathie. Les autorités civiles, si elles n'aident
indirectement et en secret l'insurrection, gardent vis-à-vis
d'elle la neutralité, et tout le monde y paraît habitué. Il
m'est déjà tombé sous la main quelques documents stu-
péfiants (*izoumitelny*). Je tâcherai d'en rassembler quelques-uns de ce genre et je les présenterai avec un mémoire explicatif spécial.

« Une autre fois je vous citerai quelques détails à l'appui de ce que je viens de dire. Nos premiers entretiens ici
me laissent peu d'espoir que de sérieuses mesures pour
les affaires des paysans puissent être appliquées avec la
composition actuelle de l'administration du royaume. . . »

Ces premières impressions ne devaient faire que

---

1. Au moyen d'amendes ou taxes spéciales imposées aux propriétaires polonais, taxes qui, vingt ans après l'insurrection, n'ont pas
encore été supprimées.
2. *Priznaki chliakhestkoï tendenzii*, des tendances de *szlachta*.

s'accentuer avec le séjour à Varsovie. Sous les bana-
lités de la politesse officielle (le comte Berg était l'un
des hommes les plus polis de l'empire), Milutine,
Tcherkassky et Samarine ne devaient rencontrer que
froideur, soupçon et défiance de la part de l'administration qu'ils étaient venus inspecter. Au lieu d'auxiliaires dévoués, ils ne devaient trouver à Varsovie, chez
les fonctionnaires russes, presque autant que chez les
employés d'origine polonaise, qu'un mauvais vouloir
à peine déguisé. Et cela se comprend. Milutine, envoyé
sans instructions précises avec mission de tout contrôler, de tout reviser, de tout remettre en question,
ne pouvait manquer d'exciter les appréhensions de
tout le personnel administratif, qui flairait en lui
un ennemi en même temps qu'un réformateur.

Comme toute administration, celle du royaume de
Pologne défendait de son mieux son autorité, ses privilèges, ses usages et en même temps sa routine et
ses abus. A ce seul titre, sans même tenir compte de
l'atmosphère de Varsovie, de l'influence du milieu et
des relations mondaines, le comte Berg devait bientôt
se montrer l'adversaire naturel des intrus venus des
deux capitales russes pour tout refaire à neuf. En sa
qualité de vice-roi de Pologne, jaloux de maintenir
ses prérogatives et celles de l'administration placée
sous ses ordres, il allait, involontairement et sans bien
s'en rendre compte, devenir contre Milutine et Tcherkassky, contre Pétersbourg et Moscou, le défenseur
des débris de l'autonomie polonaise. Entre Milutine,
Tcherkassky et leurs amis d'un côté, le comte Berg et

l'administration du royaume de l'autre, allait bientôt commencer une guerre tour à tour sourde et ouverte qui, par ses péripéties et ses succès divers, devait rappeler les combats et les intrigues de l'émancipation des serfs et durer plus longtemps encore.

Milutine ne devait pas à ce premier voyage séjourner longtemps à Varsovie. Il se sentait particulièrement mal à l'aise dans la capitale polonaise, où toute la population persistait à porter le deuil et restait manifestement sympathique à l'insurrection, sans que le gouvernement russe eût, comme dans les campagnes, quelque appât à offrir au bas peuple pour le rattacher à la Russie. Nicolas Alexèiévitch ne perdait pas de vue ce qui, à ses yeux, était le principal objet de sa mission, la question rurale. Le peu de confiance que lui inspiraient le comte Berg et l'administration du royaume ne faisait qu'accroître son désir d'en venir promptement au point essentiel, à ces affaires des paysans qui, dans le monde officiel de Varsovie, ne rencontraient que répugnance ou indifférence. Aussi, avant même que le pays fût pacifié, entreprit-il avec ses amis, à travers les campagnes du royaume, une expédition qui n'était pas sans périls, et dont Samarine a laissé le récit en des pages étincelantes qui firent rapidement le tour de la Russie [1]. Les lettres de Milutine nous donnent presque jour par jour les impressions de ces touristes réformateurs dans ce voyage d'exploration à travers la plaine polonaise, où, à l'aide

1. *Poiezdka po nékotorykk méstnostiakh Tsarstva Polskago.*

d'interprètes, les trois fils de Moscou allaient annoncer aux paysans le moderne évangile russe de la propriété pour tous.

« Varsovie, 25 octobre (5 novembre) 1863[1].

« ... Mon frère t'aura déjà probablement informée du succès de nos tournées dans les bourgs et les villages de la Pologne insurgée. Cette course a réussi au de-là de toute attente et sous tous les rapports : temps magnifique et renseignements abondants. A chaque pas se rencontraient des faits attachants et curieux, en sorte que l'intérêt n'a pas faibli un instant. Tout ce qui nous intriguait particulièrement, nous avons plus ou moins réussi à le tirer au clair. En outre, le résultat de nos observations est plutôt agréable, car nous avons trouvé le niveau moral du peuple bien supérieur à ce que l'on croit et à ce que l'on dit à Varsovie. Le fait est que ces infortunés paysans polonais, opprimés ou abandonnés par les *pans*[2] et le clergé, ne connaissaient d'autres représentants de l'autorité russe que des percepteurs d'impôts et des soldats qui venaient faire chez eux des réquisitions.

« Pour la première fois, ces pauvres Mazoures et Krakoviens[3] se trouvaient face à face avec des représentants du souverain venus pour leur parler de leurs besoins, et leur parlant en effet avec bonté et sympathie. Leur confiance s'éveillait très vite, sinon partout, du moins dans la grande

1. Lettre de Milutine à sa femme.
2. *Panami*. *Pan*, on le sait, signifie seigneur et par suite monsieur en polonais. Ce mot est ainsi fréquemment employé par les Russes pour désigner la noblesse polonaise.
3. Mazoures, population de la Mazovie, partie centrale du royaume de Pologne autour de Varsovie. — Krakoviens, habitants de la région de la haute Vistule.

majorité des villages. En beaucoup d'endroits on voyait les visages s'éclaircir de joie ; les femmes pleuraient et embrassaient nos genoux. A mesure que nous avancions dans notre voyage, nous sentions involontairement naître l'espoir qu'avec une centaine de gens honnêtes et intelligents (ce qui, du reste, ne serait pas aisé à trouver ici et ce que nous ne saurions rencontrer parmi les Polonais), il serait possible, en face de toute la Pologne latine et nobiliaire[1], de relever très rapidement ce peuple opprimé qui peut devenir pour nous, au moins dans le temps présent, un réel appui[2]. . . . .

« Il faut se rappeler toutefois que nous avons visité la meilleure partie de la Pologne, la plus voisine de la frontière prussienne, la partie la plus riche et par suite la plus développée. En outre, pour se faire une idée complète de la situation, il faut ajouter que la classe inférieure de la population est la seule qui puisse nous consoler et nous réjouir. Tout le reste : noblesse, clergé, juifs, nous est tellement hostile et est tellement perverti et démoralisé, qu'avec la génération actuelle, il n'est guère possible de faire quelque chose. La crainte est le seul frein d'une société dans laquelle tous les principes moraux ont été renversés, si bien que le mensonge, l'hypocrisie, le pillage, le meurtre, ont été érigés en vertus et en actes d'héroïsme.

« En dehors de la force militaire il n'y a aucune autorité administrative. Pour notre honte, nous n'avons rien su organiser ici. Toute la police, toute l'administration, toute la justice, sont aux mains de la petite noblesse (*szlachta*),

---

1. *Latinskoï i chliakhestkoï Polchi.*
2. Je note ce mot : au moins pour le temps présent (*po krainé-mèrè v nastoïachtchéé vremia*), parce qu'on doit se demander si le gouvernement pouvait espérer un appui constant du peuple et que Milutine était trop clairvoyant pour n'avoir pas quelques doutes à cet égard.

qui nous est hostile. En dehors des chefs-lieux de provinces et de districts, le gouvernement ne possède pas un seul agent, pas un seul représentant digne de confiance. La stupidité (*toupooumié*) avec laquelle nous avons laissé faire tout cela à notre barbe dépasse tout ce qu'on peut croire . . . . »

De pareilles excursions, alors que le pays était encore de tous côtés sillonné de bandes armées, n'étaient pas sans difficultés ni sans épisodes. On ne pouvait voyager sans escorte et appareil militaire, et dans la suite de cette lettre, interrompue un moment par les incidents du voyage, Milutine raconte à sa femme quelques aventures de la route.

« ... Dans la nuit du samedi au dimanche, j'ai pris le chemin de fer de Vienne avec Samarine et Tcherkassky, nous avons laissé les autres à Varsovie. Artémovitch s'est offert de bonne grâce à nous accompagner en qualité de traducteur, et il nous a rendu le plus grand service. A la tête de notre escorte était l'aide de camp Annenkof, jeune homme très déterminé, un gaillard dans toute la force du mot[1]. Grâce à lui, tout a été comme sur du beurre[2]. Nous avons fait une centaine de verstes en chemin de fer, en compagnie du chef militaire de la ligne, baron Rahden, cousin de la baronne Edith[3]. A l'aube, nous sommes montés dans deux calèches découvertes et nous sommes partis au galop, escortés d'un demi-escadron de uhlans et

1. *Molodets v polnom smyslé slova.* Aujourd'hui général Annenkof, récemment vice-président de la grande enquête sur les chemins de fer.
2. *Kak po maslou,* expression proverbiale russe.
3. Demoiselle d'honneur et confidente de la Grande-Duchesse Hélène.

d'une cinquantaine de cosaques de ligne. Toute la journée, de huit heures du matin à six heures du soir, nous avons couru de village en village et de bourgade en bourgade, nous arrêtant partout pour interroger et inspecter, pour effrayer les *woytes* et les bourgmestres[1] et faire connaissance avec le peuple. La première étape pour la nuit a été Lodzy, la plus grande ville du royaume après Varsovie, avec quarante-cinq mille habitants et une quantité de fabriques. Le lendemain, nous avons suivi le même programme, avec cette différence que, vers la nuit, nous avons de nouveau repris le chemin de fer aux environs de Piotrkow.

« Toute la région que nous venons de parcourir est une des plus insurgées. Dans les bourgades fourmille encore la population dont se forment les bandes. Nous avons visité les colonies allemandes, où ces « brigands » (*khichtchniki*), comme les appellent nos cosaques, ont massacré plusieurs cultivateurs . . . .

« Nous avons réussi à nous mettre en rapport avec le peuple, et cela nous a tous rendus de bonne humeur, dispos et pleins d'entrain. Les chefs militaires nous ont reçus à bras ouverts. Quant aux soldats, sans parler des cosaques de ligne, qui nous ont émerveillés par leur courage, leur intelligence et leur adresse, nous avons été frappés de l'inépuisable gaîté et de la hardiesse de toutes les troupes sans exception . . . .

« Lorsque, après cette tournée de deux jours, nous sommes revenus au chemin de fer, la raison m'a obligé de me séparer de mes compagnons. Ces derniers ont continué leur exploration plus loin, du côté de la frontière autrichienne, tandis que moi, faisant un effort de courage pour reprendre le travail de Varsovie, j'ai été contraint

---

1. *Woylof i bourgmistrof*, les représentants des propriétaires.

de revenir ici. Ce jour-là même, on avait brûlé deux
ponts, en sorte qu'il m'a fallu prendre un train improvisé
et me transporter d'une locomotive à une autre, me con-
tentant parfois, au lieu de wagon, d'une simple plate-
forme découverte. J'étais accompagné de chasseurs (*strêlky*)
qui tout le temps n'ont cessé de folâtrer et de chanter le
refrain : « Allons soumettre la Pologne[1] ! » et autres airs
de ce genre, en sorte que le voyage de retour s'est effectué de la manière la plus gaie.

« Quant à mes compagnons de route Samarine, Tcherkassky, Artémovitch et Annenkof, ils ont encore parcouru
quelques villages près d'Alkoust?, et ils rentrent à l'instant
à Varsovie aussi bien disposés que lorsque je les ai quittés.
D'après leurs récits, les paysans de ce côté, quoique beaucoup plus pauvres, sont aussi développés moralement et
manifestent la même entière confiance dans le gouvernement russe. Cela est d'autant plus surprenant que, dans
cette province, ils sont malmenés par le prince W***, qui
fait retomber sur les paysans polonais toute son aversion
de propriétaire pour l'émancipation en Russie. Samarine,
qui est son parent, était justement allé de ce côté pour
mettre un frein aux duretés de cet imbécile, mais il est
revenu sans le moindre espoir de l'avoir corrigé. C'est là
le côté sombre de cette heureuse expédition . . . . . . »

Ces lettres, dont la sincérité éclate à chaque ligne,
montre quelle était, à l'époque même de l'insurrection, la situation du paysan polonais. Rien ne fait
mieux comprendre combien, avec un pareil peuple,
toute tentative de révolte était folle. Quoique, de l'a-

---

1. *Poïdem Polchou pokoriat*, je trouve ailleurs la variante *ous-
miriat*, qui a un sens analogue. — Il s'agit ici d'un chant de circonstance composé par les soldats russes ou à leur usage.

veu de Milutine et de ses amis, le paysan polonais fût
pour le niveau moral bien supérieur à ce qu'on disait
à Pétersbourg et à Varsovie même, son abaissement
séculaire l'avait rendu sourd ou insensible aux idées
de patrie et de nationalité, tandis qu'il prêtait docile-
ment l'oreille aux missionnaires moscovites qui venaient, au nom du tsar, lui annoncer la suppression de
la corvée et la propriété du sol [1].

Ce voyage, en excitant les espérances de Milutine,
de Tcherkassky et de Samarine, leur avait révélé
toute la grandeur et la difficulté de leur tâche. Déjà,
dans sa défiance de l'administration civile du royaume,
Milutine, à peine de retour de cette excursion, ne
voyait rien de possible en dehors du système dicta-
torial et du concours d'agents militaires pris dans l'armée [2]. C'est, en effet, à ces moyens extrèmes qu'il
devait recourir un peu plus tard. Déjà, en voyant le
travail s'allonger sans cesse entre ses mains, obligé
de remettre son retour de semaine en semaine, il
pressentait avec chagrin que leur plan de réformes

---

1. Les insurgés polonais s'en rendaient eux-mêmes bien compte.
Aussi, pour gagner les paysans à leur cause, n'avaient-ils pas hésité
à leur faire des promesses du même genre, de sorte qu'entre le gouvernement et les insurgés il y avait rivalité à recourir à des amorces
analogues.

2. « Tel que le conseil de Varsovie est aujourd'hui composé, il est
impossible de rien entreprendre avec lui. Il est nécessaire d'agir d'une
manière dictatoriale (*diktatorialno*). Il n'y a pas à penser à une autre
façon de procéder.» (Lettre à sa femme du 25 oct. (6 nov.) 1863. Et
un peu plus loin, dans la même lettre, parlant du concours qu'il rencontrait chez les officiers, Milutine ajoutait : « Je ne doute pas
qu'on ne puisse trouver parmi eux des hommes fort utiles pour l'administration locale. »

une fois élaboré, ses amis et lui pourraient, faute
d'instruments capables ou dévoués, être contraints
de se charger eux-mêmes de l'application. En attendant, Nicolas Alexèiévitch, dans sa hâte de quitter
Varsovie, travaillait jour et nuit, surmenant sans
merci son intelligence et ses forces, au risque de
compromettre à jamais une santé à peine remise.

« ... Depuis notre retour à Varsovie, nous avons repris
notre vie sédentaire[1]. Nous ne sommes presque pas sortis du palais[2]; nous restons à notre table de travail et
c'est à peine si, pour nous dégourdir les jambes, nous ar-
pentons de temps en temps les vastes salles ou le petit
jardin du château. Toute la matinée est occupée par les
explications avec les fonctionnaires et la lecture des papiers
d'affaires; mais le principal travail se fait de nuit, d'autant plus qu'ici on dort décidément moins que d'habitude,
si grand est le désir de s'esquiver au plus tôt de cet affreux pays.

« Je voulais écrire aujourd'hui à Dmitri une lettre semi-
officielle sur l'état de nos travaux pour qu'il la présen-
tât à l'Empereur dès le retour de Livadia[3]; mais le compte
rendu détaillé de notre voyage dans le royaume, que nous

1. Lettre de Milutine à sa femme. (Varsovie 27 oct./8 nov. 1863).
2. Milutine et ses amis s'étaient installés au château Bruhl. « Nous
n'avons pu, écrivait-il à sa femme le 16/28 oct., continuer à habiter
l'hôtel de l'Europe; il y a trop de bruit et de va-et-vient comme dans
toute caserne. Aussi nous sommes-nous installés aujourd'hui au palais
Bruhl, où nous occupons tout le premier étage. J'écris cette lettre sur
la table qui servait aux astucieux écrits du marquis Wiélopolski et qui
maintenant est couverte de papiers d'un autre genre. »
3. Le retour de l'empereur à Pétersbourg, au lieu de précéder celui
de Milutine, comme ce dernier le supposait, le suivit de près, en sorte
qu'il put présenter son rapport lui-même.

préparons, n'est pas encore terminé. Aussi je remets cette lettre au prochain courrier. Ce compte rendu doit non-seulement donner une idée de nos travaux, mais en grande partie faire connaître *l'essence* même de la question. Mon désir est de préparer l'opinion de Pétersbourg aux projets que nous apportons; c'est pour cette raison que nous avons décidé de consacrer quelques jours de plus à la rédaction de ce compte rendu [1]. »

Pour le moment, le principal souci des trois amis était, on le voit, de coordonner les observations de leur voyage dans un rapport destiné à l'empereur. G. Samarine, peut-être alors le plus brillant publiciste de l'empire, avait naturellement été chargé de ce compte rendu, qui devait préparer les esprits aux mesures radicales jugées nécessaires par les trois explorateurs. Comme l'indique la lettre précédente, Milutine tenait beaucoup à ce que le travail parvînt au souverain sans passer par l'intermédiaire du comte Berg et de l'administration de Varsovie, ni par celui du ministère de Pologne à Pétersbourg, dont Milutine se défiait également. Dans toute cette affaire, en effet, il devait, autant que possible, s'adresser directement au souverain, soit par lui-même, soit par son frère, le ministre de la guerre, en passant pardessus les diverses chancelleries de l'empire ou du royaume.

---

1. Le 30 octobre (11 nov.), Milutine répétait : « Notre travail bouillonne et bout (*kypit*), quoique je craigne beaucoup qu'il ne soit pas terminé même pour le 15 novembre. Nous achevons en ce moment le récit du voyage. Ce travail supplémentaire aura, j'espère, l'avantage de familiariser avec nos vues. »

Le 3/15 novembre, Nicolas Alexèiévitch envoyait
enfin à Pétersbourg ce mémoire auquel il attachait
tant d'importance. Pour éviter d'en ébruiter le contenu,
il avait poussé la précaution jusqu'à se contenter
« de copistes fort médiocres », au risque, disait-il,
d'être obligé de le faire recopier à Pétersbourg s'il
ne paraissait pas présentable au souverain[1].

Il accompagnait l'expédition du compte rendu à son
frère, chargé de le remettre à l'empereur, de remarques confidentielles qui faisaient prévoir bien des
difficultés et des orages pour l'avenir.

« Varsovie, 3/15 novembre 1863[2].

« ... J'ai tâché de m'expliquer avec le plus de douceur
et de ménagement possible sur les obstacles que nous rencontrons dans notre travail. Mais la vérité vraie, c'est que,
tout en feignant une soumission extérieure, l'administration du royaume, loin d'être disposée à coopérer avec nous
au rétablissement de l'autorité régulière, s'efforce de l'entraver par tous les moyens en son pouvoir. Cela nous impose le devoir de ne pas nous contenter d'élaborer les réformes, mais de trouver le moyen de les exécuter nous-
mêmes. C'est à cela que nous nous cassons la tête pour
le moment. Du reste, cela est pour plus tard.

« Nous avons fini les « considérants » et nous en sommes à présent aux « conclusions ». J'en donnerai connaissance aux comtes Berg et Mouravief quand le moment
sera venu. L'opinion du premier ne m'inspire du reste
guère de confiance. J'espère avoir terminé pour le 15/27

1. Lettre du 3/15 novembre 1863.
2. Lettre au général Dmitri Milutine.

courant. Outre notre impatience personnelle de nous arracher à l'atmosphère malsaine de Varsovie, chaque jour nous convainc davantage qu'il n'y a pas un seul instant à perdre. Il faut que, pour le printemps prochain, il y ait quelque chose de fait; nous n'avons ainsi que trois ou quatre mois devant nous. »

Dans cette même lettre, Nicolas Alexèiévitch signalait avec indignation « comme une des plus cyniques mystifications de l'administration du royaume » le projet du conseil d'État de Varsovie de frapper le pays, comme contribution de guerre, d'une taxe supplémentaire de 4 millions de roubles sur le sel, c'est-à-dire en somme sur le peuple, que Milutine, au contraire, prétendait gagner à la domination russe. « En vérité, s'écriait en terminant Nicolas Alexèiévitch, je ne puis voir sans amertume tout ce qui se fait ici pour compromettre le pouvoir. » A ses yeux, en effet, de pareilles mesures, faites pour mécontenter les masses, étaient plus que des maladresses, c'était presque de la complicité avec l'insurrection.

Durant ce séjour à Varsovie, l'excitation et l'entrain, quelque peu factice des premières semaines, faisaient de plus en plus place à la tristesse. Les lettres de Milutine montrent, avec son impatience toujours croissante, sa fatigue et ses inquiétudes. Aucun appui dans le pays parmi la population polonaise ni dans l'administration russe. Des affaires d'une complication extrême avec des moyens d'étude et des moyens d'action insuffisants. A Varsovie, chez toutes les autorités, un mauvais vouloir mal dissimulé; à Pétersbourg, de

vieilles défiances avec de nouvelles intrigues en perspective. En face de tels embarras, on s'explique sans
peine la mauvaise humeur de Milutine et le ton chagrin de ses lettres. On sent du reste à son amertume
qu'il en voulait presque autant à la Pologne de l'avoir
enlevé à la Russie et aux réformes si longtemps rêvées
que de lui susciter tant de difficultés de toute sorte.
Ce qu'il redoutait toujours par-dessus tout, c'était de
rester attaché aux affaires polonaises. Une des choses
qu'il avait le plus de peine à pardonner au comte
Berg, c'est que, pour le neutraliser ou le subordonner,
le vice-roi avait imaginé de le faire nommer vice-président du conseil de Varsovie, dont il était lui-même
président. Milutine ne voulait entendre parler d'aucune combinaison de ce genre[1]. Malgré cette résistance à se laisser enchaîner aux affaires de Pologne,
plus il voyait d'obstacles se dresser devant lui et plus
Milutine s'attachait à cette tâche antipathique avec la
ténacité d'un caractère que les entraves pouvaient irriter, mais non abattre ou rebuter.

« … Tout va comme par le passé[2]. Nous travaillons
jusqu'à l'épuisement de nos forces, et à ce travail il n'y
a pas encore de fin. Les affaires dont on nous a chargés
sont compliquées, et ici nous ne trouvons aucune aide.

1. Lettre du 3/13 novembre 1863 et du 25 octobre (6 novembre).
Dans cette dernière Milutine disait . « Berg s'obstine à vouloir me
faire nommer vice-président du conseil de Varsovie, il va sans doute
écrire dans ce sens à l'Empereur. J'espère qu'on n'en fera rien avant
de m'entendre, autrement il me faudrait offrir ma démission. »
2. Lettre de Milutine à sa femme. (Varsovie, 6/18 nov. 1863.)

Aussi nous faut-il une grande prudence pour ne point induire le gouvernement en erreur. Chaque jour, nous nous heurtons à de nouveaux points obscurs, et, pour les éclaircir un à un, il faut des conférences, des enquêtes, des renseignements de tout genre, c'est-à-dire qu'il faut du temps. J'espère néanmoins avoir tout terminé au milieu de novembre, mais je ne puis encore fixer le jour de mon retour. » . . . .

« ... Notre vie est si monotone[1], nos occupations toujours d'un même objet sont si peu attrayantes que parfois tout prend une couleur sombre et que des craintes de toute sorte se glissent aisément dans l'âme... Il m'est particulièrement pénible de voir notre travail nous retenir ici plus longtemps que je ne le supposais, mais s'arrêter à mi-chemin est impossible....

« La tâche qu'on nous a imposée (*poviazali*), nous l'accomplissons en conscience; et après cela les intrigues qui peuvent nous attendre à Pétersbourg ne m'épouvantent point. Si mes propositions ne sont pas acceptées, il ne me sera que plus facile d'en finir avec cette... Varsovie. Revenir ici serait pour moi la plus pénible épreuve. Tu ne saurais croire à quel point toutes les classes de la population sont politiquement démoralisées. Partout le mensonge, l'hypocrisie, la lâcheté, la cruauté. S'il n'y a plus ici d'assassinats au coin des rues, c'est que les comités révolutionnaires ont rappelé dans les bois tous leurs spadassins qu'effrayaient les dernières exécutions. Quelle société que celle où l'on ne peut rien faire que par la terreur! Le temps ne me permet pas de m'expliquer davantage...

« Du reste, pas d'événements dans notre vie personnelle;

---

1. Lettre à la même (Varsovie, 16/28 nov. 1863).

elle est tout entière absorbée par l'activité intellectuelle,
et celle-ci est difficile à décrire dans une lettre. Puis
peut-être nous reverrons-nous bientôt et nous pourrons
nous en entretenir à satiété. Ces derniers jours, nous
avons eu cependant une petite distraction : nous avons
ouvert une école russe à laquelle se sont déjà fait inscrire
plus de cent enfants. N'est-il pas étrange que, durant une
domination de quarante-huit ans, pas une autorité russe
n'ait eu pareille idée? Envoie-moi des livres d'enfants et
des livres d'enseignement . . . .

« ... Chaque jour le séjour ici me devient plus répu-
gnant (*tochnéié*)[1]. Il faut une grande force de volonté
pour terminer tranquillement l'œuvre commencée.

« Nos travaux marchent; nous n'épargnons rien pour
apporter quelque chose de complet et d'achevé. Nous voyons
déjà poindre devant nous la fin de ce pénible voyage, qui
restera pour toujours dans mon imagination comme une
sorte de cauchemar de malade. Mais peut-être qu'à la dernière minute il se présentera encore quelques points obscurs
inattendus qui, pour être éclaircis, exigeront encore un
nouveau retard. Ici il faut tout éclaircir par soi-même
« avec sa propre intelligence, » comme dit l'un des personnages de Gogol. Personne pour nous tirer de nos perplexités et dissiper nos doutes. Voilà pourquoi je n'ose
encore fixer l'époque de mon retour, quoique j'aie le désir
ardent et l'espérance de partir d'ici la semaine prochaine. »

A la fin de novembre, après deux mois de séjour en
Pologne, Nicolas Alexèiévitch pouvait enfin s'arracher
à ce qu'il appelait un *travail de forçat*[2]. Sa joie de

---

1. Lettre à sa femme du 13/25 nov. 1863.)
2. Lettre du 17/29 novembre.

revenir n'était guère assombrie que par la perspective de nouvelles luttes à Saint-Pétersbourg et peut-être d'une nouvelle mission aux bords de la Vistule. Il rentrait à Pétersbourg le 26 novembre (8 décembre) 1863, après s'être arrêté quelques heures à Vilna pour conférer avec le général Mouravief des projets encore inconnus qu'il rapportait de Varsovie.

CHAPITRE IX

Retour des trois amis à Saint-Pétersbourg (déc. 1863). Secret dont ils entourent leurs projets. — Audience et approbation de l'empereur. — Formation du haut comité pour les affaires polonaises. Tcherkassky et Samarine y entrent avec Milutine. — Opposition du prince Gortchakof et de la plupart des ministres aux projets du triumvirat. — Triomphe de ce dernier grâce à l'appui du souverain.

De nouvelles difficultés attendaient Milutine et ses amis dès leur arrivée dans la capitale de l'empire. Ils y rentraient avec un plan de réformes et tout un programme défini qu'il fallait faire accepter à Pétersbourg et faire exécuter à Varsovie, deux choses presque également malaisées. Ayant rejeté derrière lui tous les doutes et recouvré sa résolution habituelle, Nicolas Alexèiévitch était convaincu qu'au milieu de l'épais fourré des affaires polonaises, où il craignait de se perdre, il venait avec ses compagnons de découvrir la seule voie de salut, et cette voie il était décidé à l'indiquer à son maître et à la Russie.

Contrairement aux premières prévisions de Milutine, l'empereur n'était pas encore revenu de Livadia, où, sur la *corniche* de Crimée et les pittoresques rivages abrités par la verte muraille des monts de Yaïla, il cherchait chaque année à prolonger les beaux jours d'automne. L'hiver, le long hiver russe, qui est la sai-

son de Pétersbourg comme de Paris, était commencé
depuis quelques semaines. Toute la société était rentrée
dans la capitale qu'elle déserte en été. Le retour de
Milutine, de Tcherkassky, de Samarine était la
grande nouvelle de la ville. Ce triumvirat excitait partout une naturelle curiosité. Qu'avait-il fait en Pologne? pourquoi en était-il revenu? quelles combinaisons en rapportait-il? Les questions se pressaient
sur toutes les bouches; les trois amis étaient entou-
rés, interrogés, invités partout ensemble ou séparé-
ment; chacun voulait les voir, les entendre.

Cet empressement n'était pas toujours inspiré par
la sympathie. Une notable fraction de la haute société et du monde officiel restait ouvertement hostile
à Milutine et à ses amis et ne cachait pas sa réproba-
tion pour les projets qu'on leur supposait. En souvenir des procédés du gouvernement autrichien envers
les Polonais de Galicie, en 1846, une mauvaise langue avait baptisé leur rapide voyage du nom « d'expédition scientifique, » ayant pour but secret de soulever les paysans contre les propriétaires. Le mot, attribué au prince Souvarof, avait fait fortune. Les
commentaires sur la mission de Milutine étaient
d'autant plus libres et malveillants qu'en l'absence
du souverain les trois voyageurs se croyaient tenus
à être discrets. Les politiques, comme le monde
désœuvré de Pétersbourg, ne pouvaient savoir bon
gré au trio moscovite de réticences qui déjouaient la
curiosité des chancelleries et des salons.

Si Milutine et ses amis ne voulaient pas ébruiter

d'avance leurs projets, ce n'était pas uniquement par
déférence pour l'empereur, c'était surtout, qu'instruits par le souvenir des tracas de l'émancipation,
ils craignaient, en faisant connaître d'avance leur
programme, de le livrer en pâture à la critique, au
mauvais vouloir et à la cabale. A leurs yeux, le meilleur moyen de dérouter les intrigues de Pétersbourg
et de Varsovie, c'était de garder le secret sur leurs
projets, pour ne les révéler qu'à l'empereur, dont
ils espéraient obtenir rapidement l'approbation.

Une pareille tactique ne pouvait être du goût ni des
hauts fonctionnaires, ni des amis de Milutine, qui,
les uns par leur position, les autres par leur amitié,
s'imaginaient avoir des titres à tout savoir. Aussi
cette consigne de silence, observée envers tous, mé-
contenta-t-elle quelques hauts personnages, tels que
le prince Dolgorouky, chef de la police politique,
qui, par métier, croyait avoir droit à pénétrer tous
les secrets. Grâce en partie à lui, ce fut même entre
Milutine et la grande-duchesse Hélène l'occasion d'un
refroidissement passager. La grande-duchesse, après
avoir invité tour à tour Milutine, Tcherkassky, et Samarine, après les avoir pour ainsi dire confessés chacun
à part et tous ensemble, s'étonnait de n'obtenir
d'eux que de brillantes impressions de voyage et
de lugubres peintures de la situation du royaume sans
aucun éclaircissement sur leurs projets futurs. Elle finit même par s'en montrer piquée, par dire un
jour à Milutine « qu'autour d'elle on ne voulait pas
croire qu'elle fût aussi ignorante que les autres, et

qu'elle pût lui inspirer une telle défiance ». Heureusement pour Nicolas Alexèièvitch et ses amis, le retour de l'empereur vint au bout de quelques jours mettre fin à cette fausse situation.

L'événement montra que la prudence de Milutine n'avait pas été une précaution inutile. Il trouva tout avantage à traiter directement l'affaire avec le souverain, qui n'avait pas eu le temps d'être prévenu. L'empereur, après un long entretien, donna son entière approbation aux plans de l'homme qu'il avait de sa propre initiative envoyé en Pologne ; mais, selon l'usage de son règne, il décida de remettre l'examen des propositions de ses commissaires à un comité spécial, formé pour la plus grande partie des chefs des divers ministères. Voici comment, dans une lettre confidentielle envoyée comme d'habitude en dehors de la poste, Milutine rendait compte de l'audience impériale au prince Tcherkassky, qui, avec Samarine, venait de repartir pour Moscou.

St-Pétersbourg, 25 déc. 1863.

« Je m'empresse de vous informer, mon cher prince, que jusqu'à présent le succès a dépassé mon attente. Les travaux ont été accueillis avec bienveillance, cordialité même. Mon rapport s'est prolongé deux heures. Dès le début on s'est informé de vous deux de la manière la plus flatteuse. On a appris avec regret que Iouri Fedorovitch (Samarine) était souffrant et songeait à un voyage à l'étranger. Je suis chargé de vous transmettre à tous deux le désir de vous voir aussitôt après les fêtes[1]. Ensuite ont commencé

---

1. Les fêtes de Noël et de la nouvelle année.

les lectures avec des explications verbales. Outre le rappor
j'ai lu quelques passages du mémoire explicatif. Le reste
du temps s'est passé en récits de ma part. On a exprimé
le désir de lire le tout à loisir, de sorte que tous les documents sont restés dans le cabinet impérial (d'où ils ne
seront pas transmis au ministère de Pologne [1]). Sur les
points principaux, il n'y a pas eu la plus petite divergence
ni le moindre doute. A la fin nous sommes passés à la
question de l'ordre d'*examen*. Les questions de personnes
ont été envisagées franchement de la manière la plus amicale. Il a été décidé de constituer un comité spécial sous
la présidence du prince P. Gagarine, comité composé du
prince Dolgorouky, de Tchevkine, Zélénoï, Valouief, Reutern, Platonof, et en outre Artsémovitch, vous et moi;
secrétaire Joukovski. L'ordre en a déjà été communiqué
aujourd'hui au prince Gagarine et à moi. Pour Artsémovitch, j'ai cru utile d'insister, parce que le laisser de côté
eût été le jeter décidément dans le camp opposé.... Le
prince Gortchakof sera invité (probablement ces jours-ci)
à la séance spéciale où sera lu le rapport; mais l'examen
de l'affaire ne commencera que plus tard dans le comité.

« Tout cela vous montre que vous ne pouvez pas
vous attarder à Moscou.

« Pour l'amour de Dieu arrivez vite. Vous avez déjà
tant fait que vous ne m'abandonnerez pas à un moment
aussi important. Il y aura beaucoup d'opposition et votre
concours est indispensable pour ne pas laisser mutiler
notre œuvre. Il m'a été extrêmement pénible de renoncer
à la coopération de Iouri Fédorovitch, d'autant plus qu'il
s'offrait là pour lui une position convenable [2]. Sa nomination

---

1. Milutine et ses amis n'avaient aucune confiance dans le chef de
ce ministère, M. Platonof, qui avait épousé une Polonaise.
2. Indépendamment du *tchine* de Samarine.

comme membre du comité a été écartée, vu son prochain
voyage à l'étranger, mais si ses plans pouvaient être mo-
difiés, il serait encore possible de demander pour lui une
nomination supplémentaire [1].

« Ecrivez-moi un mot : quand arrivez-vous ? Vous n'allez
pas abandonner une œuvre si bien commencée ? Je vous
attends avec impatience : merci de votre concours, bien
des fois merci ! »

Le nouveau comité était, comme on le voit, presque uniquement composé des ministres. Or, parmi
ces derniers, plusieurs ne cachaient pas leur antipathie pour les propositions « révolutionnaires » de Milutine ; quelques-uns d'entre eux passaient, du reste,
pour ses adversaires personnels. Aussi Nicolas Alexèiévitch devait-il bientôt être obligé de rabattre de son
optimisme. Dans ce comité des affaires de Pologne
allaient recommencer les anciennes luttes des *commissions de rédaction* pour l'affranchissement des
serfs. Heureusement pour lui, Milutine finit par y
avoir pour auxiliaires ses deux amis et compagnons
de voyage. Ce n'était pas sans peine qu'il avait obtenu
leur entrée dans le nouveau comité. Il avait eu pour
cela un double obstacle à vaincre, les résistances
bureaucratiques d'abord, les dispositions de ses amis
ensuite. Samarine, fatigué et un instant souffrant,
avait annoncé l'intention d'aller rétablir sa santé
à l'étranger, et le prince Tcherkassky refusait d'entrer
au comité sans Samarine. La lettre suivante de Milu-

1. C'est ce que l'on fit en effet.

tine à ses deux amis montre de quelle manière, grâce
à l'appui de l'empereur, il triompha de ces premières
difficultés et quelles étaient, au sujet de la Pologne,
les dispositions des principaux membres du gouvernement.

St-Pétersbourg, 2/14 janvier 1864.

« Je vous écris à la hâte, cher prince et cher Iouri
Fedorovitch, quoique je ne sache pas quand vous parviendra
cette lettre[1]. Vous m'avez tour à tour alarmé et réjoui. Je
vois que dans mes arrangements il y a eu un malentendu ;
d'un autre côté, j'ai une joie sincère de savoir que le
voyage à l'étranger (de Samarine) peut être retardé et, par
suite, que vous ne m'abandonnerez ni l'un ni l'autre jusqu'à
la dernière minute. Je viens à l'instant de voir l'Empereur
auquel j'ai simplement exposé toute l'affaire. Il a, comme
je m'y attendais, accueilli cette explication avec bienveillance. Comme l'Empereur avait déjà exprimé son regret
que la santé de Iouri Fédorovitch l'empêchât de prendre part
au comité, il ne m'a pas été difficile d'arranger la chose.
J'écris à l'instant à Platonof[1] que l'Empereur nomme Iouri
Fédorovitch[2] membre du comité, et je ne puis vous dire avec
quelle joie je remplis cette mission.

« Je craignais que, grâce à une hâte inévitable, des cor-
rections partielles ne vinssent altérer l'économie générale
de notre travail et réjouir l'opposition. Maintenant, avec
votre collaboration à tous deux, cette crainte a considérablement diminué. En vue des objections et des difficultés
qu'on soulève déjà, chacun de nous devra se charger d'une
partie du travail. Ne vous attardez pas à Moscou. Je vous

---

1. Faute d'une occasion sûre en dehors de la poste.
2. Ministre des affaires de Pologne.

attends avec une extrême impatience, et j'espère que maintenant rien ne vous empêchera d'achever l'œuvre commencée.

« Samedi dernier, l'Empereur a réuni quelques personnages et leur a exprimé clairement son approbation du programme général exposé dans notre rapport. L'opposition en a été glacée (*zamerla*). Le prince Gortchakof a seul fait des réserves. Il vous donnera particulièrement à travailler, pour dissiper certains doutes. Le prince Gagarine nous soutient de la façon la plus énergique, Tchevkine également. Il y avait aussi le comte Panine qui est entré dans le comité à la place du prince Dolgorouky, lequel s'est récusé pour des raisons aisées à comprendre. — Le comte V. Panine, en dépit d'une légère teinte d'opposition, a été extrêmement gracieux et aimable. En un mot, tout s'est passé aussi bien que possible. Valouief même souriait agréablement tout en gardant un majestueux et obstiné silence. Toute cette amabilité, vous le comprenez, ne m'aveugle pas. Au fond on sent les signes de l'orage qui approche. Aussi votre coopération est-elle tout à fait indispensable.

« Ma nomination comme secrétaire d'État est peut-être déjà parvenue jusqu'à vous. Les ennemis se félicitent[1]; moi aussi. Par conséquent tout est pour le mieux. Les détails à notre réunion, j'espère qu'elle ne tardera pas, etc... »

Samarine et Tcherkassky ne manquèrent pas de se rendre tous deux à l'appel de leur ami. A l'inverse de

---

1. Le titre de secrétaire d'État est en Russie purement honorifique, il se donne le plus souvent aux hauts fonctionnaires qu'on ne veut pas appeler à un ministère. Aussi Milutine parle-t-il avec ironie de cette nomination qui lui enlevait pour plusieurs années l'espoir de revenir aux affaires.

Milutine, vrai bureaucrate de profession, Tcherkassky et Samarine, qui l'un et l'autre n'avaient jamais
passé que fort peu de temps au service[1], semblaient
des intrus dans une assemblée de fonctionnaires,
décorés des plus hauts grades du *tableau des
rangs*. Dans le monde du tchinovnisme et dans les
bureaux des ministères, on s'étonnait, on se scandalisait à l'occasion de la présence de ces deux ama-
teurs, « de ces deux *dilettanti* de la politique » dans
un pareil conseil. Leur entrée aux affaires par cette
porte dérobée excitait naturellement les susceptibili-
tés et les jalousies de leurs collègues, les ministres
qui, dans ces hommes éloquents et entreprenants,
demeurés aux degrés inférieurs du *tableau des rangs*,
entrevoyaient de redoutables concurrents pour l'avenir.
Par un phénomène tout à fait nouveau en Russie, on
soupçonnait en Milutine et en ses amis des chefs de
partis, on sentait qu'il y avait en eux l'étoffe
d'un nouveau gouvernement, d'une nouvelle combinaison politique appuyée par une notable fraction de
l'opinion. Cette considération n'était pas faite pour
valoir aux trois amis les sympathies du monde officiel.

Les mois de janvier et de février 1864 furent employés dans le comité à l'examen et à la discussion
des projets rapportés de Varsovie par le triumvirat.
Cela ne se passa pas sans lutte. Si l'empereur se
montrait ouvertement favorable aux projets de ses

---

1. Tcherkassky n'avait même jamais occupé que des fonctions électives.

commissaires, la majorité des ministres y était plus ou moins hostile; et, par modération naturelle, par antipathie pour les procédés brusques et d'allures violentes, peut-être aussi par désir de ménager les opinions qui se faisaient jour autour de lui, l'empereur laissait au comité le soin d'approuver ou de modifier les réformes à introduire dans le royaume.

Le programme des trois amis, accueilli avec enthousiasme par la presse nationale de Moscou, (elle en devinait l'esprit avant d'en connaître le texte), rencontrait une vive opposition tant à la cour que dans la société pétersbourgeoise. On attaquait à la fois et les tendances des trois amis et les mesures recommandées par eux. Milutine avait contre lui ce qu'il appelait, non sans quelque dédain, le libéralisme de salon, ou le libéralisme de collège, et en outre les penchants aristocratiques naturellement favorables à la noblesse polonaise et opposés à toute loi agraire. Par un de ces revirements si fréquents en Russie, la Pologne, qui, six mois plus tôt, ne trouvait de défenseurs « que parmi les nihilistes déterminés[1], » recommençait à exciter, en janvier et février 1864, la commisération, si ce n'est la sympathie d'une partie de la société. Les rigueurs de Mouravief en Lithuanie avaient soulevé des scrupules; le nom du gouverneur général de Vilna, célébré à Moscou comme un héros national, était souvent honni dans les salons de Pétersbourg. L'insurrection une fois étouffée ou sur le point de l'être,

1. Lettre du général Milutine (9 mai 1863).

beaucoup de Russes s'étaient remis à parler d'apaisement et de douceur envers les vaincus.

Plusieurs engageaient à gagner les Polonais par la
générosité, par des concessions qui, venant après la
défaite de la rébellion, n'eussent pu être un signe de
faiblesse. Toute concession impliquait un retour
plus ou moins complet au régime de l'autonomie polonaise. Or, selon Milutine, Tcherkassky et Samarine,
en cela d'accord avec M. Katkof et la *Gazette de
Moscou*, toute politique de ce genre n'eût été pour
la Russie qu'une duperie ; en s'y ralliant, le gouvernement du tsar n'eût fait que préparer pour l'avenir
une nouvelle insurrection et rendre inévitables de
nouvelles rigueurs.

Aux yeux des trois amis, l'état social même du
royaume de Pologne, tout entier aux mains d'une
turbulente *szlachta*, n'offrait aucune base pour un
gouvernement autonome et constitutionnel. A en
croire ces récents explorateurs des campagnes de Mazovie, l'opinion européenne se faisait une Pologne
chimérique, toute de convention, qui n'avait rien de
commun avec la Pologne véritable, où il n'existait
ni bourgeoisie, ni peuple digne de ce nom. « Aux
bords de la Vistule, le libéralisme, disaient-ils, ne
pouvait de longtemps fomenter que des embarras sans
issues et de sanglantes révolutions. L'expérience
était faite ; ce qu'il fallait à la Pologne, ce n'était pas
des droits politiques, dont elle était incapable d'user,
c'était une rénovation économique qui en changeât la
face et en régénérât le peuple. Après tant de tâtonne-

ments et de déboires, le gouvernement du tsar se devait à lui-même de tenter hardiment une transformation radicale du pays, un changement organique de toutes les institutions, et, pour cette transformation, réclamée par le double intérêt de l'État russe et du peuple de Pologne, il fallait nécessairement renoncer à toute autonomie. »

Ces vues étaient loin d'être unanimement acceptées de tous les conseillers du tsar. A la tête des opposants se rencontrait le prince Gortchakof, auquel son habileté diplomatique durant cette difficile période avait valu une grande popularité. Cette apparente inconséquence, de la part d'un des hommes qui avaient contribué à envoyer Milutine en Pologne, s'explique sans peine. Le chancelier, en ministre des affaires étrangères, se préoccupait naturellement de l'opinion du dehors et des cours européennes; il rappelait que l'autonomie de la Pologne avait la sanction d'un pacte international, que la Russie s'était solennellement engagée à donner au royaume du congrès des institutions particulières. A cet argument tiré du droit public de l'Europe, le triumvirat moscovite opposait que, par leur révolte, les Polonais avaient de leurs propres mains déchiré les traités de Vienne; que la Russie n'était pas tenue à observer plus strictement les engagements de 1815 que l'Autriche et la Prusse, qui, depuis longtemps, n'en tenaient plus compte. Le chancelier et les adversaires de Milutine, de Tcherkassky et de Samarine répondaient à leur tour qu'en mettant la Pologne au régime des lois agraires, on s'exposait,

au lieu de pacifier le pays et de désarmer l'hostilité
de l'Occident, à soulever de nouvelles et dangereuses
complications. A cela les trois amis répliquaient que
la Russie pouvait faire dans le royaume ce qu'elle venait de faire dans l'empire, ajoutant qu'avec de la vigueur et de la décision elle déconcerterait tous les ennemis du dehors. Ils représentaient enfin qu'en se faisant
en Pologne le protecteur des paysans, le gouvernement
russe isolerait l'aristocratie et ramènerait à sa cause
la grande majorité du peuple.

Après de longues et amères discussions, les trois
amis l'emportèrent, bien qu'au fond la majorité du
comité leur demeurât plutôt hostile. Comme dans la
commission de rédaction, ils durent leur triomphe
moins peut-être à leur ténacité et à leur éloquence,
moins même à la volonté de l'empereur qu'à l'appui
de la presse de Moscou et de l'opinion publique, qui,
en dehors de la société pétersbourgeoise, se pronon-
çait bruyamment pour leur système. Les lois agraires
furent approuvées, et dans les rues de Varsovie et les
campagnes du royaume, l'oukaze concédant des terres
aux paysans polonais fut bientôt lu avec solennité
par des hérauts spéciaux « au nom du tsar de Pologne.»

CHAPITRE X

Comment Milutine et ses amis préparent l'application des oukazes de 1864. — Retraite de Samarine « qui se réserve pour les provinces baltiques. » Milutine et Tcherkassky se partagent la besogne, le premier à Pétersbourg, le second à Varsovie. Tcherkassky prend la direction des affaires intérieures de Pologne. Milutine vient l'y installer. — Recrutement des « commissions » rurales. — Milutine forme lui-même ses commissaires ; il leur fait une sorte de cours sur la question des paysans.

Une fois formulés en oukazes, les projets du triumvirat Milutine, Tcherkassky, Samarine devaient être mis à exécution ; avec la sourde hostilité de la haute administration à Pétersbourg et à Varsovie, ce n'était pas là le plus aisé. En Russie plus que partout ailleurs, ce n'est pas tout de légiférer : N. Milutine le savait mieux que personne, lui qui n'avait pu se consoler de n'avoir point présidé à l'application de la charte d'affranchissement du 19 février. Dans le royaume de Pologne, où les classes cultivées étaient unanimement opposées aux nouveaux oukazes, les difficultés morales et matérielles de l'exécution étaient plus grandes encore. Les obstacles semblaient tels qu'à Pétersbourg, comme à Varsovie, plusieurs des adversaires de Milutine se flattaient de voir les mesures édictées sur ses conseils rester lettre morte.

En face de l'opposition à peine déguisée d'une

grande partie du monde officiel, tant dans le royaume
que dans l'empire, Milutine sentait que confier l'application de son programme à des mains étrangères,
l'abandonner au vice-roi de Varsovie ou au ministère
de Pologne de Pétersbourg, c'était non seulement en
compromettre le succès, mais le rendre impossible.
Aussi, malgré toutes ses répugnances à retourner en
Pologne, Milutine, une fois jeté malgré lui sur cette
route, n'hésita-t-il point à marcher jusqu'au bout. De
ses deux associés, le prince Tcherkassky et Samarine,
un seul, le premier, devait le suivre dans cette nouvelle mission et y rester jusqu'à la fin cloué avec lui.

Ce n'était pas sans peine, nous l'avons vu, que
G. Samarine s'était décidé à accompagner Milutine
dans l'exploration des campagnes de Pologne, et un
peu plus tard, à s'asseoir à côté de lui dans le haut
comité, chargé de l'examen des affaires polonaises. Sa
santé n'était pas le seul motif de son éloignement
pour le service et l'administration ; son caractère, son
genre d'esprit, ses idées, ses principes, ses occupations favorites, tout l'écartait également des fonctions
publiques. Dans un pays où, grâce au *tchine* et à la
tradition bureaucratique, les hommes les plus distingués par la naissance ou le talent n'avaient d'ordinaire d'autre souci que de faire une brillante carrière,
G. Samarine, mettant à profit l'indépendance que lui
donnait sa fortune, préférait à toutes les fonctions
et à tous les titres officiels sa liberté d'écrivain. Sous
ce rapport, le méditatif slavophile, le fervent orthodoxe, à ses heures presque mystiques, semblait, comme

quelques-uns de ses amis de Moscou, moins appartenir
à la Russie du milieu du siècle, où le tchinovnisme
régnait en maître, qu'à l'un des libres pays de l'Occident, où les études désintéressées sont le plus en
honneur.

Samarine n'avait assisté qu'aux deux ou trois premières séances du comité des affaires polonaises. Dans
cet auditoire d'élite, comme naguère dans la *commission de rédaction* pour l'affranchissement des serfs,
il avait eu les plus brillants succès oratoires ; mais ces
succès, qu'il devait un peu plus tard retrouver dans
la *douma* ou le *zemstvo*[1] de Moscou, ne purent
changer ni ses inclinations ni ses projets. Les articles
qui lui tenaient le plus à cœur une fois votés, il était
parti pour Prague, la vieille cité slave des bords de la
Moldau, où il s'occupait de la publication des œuvres
de son ami, le poète slavophile Khomiakof.

A cette époque, au commencement de l'année 1864,
une demoiselle d'honneur de l'impératrice, Mlle de S.,
originaire de Livonie, ayant demandé à Samarine
pourquoi il ne retournait pas en Pologne avec Milutine et Tcherkassky : « Mademoiselle, répondit le
caustique Samarine, je me réserve pour les provinces baltiques. » Cette boutade, bientôt colportée
de bouche en bouche dans le monde allemand-
russe, parmi les nombreux hauts fonctionnaires
sortis de Livonie et de Courlande, n'était pas sur les
lèvres de l'écrivain moscovite une vaine et platonique

---

1. Le conseil municipal et l'assemblée provinciale.

menace. Samarine aurait voulu mettre les trois provinces baltiques au même régime que le royaume de
Pologne et la Lithuanie. Non content d'y effacer tous
les vestiges de la Hanse et des Porte-Glaive, il eût
voulu y faire une révolution agraire aux dépens de la
noblesse germanique, au profit des paysans esthoniens
et lettons, émancipés sous Alexandre Ier, mais émancipés sans terre. Dans ce double vœu, Samarine du
reste n'était que l'organe d'un nombreux parti, encore
à l'œuvre aujourd'hui. Ce qui distinguait l'écrivain
slavophile, c'est que cette question des provinces
baltiques était depuis longtemps une de ses préoccupations favorites. C'était en rompant des lances contre
la noblesse de Livonie qu'il s'était fait d'abord connaître en Russie. Entré dans sa jeunesse au service,
comme presque tous les hommes de sa génération,
Samarine avait été attaché à une commission, chargée
de réviser l'organisation municipale de Riga. A cette
occasion, le jeune *secrétaire de collège* avait esquissé
pour ces provinces russes, alors plus allemandes et
plus féodales par les mœurs et les institutions qu'aucune partie de l'Allemagne, tout un vaste plan de
réformes. Sans grand souci de la discipline bureaucratique, il avait initié le public à ses projets dans
des lettres dont la véhémence avait soulevé contre lui
non-seulement les colères de la noblesse baltique,
mais l'irritation de ses chefs, étonnés de cette outre-
cuidance d'un employé de la neuvième ou dixième
classe. Samarine avait payé son audace de quelques
jours de prison; depuis lors, il avait abandonné le

service pour continuer un jour avec d'autres armes
la guerre qu'il avait déclarée à l'esprit allemand
dans les trois provinces conquises par Pierre le
Grand.

Pendant que ses deux amis étaient occupés à transformer la Pologne, Samarine, fidèle à ses premières impressions, allait écrire en silence, sur les provinces baltiques, son célèbre ouvrage des *Frontières (Okraïni)*,
qui, applaudi passionnément à Moscou, devait soulever de bruyantes colères dans les trois provinces,
et faire surgir, de la part des barons livoniens et
des docteurs allemands, toute une bibliothèque de
répliques et de réfutations. Samarine eut beau retarder
la publication de son célèbre pamphlet jusqu'à l'achèvement de l'œuvre entreprise en Pologne par Milutine
et Tcherkassky, ses sentiments bien connus pour les
provinces baltiques n'étaient pas faits pour faciliter
la tâche de ses amis. On se montrait à Moscou trop
disposé à regarder ce qui se passait, sur les bords de
la Vistule, comme le prélude de ce qui devait bientôt
s'effectuer sur la basse Duna, pour que les Allemands
russes de Riga, de Mittau, de Revel et leurs alliés de
Pétersbourg n'en prissent point ombrage et ne se tins-
sent pas sur leurs gardes. Les revendications de la presse
nationale, en excitant les défiances de la *Ritterschaft*
baltique, avaient pour conséquence de créer une
secrète et involontaire solidarité entre les Livoniens
et les Polonais, de donner à la noblesse désarmée de
Pologne l'appui latent de la noblesse allemande si puissante dans l'administration et à la cour par ses positions

officielles, par ses alliances de famille, par son esprit
de corps et son habile fidélité au trône. Dans l'occulte
et persévérante résistance, apportée à Varsovie par le
comte Berg aux projets de Milutine et de Tcherkassky,
de même que dans les brillants pamphlets, publiés par
le baron Firks (Schedo-Ferroti), peut-être y avait-il, à
l'insu même du vice-roi comme du publiciste, une
secrète inspiration du patriotisme baltique, fort peu
soucieux d'ordinaire des droits et des intérêts de la
Pologne, mais plus ou moins alarmé d'une politique
d'assimilation qu'il craignait de voir se retourner
contre les trois provinces.

Le prince V. Tcherkassky était un homme de tout
autres goût et de tout autre tempérament que son
ami et contemporain G. Samarine. A l'inverse de ce
dernier, c'était bien moins un spéculatif ou un penseur qu'un homme d'action. Esprit à tendances pratiques, positives, réalistes, si l'on veut, Tcherkassky
était dégagé de tout mysticisme, de tout romantisme
politique ou religieux ; à cet égard, il était fort différent de la plupart des coryphées des cercles slavo-
philes de Moscou, parmi lesquels il comptait ses
meilleurs amis. Par son énergie, par la décision de
son intelligence, de sa volonté, de sa parole et aussi
peut-être par son tempérament autoritaire, par son
dédain des obstacles et sa confiance dans ses forces,
le prince Vladimir Alexandrovitch était fait pour des
fonctions exigeant plutôt de la vigueur et de la persévérance que de la modération et de la finesse. Fier
et entier dans ses opinions, peu propre à un emploi

subalterne, Tcherkassky, à l'inverse de la plupart de
ses contemporains, n'était pas, en sortant de l'université, entré au service de l'État. Il avait vécu sur ses
terres des gouvernements de Toula et de Tver ou dans
sa maison de Moscou, critiquant dans les salons les
errements du gouvernement de Nicolas, en attendant
qu'un nouveau règne ou un changement de régime
vînt lui ouvrir l'accès d'une vie plus active. Les luttes
de l'émancipation l'avaient mis en vue, la Pologne
lui offrait l'occasion d'occuper un poste important à
la fois conforme à ses idées et à son caractère ; le
prince Vladimir devait saisir volontiers cette occasion
de jouer, à côté de son ami Milutine, un rôle dans
les grandes affaires, sans avoir eu à passer comme
d'habitude par la fastidieuse filière bureaucratique.

Milutine et lui se partagèrent la besogne. Pour appliquer les lois nouvelles, il fallait d'abord avoir le
champ libre, contre-carrer, à Varsovie et à Pétersbourg à la fois, les menées des adversaires, qui comptaient bien réparer peu à peu dans les détails de l'exécution leur défaite du comité. Milutine, qui avait une
particulière aversion pour le séjour de Varsovie, qui,
de plus, était personnellement connu du souverain,
Milutine, sauf de trop fréquents voyages en Pologne,
resta au centre des affaires et des intrigues, à Pétersbourg, tandis que Tcherkassky, pour l'intelligence
comme pour la communauté des vues, son *alter ego*,
s'établissait au cœur de l'ennemi, à Varsovie, à côté
du vice-roi et de l'adversaire secret, le comte Berg.

En quittant la capitale de l'empire pour celle du

royaume, Tcherkassky débarrassait les hommes d'État
pétersbourgeois du voisinage d'un concurrent éventuel
dont la présence ne laissait pas que de leur être im-
portune. Peut-être cette considération facilita-t-elle
la nomination du prince en Pologne. Quoiqu'il eût à
peine un grade civil, n'ayant jamais occupé que des
fonctions électives, Tcherkassky, soudainement promu
au rang de *conseiller privé*, fut nommé (à titre provisoire) ministre ou directeur des affaires intérieures
du royaume. Malgré sa répugnance à retourner en
Pologne, Nicolas Milutine accompagna d'abord Tcherkassky à Varsovie pour y installer avec lui la nouvelle
administration et commencer l'application des oukazes
qui octroyaient aux paysans une partie des terres de
la noblesse.

C'est au commencement du printemps, en mars
1864, que les deux amis revinrent à Varsovie mettre
à exécution les statuts qu'ils avaient non sans peine
fait adopter à Pétersbourg. Ils arrivaient comme représentants de l'empereur, avec une mission qui paraissait exiger de pleins pouvoirs, et ils allaient se
heurter chaque jour et partout, moins aux résistances
polonaises devenues impuissantes qu'à la sourde opposition des autorités russes, civiles ou militaires, du
royaume. Rien de plus faux et ambigu, au lendemain même de leur triomphe à Pétersbourg, que la
position des deux amis qui semblaient rentrer à Varsovie en vainqueurs. Tcherkassky, se trouvait directement le subordonné du vice-roi, le comte Berg, qui
devait employer tous ses efforts à paralyser son mi-

nistre. Quant au secrétaire d'État, N. Milutine, il revenait en Pologne sans pouvoirs déterminés, à peu près comme la première fois, lorsqu'il n'avait qu'à étudier la situation ; il revenait avec un état-major dévoué, ayant pour instruction de tout changer, de tout renouveler, conformément à son programme, et il allait rencontrer partout devant lui, dans les administrations appelées à le seconder, des fonctionnaires pour la plupart hostiles ou malveillants. En dehors de l'administration russe de Varsovie, il y avait encore à Pétersbourg un ministère de Pologne, et ce ministère qui, après l'application des nouveaux oukazes, devait finir par être confié à Milutine, était alors aux mains d'un homme notoirement connu comme peu sympathique à l'œuvre de Milutine et de Tcherkassky.

Il est inutile de faire ressortir la complication de cette machine administrative dont les différents rouages, destinés à se contrôler mutuellement, ne faisaient guère que s'embarrasser et s'arrêter les uns les autres, si bien que toute l'administration russopolonaise eût pu se résumer dans les trois mots : ordre, contre-ordre, désordre. Il est encore plus oiseux de montrer ce qu'avait d'équivoque, de pénible, d'irritant à la longue, la situation de Milutine, obligé de lutter jour par jour avec les instruments dont il semblait devoir se servir. A Pétersbourg et plus encore à Varsovie, il lui fallut durant des mois et des années éviter les pièges incessamment tendus sous ses pas, défaire un à un les fils des trames subtiles patiemment ourdies par d'infatigables adversaires.

Durant toute cette période, les autorités russes de Pologne, officiellement chargées d'assurer la mise à exécution du nouvel ordre de choses, ressemblaient, par
leur division et leur manque d'unité, à la Pénélope
de la Fable, qui défaisait la nuit ce qu'elle avait fait
le jour. On eût dit que le souci du vice-roi et du ministère de Pologne était de détruire dans l'ombre ce
qu'avaient fait au soleil Milutine et Tcherkassky. Aussi
l'application des oukazes de 1864 et toute la réorganisation que Milutine et ses amis, non peut-être sans la
naturelle présomption des esprits entreprenants, se
flattaient d'accomplir en quelques mois, leur prit-elle
des années et ne réussit-elle que grâce à des efforts
surhumains d'énergie et de travail, si bien que Milutine se devait tuer à la peine.

Laissons-le nous décrire lui-même la besogne, les
outils et les obstacles qui l'attendaient à Varsovie :

Varsovie (château Bruhl), 7/19 mars 1864[1].

« … Un abîme de soucis! Il faut tout organiser et
installer, choses et gens, et distribuer tout le travail.
Aujourd'hui, pas une minute de solitude. Quelque pénible
que ce soit, ce serait plus pénible encore sans cette distraction forcée du travail qui vous enlève à vous-même. Je
suis à peine arrivé ici et je fais des projets de retour. Je
voudrais voir passer au plus vite ces six douloureuses
semaines ; j'espère que ce dur esclavage ne durera pas plus
longtemps. A Vilna, j'ai passé toute la journée avec
Mouravief et ses employés. Notre explication a été calme,

_____

1. Lettre à sa femme.

et nous nous sommes quittés d'accord. Ici les autorités
m'attendaient à la gare avec une voiture. Après avoir
installé à la hâte mes compagnons au château Bruhl, je
me suis immédiatement rendu chez le comte Berg, qui
m'attendait pour dîner. La proclamation de l'oukaze a
partout réussi. Les renseignements sur les paysans sont
excellents. Les propriétaires, comme il fallait s'y attendre,
sont furieux ; mais on les dit fort préocupés de l'indemnité
à recevoir du gouvernement, et bon gré mal gré, ce souci
les oblige à se tenir tranquilles... Tout cela amène le comte
Berg à voir la situation en rose, et par ce motif nos délibérations ont été très amicales. On ne saurait cependant
compter que les choses se passeront d'une façon parfaitement paisible. Une chose qui excite particulièrement le
mécontentement, c'est que les *woyt* soient pris parmi les
paysans [1]. Les Polonais m'ont donné le surnom de
« président de la junte des paysans [2], » ce qui, du reste,
ne m'offense pas du tout!. . . . . »

Varsovie (château Bruhl), 12/24 mars 1864 [3].

« L'affaire marche lentement, comme toujours dans
les commencements. Nos nouvelles recrues nous arrivent
tardivement. Même C. ne paraît pas encore, je ne sais
pourquoi. Tcherkassky est absorbé par la prise de
possession de ses nouvelles fonctions, et, en réalité, sa
tâche n'est pas facile ; il est comme dans un bois, il lui
faut faire connaissance et, avec les hommes, et avec les
choses. Hier il a reçu tous ses employés et leur a fait un

---

1. Sur ce point encore, Milutine et ses amis avaient appliqué à la
Pologne le même système qu'à la Russie. Dans le dessein d'assurer
l'indépendance des paysans, ils leur avaient remis le choix de leurs
anciens, des *woyt* polonais, comme des *starostes* et *starchines* russes.
2. *Kholopskago jonda.*
3. Lettre à sa femme,

discours *en russe* [1]. Il va sans dire que tous se prosternent
à ses pieds. Quoiqu'il habite encore le château Bruhl
(pendant qu'on prépare sa demeure future), nous ne nous
voyons presque pas, de sorte que c'est sur moi seul que
retombe le soin d'organiser le comité constituant [2] et de
distribuer le travail, etc. . . . .

« Dans les provinces, les choses vont fort bien jusqu'ici ;
mais pour assurer l'exécution définitive des oukazes, il faut
nous envoyer des employés, car c'est ce qui nous fait
défaut. Dis, je t'en prie, à Joukovski que je le supplie
instamment de m'en recruter le plus qu'il pourra et de me
les expédier ici le plus tôt possible. Il faut pour cela pousser
le ministère de Pologne, où l'on est terriblement lent et
endormi, et presser les congés des militaires, au sujet
desquels j'ai écrit il y a déjà trois semaines. Si les choses
ne marchent pas plus vite, je ne puis prévoir quand je
parviendrai à m'arracher d'ici et supporter longtemps
cette vie, je n'en aurais réellement pas la force. »

La difficulté de trouver des agens sûrs et intelligents était une des grandes préoccupations de Milutine ; on le voit à chacune de ses lettres. Il avait
pu amener avec lui un brillant état-major qu'allaient bientôt renforcer des hommes distingués comme
M. Solovief, M. Kochelef et Pierre Samarine, frère du
grand écrivain ; mais cela ne pouvait suffire. Il lui
fallait des agents d'exécution sur les lieux, pour les

---

1. Jusque là le polonais était la seule langue officiellement employée
à Varsovie ; quand il venait de hauts fonctionnaires russes, ignorant
du polonais, ils s'exprimaient d'habitude en français, ainsi que le faisaient les souverains eux-mêmes.

2. *Outchregditelnyi komitet*. Comité pour assurer la mise à exécution des nouvelles réformes.

campagnes particulièrement, et il s'adressait à tout le monde pour lui en fournir ; il en demandait à Pétersbourg, à Varsovie, aux services civils et aux services militaires, car, faute d'autres instruments, il était obligé de recourir à l'armée et aux officiers. Pour ces derniers, il avait l'avantage d'avoir le concours de son frère Dmitri, qui, depuis trois ans, était ministre de la guerre. Ces officiers, appelés de Saint-Pétersbourg ou recrutés dans les régiments de Varsovie, Milutine était contraint de les former, de les styler lui-même pour une tâche compliquée qui eût exigé des juristes plutôt que des soldats. Pour les initier, il employait tous les moyens imaginables, il les faisait dîner avec lui, il leur faisait une sorte de cours ou de conférence. La grande salle du château Bruhl s'éclairait le soir comme pour une réception officielle, et, vers huit heures, une cinquantaine de commissaires futurs, les uns jeunes officiers, les autres anciens employés ou juges de paix, révoqués en Russie pour leurs penchants démocratiques, apprenaient, de la bouche même de Milutine, quelles devaient être leur mission et leur règle de conduite[1]. Ces administrateurs improvisés étaient à peine dégrossis et dressés à la hâte qu'il fallait les envoyer dans les villages expliquer aux paysans ce qu'eux-mêmes venaient d'apprendre, le sens et la portée des oukazes, qui abolissaient la corvée en transférant au peuple des campagnes la propriété des terres dont il avait la jouissance.

1. Lettre du 28 mars 1664.

Varsovie (château Bruhl), 15/27 mars 1864[1].

« ... Je ne saurais dire à quel point il m'est difficile de conserver le sang-froid et le calme qu'exigent mes occupations actuelles.

« ... La proclamation des oukazes est, à présent, partout terminée. La première impression a été très satisfaisante. La junte révolutionnaire en paraît atterrée. Les paysans sont dans l'allégresse, ils se mettent, plus que par le passé, à arrêter eux-mêmes les insurgés. Mais la véritable lutte est encore à venir. Dans quelques endroits il y a déjà eu des essais de jeter le trouble parmi les paysans[2].

« Il nous faut au plus vite mettre les oukazes à exécution dans les campagnes, et pour cela les hommes nous manquent absolument. Sur mes instances, on enrôle pour nous, dans les régiments cantonnés ici, des officiers intelligents. Par malheur je ne les connais pas personnellement, et je suis obligé de m'en remettre aux recommandations des autorités militaires, dont les choix dans cette affaire ne sont pas toujours heureux ni même peut-être toujours consciencieux. Tous ces jours-ci, j'ai passé mon temps au milieu des colonels et d'officiers indiqués par eux. Il me

1. Lettre à sa femme.
2. Pour empêcher le paysan d'accepter les terres dont le gouvernement prétendait le mettre en possession, les émissaires de l'insurrection répandaient dans les campagnes le bruit que ces terres ne seraient concédées qu'à ceux qui abjureraient le catholicisme. La grande-duchesse Hélène, qui ne cessait de s'intéresser à Milutine (quoiqu'elle n'en partageât pas toutes les vues dans les affaires polonaises), lui faisait écrire de Berlin par une de ses demoiselles d'honneur : « Ici, Mme la grande-duchesse a appris de *source certaine* que l'allocution du pape était semée en masse dans le peuple, que les émissaires du parti rouge (Miéroslawski) tâchaient de faire accroire aux paysans que la propriété du sol ne leur serait acquise qu'à la condition de renoncer à la religion catholique. Déjà plusieurs paroisses auraient déclaré qu'à ce prix elles ne voulaient pas des bienfaits de l'Empereur. » (Lettre en français du 21 mai, 2 juin 1864, signée E. de R).

faut m'entretenir avec chacun, raisonner avec eux, tâcher d'éveiller leur intérêt, etc.

« … A partir de mardi, je me propose d'ouvrir chez moi une espèce de *cours* public, sur la question des paysans, pour ces hommes politiques improvisés. J'aurais voulu les avoir préparés pour la fin de la semaine, de façon qu'il fût possible d'envoyer cette première expédition aux quatre coins du royaume. Mais nous avons à peine pu enrôler trente personnes, et il nous en faudrait au moins trois fois autant.

« Les employés polonais, encouragés par notre longue indulgence et notre apathie nationale, paraissent ne pas croire encore que nous exécutions réellement ce que nous avons en vue. Ce doute injurieux, malheureusement mérité, soutient mon courage et stimulera, je l'espère, l'ardeur de nos jeunes gens.

« Tcherkassky, quoique absorbé par ses fonctions, m'aide autant que le lui permettent ses forces et le manque de temps. Mes autres compagnons sont aussi pleins de zèle. — Aujourd'hui, jour de Pâques, selon le nouveau style [1], j'ai réuni à dîner une grande partie de mon *armée civile* [2]. Ephrème [3] ne m'a pas permis d'inviter plus de quatorze personnes, et il m'a annoncé cela d'un ton peu satisfait. Nous manquons ici en effet de vaisselle, de linge de table et de bien d'autres choses. Je ne pouvais cependant abandonner mes pauvres employés au caprice du sort; aussi je les invite à dîner à tour de rôle, huit ou neuf à la fois….

« … Il ne faut avoir aucune inquiétude à mon égard.

---

1. Le calendrier grégorien était encore en usage dans le royaume de Pologne; une des plus bizarres conséquences du nouveau système d'assimilation a été de ramener, après trois siècles, la patrie de Kopernic au calendrier julien.
2. *Grajdanskoï komandy*.
3. Valet de chambre et maître d'hôtel de Milutine.

La surveillance ne faiblit pas, et, d'après les recommandations d'Ephrème sans doute, un de mes trois cosaques ne me
quitte pas plus que mon ombre. »

On voit que de peine Milutine se donnait pour
dresser les jeunes gens qui devaient lui servir de collaborateurs. C'était peu pour lui d'avoir conçu et com-
biné dans les détails tout un vaste plan de réformes
sociales ou politiques; comme un architecte qui man-
querait de maçons et de tailleurs de pierre, il était
obligé de façonner lui-même les ouvriers dont les
mains devaient mettre les matériaux en œuvre. Avec
les instruments les plus parfaits, la tâche fût restée
singulièrement difficile; qu'était-ce avec un tel outil-
lage, avec un tel défaut d'hommes et de bras? Pour
le comprendre, il faut envisager d'un peu plus près
l'œuvre entreprise par Milutine et ses amis, il faut se
rendre brièvement compte de la situation du peuple
des campagnes que Milutine prétendait régénérer, au
nom du tsar et au profit de la Russie.

CHAPITRE XI

Les lois agraires de Pologne. — Situation des paysans avant 1864. — Russes et Polonais d'accord sur la nécessité d'une réforme. — La *Société d'agriculture* et les patriotes de Varsovie. — En quoi les oukazes de 1864 diffèrent des lois agraires de la Russie. Leurs principales dispositions. Leurs conséquences économiques. Difficultés de leur application. — Ce que Milutine prétendait apporter au peuple de Pologne.

Le paysan polonais semble avoir été, durant les derniers siècles, un des plus malheureux de l'Europe, à l'époque même où presque partout le villageois succombait sous le double faix des taxes fiscales et des droits féodaux. L'abaissement du peuple des campagnes ne saurait étonner chez une nation où une sorte de plèbe nobiliaire, composée de la *szlachta*, formait tout le pays légal, dans un État dont la vicieuse constitution réunissait les inconvénients sociaux de l'extrême aristocratie aux défauts politiques de l'extrême démocratie. Un de nos écrivains du dix-huitième siècle, Bernardin de Saint-Pierre, nous a laissé quelque part une navrante et évidemment trop fidèle peinture de la situation du paysan polonais, durant les dernières années de la république[1]. Dans un siècle

---

1. Dans ses récits de voyages, si je ne me trompe. Sur la position légale des paysans, dans l'ancienne Pologne, on peut consulter Huppe : *Verfassung der Republik Polen*, p. 58-65.

aussi naïf en politique qu'ingénument humanitaire,
cette oppression du paysan devait mal servir la république de gentilshommes. Ce fut, après l'intolérance
religieuse de la Pologne sous ses derniers rois, une
des principales causes de la complaisance de nos
philosophes envers les auteurs des partages; c'est
la meilleure excuse de leurs félicitations à Frédéric
le Grand, à la grande Catherine.

Le mal, du reste, était si manifeste qu'il ne pouvait manquer de frapper les yeux de la noblesse polonaise. Dans le court répit accordé à leur patrie, entre
le premier et les derniers partages, l'un des soucis
des patriotes était de relever le peuple; mais les fac-
tions politiques et les luttes intestines des *confédéra-
tions*, l'anarchie intérieure et la perfide surveillance
de voisins, jaloux de voir la Pologne se régénérer,
puis bientôt les partages, les changements de gouvernement dans un pays sans cesse coupé et recoupé en
morceaux, tout, dans l'indépendance comme dans
l'asservissement, a empêché les libéraux polonais
d'exécuter leurs projets en faveur de l'habitant des
campagnes. Malgré les généreuses proclamations de
Kosciuszko, la république tomba avant d'avoir pu
effectuer l'abolition du servage.

Dans le grand-duché de Varsovie, dont la majeure
partie a formé le royaume de Pologne, il ne pouvait
y avoir de servitude légale sous l'empire du code Napoléon, en usage après comme avant 1815. En droit,
le paysan était libre; en fait, sa situation n'avait guère
changé. Assujetti à la corvée et lié à la glèbe par la

coutume ou la misère, il se trouvait pratiquement,
au point de vue économique comme au point de vue
administratif, dans un état fort voisin du servage.
Tant qu'avait duré en Russie le servage légal,
servage qui, chez les Russes, avait fini par dégé-
nérer en véritable esclavage, l'abaissement de la population rurale, bien que déploré par les Polonais
éclairés, n'avait rien d'anormal dans le petit royaume
dont le congrès de Vienne avait fait l'annexe du grand
empire. Là, comme dans les provinces lithuaniennes
ou petites-russiennes voisines, le gouvernement russe
avait bien, à différentes époques et notamment sous
l'empereur Nicolas, en 1846, essayé de régler par des
inventaires les droits et les obligations réciproques
des propriétaires et des paysans[1]. Ces règlements, d'un
caractère visiblement provisoire, restaient dans la
pratique impuissants ou inefficaces. Les Polonais
eux-mêmes se remettaient à chercher des combinaisons pour améliorer l'état matériel et moral des
classes rurales, lorsque l'émancipation des serfs vint
naturellement rendre une solution urgente.

La Pologne, où dès longtemps le servage était léga-
lement aboli, qui, de plus, était encore en possession
d'une autonomie restreinte et de lois particulières, la
Pologne avait, comme les provinces baltiques, où l'é-
mancipation remontait à l'empereur Alexandre Ier,

---

1. Ces *inventaires* avaient spécialement pour but de fixer la quantité de terres dont les seigneurs devaient laisser la jouissance aux
paysans. A cet égard, ils servirent de point de départ aux lois agraires
de 1864.

échappé aux lois et statuts que les Milutine, les Tcherkassky, les Samarine et leurs amis avaient fait édicter,
en 1861, au profit du *moujik* russe. Depuis la promulgation de la charte rurale du 19 février, la position
du paysan polonais était devenue trop manifestement
inférieure à celle du paysan russe pour qu'à Varsovie
on ne se préoccupât point de faire disparaître une
aussi fâcheuse inégalité. C'était là, on le comprend,
une des questions agitées par les Polonais dans les
trop courtes années de liberté relative qui précédèrent
l'insurrection de 1863.

Sous l'impulsion d'un généreux gentilhomme de
l'une des plus illustres familles de Pologne, le comte
André Zamoïski, la *Société d'agriculture* de Varsovie
tendait à réunir en faisceau toutes les forces intellectuelles et économiques du pays. L'amélioration du
sort des paysans fut le premier problème dont se
préoccupa la société. Non contents de rechercher les
moyens de supprimer la corvée et de la remplacer par
un *cens* ou redevance en argent, les propriétaires polonais, désireux de devenir les bienfaiteurs du peuple,
cherchaient à mettre la propriété foncière à la portée
du paysan. Divers projets étaient à ce sujet mis en
avant; on parlait d'une opération de rachat, au moyen
d'annuités échelonnées sur une période plus ou moins
longue ; on proposait de créer une banque qui, durant
cette période de transition, eût servi d'intermédiaire
entre le paysan et l'ancien seigneur; on faisait répandre dans les campagnes et lire au prône des églises
une circulaire, annonçant la bonne nouvelle aux

paysans défiants et déjà parfois menaçants[1]. A l'inverse
de ce qui s'était vu en Russie, la noblesse polonaise
eût ainsi eu le mérite et l'avantage de faire spontanément ce que le gouvernement de Pétersbourg avait
été obligé d'imposer à la noblesse russe.

Les premières agitations politiques avaient malheureusement fait évanouir tous ces beaux rêves. Soit
méfiance envers la noblesse de Pologne et la *Société
d'agriculture*, qui tendait peu à peu à se transformer
en assemblée législative, soit désir de conduire lui-
même l'opération comme dans l'empire et de conserver
au besoin une arme de guerre contre la classe domi-
nante, le gouvernement impérial s'était montré peu
disposé à seconder les projets des libéraux de Varsovie.
Au milieu de l'effervescence nationale, la *Société
d'agriculture*, d'où la Pologne avait semblé attendre
sa pacifique régénération, était dissoute. Bientôt
après, l'insurrection éclatait, et la question paysanne,
passant brusquement du domaine économique dans le
domaine politique, était presque à la fois posée des
deux côtés adverses, à Pétersbourg par le gouvernement impérial, à Varsovie par le comité révolutionnaire.

Dans le duel inégal engagé entre le tsarisme et le
gouvernement occulte, qui, durant des mois, tint
toute la Pologne dans sa main, les deux antagonistes
devaient naturellement se disputer l'appui du pauvre

---

1. Voyez notamment *Le marquis Wielopolski, sa vie et son temps*,
curieux ouvrage publié en français par M. H. Lisicki. Vienne, 1880,
t. II, p. 49-57 et 166-170.

paysan, courbé sur la glèbe depuis des siècles,
presque ignorant des mots d'honneur et de patrie,
et n'ayant guère d'oreilles que pour la grosse voix de
l'intérêt. Nous avons vu par la bouche de Milutine, de
Mouravief, de l'empereur Alexandre lui-même, comment la raison d'État conduisait les Russes à prendre
en main la cause du peuple des campagnes, à tenter
à son profit une vaste expropriation de la noblesse.
Les insurgés n'avaient point attendu, pour recourir aux
mêmes armes, que le gouvernement russe eût formulé
ses intentions. Eux aussi s'étaient empressés de con-
vier le peuple à la propriété, tant pour le gagner à leur
cause que pour donner à la nationalité polonaise une
base qui lui faisait défaut. De toute façon, quel que fût
le sort de la lutte, la Pologne semblait ainsi destinée à
passer par la redoutable épreuve des lois agraires ; et
si, par impossible, l'insurrection l'eût emporté, peut-
être que, grâce au parti démocratique, au parti *rouge*
qui, dans les rangs des révoltés, avait pris de plus en
plus le dessus, l'aristocratie et la grande propriété
foncière eussent été plus maltraitées par leurs propres
compatriotes triomphants que par les Russes[1].

L'exemple de la Russie nous a montré combien de
résistances et de colères soulèvent, même en temps

---

1. Dès avant l'insurrection, « le parti rouge, composé de révolutionnaires conscients ou inconscients, n'admettait d'autre solution que l'expropriation du grand propriétaire au profit du paysan... Les plus modérés accordaient aux propriétaires le droit à une indemnité, mais
aussi minime que possible, tandis que les radicaux exigeaient de la
noblesse qu'elle fît aux paysans le don des terres cultivées par ces derniers. » (*Le marquis Wielopolski*, par Lisicki, t. II, p. 54, 55.)

de paix, des lois agraires qui, pour cause d'utilité publique, exproprient partiellement une classe de la nation au profit d'une autre, alors même que ces lois sont élaborées par des compatriotes et appliquées par des représentants des propriétaires expropriés, alors même que ces derniers ont pour sauvegarde un pouvoir impartial, également préoccupé des droits et des intérêts de tous. Qu'est-ce donc quand de pareilles mesures, d'apparence au moins, forcément révolutionnaires et inévitablement vexatoires, sont édictées par un vainqueur en pays étranger ou en province rebelle, au lendemain d'une lutte acharnée? qu'est-ce, quand elles sont appliquées par des mains naturellement hostiles et encore toutes chaudes des ardeurs du combat?

Au fond, nous sommes contraints de le répéter, les oukazes apportés par N. Milutine et Tcherkassky en Pologne étaient, pour les principes, fort analogues aux statuts que, trois ans plus tôt, les mêmes hommes avaient fait adopter pour la Russie. Dans un cas comme dans l'autre, Milutine et ses amis prétendaient assurer à l'ancien serf, moyennant indemnité à l'ancien seigneur, la pleine propriété des champs dont le paysan n'avait la jouissance qu'en subissant la corvée; dans un cas comme dans l'autre, ils prétendaient remettre au paysan la libre administration des affaires de sa commune et briser la vieille tutelle seigneuriale[1]. Ce qui a varié, ce qui a fait l'inégalité

1. Il est à remarquer que, tout en fortifiant les institutions com-

de traitement entre la noblesse polonaise et la noblesse russe, c'est surtout le mode d'exécution, c'est
une plus grande rigueur dans l'application des nouveaux principes, c'est une autre mesure ou une autre
règle dans cette liquidation agraire; c'est qu'en Pologne on a plus accordé au paysan pour moins d'argent, et qu'on a payé moins cher au propriétaire le
sol qu'on lui enlevait.

A cette différence de traitement il y avait une
double raison : la première, c'est qu'en Russie les
Milutine, les Samarine, les Tcherkassky et leurs amis
avaient eu beau faire triompher leurs principes, ils
n'avaient pu donner force de loi à tous leurs projets
en faveur du *moujik*, et les lois mêmes qu'ils avaient
obtenues pour lui, ils n'avaient pu les appliquer de
leurs mains. La seconde raison, plus grave et plus
fâcheuse, c'est qu'en Pologne les oukazes, promul-
gués le lendemain d'une guerre civile, n'étaient pas
seulement pour le gouvernement une mesure en faveur de la population locale, mais aussi un expédient
politique, suggéré par les nécessités du moment, un
instrument de répression en même temps que de
pacification, en un mot, comme le disait Mouravief,
un instrument de domination[1]. Et cela était inévitable à la suite d'une insurrection ayant des causes
profondes qui en rendaient le renouvellement pro-

munales, Milutine n'a, quoi qu'on en ait dit, jamais songé à introduire
en Pologne le *mir* russe et le régime de la propriété collective.

1. Lettre de Mouravief du 25 septembre 1863. Voyez plus haut
chap. VIII.

bable. Le gouvernement russe, qui sur la Pologne semblait n'avoir d'autre prise que la force armée, avait découvert un moyen de s'attaquer au fond du peuple, de se l'attacher, temporairement au moins, par des bienfaits; il avait entrevu aux bords de la Vistule une tâche démocratique et humanitaire. Cette tâche, il l'accomplissait avec l'omnipotence d'un gouvernement absolu, mais ce ne pouvait être uniquement dans l'intérêt de l'humanité et du peuple polonais, pour mériter les éloges de Proudhon et des démocrates étrangers qui l'en devaient féliciter. S'il se plaisait à relever le paysan et à mettre en pratique d'apparentes utopies, c'était autant et plus, si l'on veut, dans l'intérêt de l'État, dans l'intérêt de la Russie, que dans celui du peuple de Pologne.

Le pouvoir qui, dans l'espèce de liquidation analogue, accomplie dans l'empire, eût voulu épargner tout sacrifice à la noblesse russe, n'était pas fâché d'en imposer à la noblesse polonaise, regardée comme complice des rebelles. Par le fait même des circonstances, ces lois agraires devaient, pour cette dernière, prendre l'aspect d'une sorte d'amende, d'une sorte de contribution de guerre ou de rançon, infligée aux classes d'où était sortie l'insurrection, avec cette circonstance atténuante que cette sorte d'amende, imposée aux propriétaires, était employée au profit du peuple conquis[1]. Or, à cet égard, parmi

---

1. Certains faits montrent que le gouvernement et l'opinion envisageaient bien parfois les oukazes de cette manière. Tcherkassky, dans une lettre à Milutine du 15/27 janvier 1865, raconte qu'il est assiégé

les États où l'on a le plus hautement stigmatisé la
conduite de la Russie, il en est peu où l'on n'ait, en
pareil cas, recouru à des procédés plus ou moins
analogues et parfois plus ouvertement et irrépa-
rablement spoliateurs. Sans remonter aux Irlan-
dais, autrefois dépouillés de leurs terres au profit de soldats anglais ou écossais, colonisés chez eux,
on se rappelle l'espèce de jacquerie, suscitée en 1844
contre les propriétaires polonais par l'Autriche, qui
depuis a su en faire ses plus fidèles sujets. Pour ne
pas chercher d'exemple en dehors de notre pays et ne
point voir seulement la paille de l'œil du voisin,
l'abolition de la corvée et des droits féodaux s'est
faite, chez nous, dans des conditions autrement onéreuses pour la noblesse, et plus récemment, n'avons-
nous pas, sous la troisième république, eu recours,
en Algérie, contre les indigènes révoltés, à des
procédés non moins difficiles à légitimer au point de
vue des notions habituelles du droit de propriété?
Les Kabyles du Sébaou, dont, à la suite de l'insurrection de 1871, les terres les plus fertiles ont été
séquestrées et finalement confisquées, faute du paie-
ment de la contribution mise sur leurs tribus, eussent
sans doute préféré subir le sort de la noblesse polo-

de propriétaires d'origine russe, pourvus par le gouvernement de
petits majorats dans le royaume, afin d'y établir un élément russe.
Ces propriétaires prétendaient être laissés en dehors des règlements
appliqués à leurs voisins polonais. Tcherkassky s'y refusait, mais il
proposait d'accorder à ces propriétaires russes un dédommagement
spécial. C'est ce que conseillait aussi Milutine et c'est, croyons-nous,
ce qui a été fait.

naise et partager leurs terres, moyennant une insuf-
fisante indemnité avec les colons alsaciens-lorrains
qui ont pris leur place dans leurs anciennes de-
meures. Il est vrai que l'Europe s'est trop habituée à
regarder les indigènes de ses colonies comme en
dehors de son droit privé, aussi bien que de son
droit des gens, pour être fort touchée de semblables
comparaisons.

De quelque façon que l'on juge les lois agraires
appliquées à la Pologne, une chose est certaine, c'est
que, si hostiles, si malintentionnées qu'on les suppose, elles n'ont pas ruiné la noblesse polonaise. Dans
le royaume, comme dans l'empire à la suite de
l'émancipation, il y a eu de la gêne, des souffrances
qui parfois durent encore ; mais, chose remarquable,
il y a peut-être eu moins de ruines amenées par les
oukazes de 1864 que par la charte du 19 février 1861.
Grâce à la fertilité du sol, grâce au grand essor pris
par l'industrie du royaume après l'abolition des
douanes qui lui fermaient le vaste marché de l'empire, — grâce enfin à l'esprit d'ordre, à l'esprit
d'économie et de travail du plus grand nombre d'entre
eux, grâce à la flexibilité de la race et à des qualités de vigueur, de sagesse, de solidité qu'on ne leur
connaissait pas encore, les propriétaires polonais ont,
pour la plupart, mieux supporté la grande crise
agraire que les *pomechtchiks* de Russie lesquels ont
cependant été plus ménagés par la loi.

De par les oukazes de 1864, que nous ne pouvons
analyser en détail, le paysan polonais recevait en pro-

priété toutes les terres dont il avait la jouissance depuis 1846, époque où l'empereur Nicolas avait dé-
fendu de diminuer l'étendue des champs attribués
par l'usage aux familles de paysans. A cet égard, le
villageois polonais a d'ordinaire été plus favorisé que
le *moujik* russe, qui très souvent a moins de terre
en propriété qu'il n'en avait en jouissance au temps
du servage. Pour acquérir la propriété, le tenancier
n'avait, en Pologne, qu'à faire valoir le fait de l'usu-
fruit; or, le paysan mazovien n'étant pas plus scrupuleux que son frère de Russie, dont nous avons vu
Tcherkassky lui-même déplorer le peu de conscience[1],
on comprend tout le parti que pouvaient tirer d'un
tel principe des paysans avides, vis-à-vis de juges
enclins à accueillir toutes leurs revendications. C'est
ainsi que les valets de ferme, engagés à l'année, se
firent reconnaître la propriété des maisons et des jar-
dins dont les seigneurs leur avaient concédé l'usage[2].

---

1. Lettre du 7 mai 1861. Voy. plus haut chap. III, p. 84-85.
2. D'après les renseignements que j'ai pu recueillir personnellement
en Pologne, en janvier 1873, juin 1874 et juillet 1880, l'allocation des
paysans aurait varié de 30 à 6 *morg* (morgen ou journaux) par famille,
selon les régions et les localités. La moyenne aurait été d'environ
18 *morg*. Le morg polonais vaut une 1/2 *désiatine* russe, soit un peu
plus d'un demi-hectare. Chaque famille aurait ainsi reçu en moyenne
près d'une dizaine d'hectares, ce qui est beaucoup pour un pays où
la densité de la population atteignait déjà cinquante habitants au
kilomètre carré. Si de pareilles allocations ont été possibles, sans enlever aux propriétaires tous leurs domaines, c'est qu'une partie des
habitants des campagnes était exclue par l'usage de la possession du
sol, c'est surtout que la Pologne compte une nombreuse population
urbaine et une nombreuse population juive, également étrangères à
toute répartition territoriale. Comme en Russie, du reste, les lots des
paysans sont déjà notablement restreints par le rapide accroissement de

Le paysan polonais a été favorisé d'une autre manière; l'indemnité de rachat qu'il avait à payer était moindre qu'en Russie, et, au lieu de retomber uniquement sur le paysan comme dans l'empire, cette indemnité était servie aux propriétaires par les finances du royaume; le paysan n'y participait que comme contribuable. En outre, la compensation attribuée au propriétaire était proportionnellement moindre qu'en Russie et inférieure à la valeur vénale du sol. De plus, cette compensation, de même qu'en Russie, n'était pas soldée en numéraire, mais en titres spéciaux, en lettres d'indemnité qui au moment de leur émission perdaient près de 50 pour 100 et perdent encore aujourd'hui près de 20 pour 100[1]. A l'inverse enfin de ce qui s'est passé dans l'empire, le propriétaire, comme contribuable, a payé lui-même par l'impôt une portion de l'indemnité qui lui revenait. Malgré ses défauts, ce système, qui faisait participer l'État et, avec lui, tous les contribuables à cette grande opération du rachat, nous paraît de beaucoup préférable au système adopté en Russie, où les annuités de rachat pèsent d'un poids excessif sur les paysans, alors qu'indirectement l'État et toutes les classes de la population participent aux avantages de l'émancipation[2].

la population. En revanche, de même qu'en Russie, des ventes volontaires font peu à peu passer une grande partie des domaines seigneuriaux dans la main des paysans. Voyez, par exemple, M. E. Marbeau : *Slaves et Teutons*, 1882, ch. xxv.

1. Dans quelques cas il n'y avait même pas d'indemnité.

2. Voy. *l'Empire des Tsars et les Russes*, t. Ier, liv. VII, ch. II.

En dépit de son succès, la liquidation agraire, accomplie en Pologne, n'a point naturellement été sans donner lieu à de justes plaintes. La plupart des défauts reprochés à l'œuvre de Milutine doivent revenir au mode d'exécution. Il n'y avait pas là, comme en Russie, des arbitres de paix (*mirovye posredniki*), des propriétaires élus par la noblesse et chargés de régler les différends qui pouvaient surgir entre les paysans et l'ancien seigneur. A leur place, il y avait des commissaires, tous Russes, c'est-à-dire étrangers au pays, le plus grand nombre nouveaux venus et ignorants des mœurs locales, les uns employés prêtés par les ministères, les autres fonctionnaires révoqués à l'intérieur comme suspects de radicalisme, quelques-uns simples étudiants à peine sortis de l'université, beaucoup enfin officiers qui venaient de combattre l'insurrection, la plupart étrangers à l'étude du droit et peu soucieux de ce qu'ils appelaient l'orthodoxie ou le formalisme juridique, tous enfin naturellement hostiles à la noblesse polonaise. Nous avons vu la peine que se donnait Milutine pour les initier et par-dessus tout les intéresser à leur œuvre. Il n'épargnait rien dans ce dessein, les enflammant de sa parole, les encourageant de son exemple ; il leur montrait dans le paysan polonais un frère slave à relever et une barrière vivante à dresser entre la Russie et l'Europe. « Là où le paysan est établi avec son lot de terre, disait-il, là est la borne du monde slave[1]. » Sur des hommes pour la

---

1. Mot que je tiens d'un des collaborateurs de Milutine.

plupart jeunes et tous ardents patriotes, de telles leçons ne pouvaient rester sans effet; elles exaltaient
l'enthousiasme national et stimulaient un zèle qui le
plus souvent n'avait pas besoin d'aiguillon. Tous ces
commissaires improvisés croyaient bien participer à
une grande mission historique, ils se regardaient
comme des apôtres plutôt que comme des juges; ce
sentiment même les amenait parfois dans la pratique
à oublier leur rôle d'arbitre, à se prêter trop aveuglé-
ment aux revendications du paysan, à renchérir au
profit de ce dernier sur les instructions de leurs chefs,
à outrepasser les oukazes. De là, dans l'application
de ces lois, des inégalités et des excès. Aussi voyons-
nous parfois, dans leur correspondance, Milutine et
Tcherkassky obligés de regretter les excès de zèle de
certains de leurs commissaires et de mettre de côté
ceux de leurs agents qui se permettaient trop d'arbitraire[1]. Milutine et même Tcherkassky, loin d'agir
toujours systématiquement d'une manière hostile aux

1. « A mon avis, écrivait Tcherkassky à Milutine alors de retour à
Pétersbourg, les commissions rurales vont bien, fort bien même, excepté
dans le district d'Ostroleka, où W. a pris le mors aux dents, ordonne
lui-même l'arrestation des propriétaires indociles, fait le maître aussi
bien dans les villes que dans les villages, en un mot, parodie sottement
Michel Mouravief en Lithuanie. Il faut absolument renvoyer et dissoudre
toute cette commission pour la remplacer par des hommes plus rai-
sonnables. » (Lettre du 7/19 mai 1864.) Si tous les commissaires, accusés
de jouer ainsi au dictateur, n'ont pas été rappelés, cela tient en
partie à ce que, dans ses luttes avec le vice-roi, avec l'administration
civile et militaire, Tcherkassky était naturellement porté à prendre
fait et cause pour ses commissaires de peur de les décourager. Il avoue
quelque part qu'en d'autres circonstances il en est deux ou trois
qu'il se ferait un devoir de congédier.

propriétaires, désiraient en toute sincérité faire strictement appliquer les oukazes sans en dévier en aucun
sens. Au milieu de toutes les plaintes dont ils étaient
assiégés par les deux parties, ils se félicitaient lorsqu'un même cas provoquait à la fois les réclamations
des paysans et des propriétaires. A leurs yeux, cela
était la meilleure preuve de l'équité et de l'impartialité de la sentence de leurs commissions. Tcherkassky
aimait à rappeler que pareille chose lui arrivait en
Russie, quand il était arbitre de paix[1].

Les plus justes plaintes que peuvent élever les propriétaires polonais, plaintes malheureusement trop
fondées et durables, c'est qu'au lieu d'achever la
grande liquidation de 1864 entre le paysan et le
noble, les commissaires russes l'ont tenue systématiquement ouverte aux dépens des intéressés. A l'opposé
de ce qui s'est fait en Russie, le paysan polonais a
gardé sur les forêts, sur les champs ou les pâturages
de son ancien propriétaire, les droits d'usage dont il
jouissait alors qu'il était soumis à la corvée. Ces servitudes grèvent lourdement les terres de la noblesse,
d'autant plus qu'elles sont mal définies, ou qu'elles
ont été réglées de telle façon qu'en les prenant à la

---

1. « Nous avons reçu les deux premières plaintes du district de Varsovie. Les propriétaires et les paysans se plaignent simultanément
d'une seule et même décision. Cette décision est équitable et me paraît
fondée sur des données solides. Aussi cette double réclamation me trou-
ble-t-elle peu. J'y vois la meilleure preuve de l'impartialité de la commission. Nous recevions aussi des plaintes des deux parties dans les
premiers temps de l'émancipation. » (Lettre de Tcherkassky à Milutine
du 2/14 mai 1865.)

lettre, les bois des propriétaires n'y sauraient parfois suffire. Pour s'affranchir de ces servitudes, beaucoup de propriétaires renonceraient volontiers à une notable partie de leurs forêts. Malheureusement, en dépit d'une loi édictée depuis, les commissaires du gouvernement, loin de chercher à mettre un terme à cette situation anormale, s'efforcent plutôt d'empêcher les propriétaires et le paysan de s'entendre à cet effet. On semble heureux d'avoir là un moyen de semer la zizanie entre les deux grandes classes rurales du royaume. « Nous avons pris nos précautions, me disait encore en juin 1880 un ministre du tsar, nous tenons les Polonais par ces servitudes. »

Cette nouvelle application du « diviser pour régner » ne saurait cependant être éternellement maintenue. Les obstacles mis par les agents du pouvoir à un complet règlement de la question rurale ont, en dehors même des entraves apportées à une exploitation régulière, un sérieux inconvénient : ils tendent indirectement à troubler dans l'esprit du peuple la notion de propriété, à lui faire croire que les droits de chacun n'ont pas été définitivement fixés par les oukazes de 1864, à le faire rêver de nouvelles combinaisons agraires. Par là on ouvre la porte aux aspirations révolutionnaires et socialistes, on fait naître chez une population, jusqu'ici exempte de toute idée de ce genre, une vague et chimérique espérance de nouvelle distribution de terre et de nouveaux partages. C'est ce que font quelquefois aujourd'hui, à l'insu même du gouvernement, certains de ses agents de Pologne.

Lorsque les propriétaires offrent aux paysans de régler
à l'amiable, moyennant une indemnité en argent ou
un partage des bois, ces épineuses questions de servitude, certains *tchinovniks* disent aux paysans : « A
quoi bon vous entendre et renoncer à vos droits sur
une partie de la forêt pour avoir le reste, quand un
jour on peut vous donner le tout gratuitement? »
Avec les idées radicales, trop souvent répandues dans
le bas tchinovnisme, avec la haine pour la noblesse
polonaise qui anime tant de petits employés, de pareils propos n'ont malheureusement rien d'étonnant.
Il y a là, en tout cas, un procédé peu digne d'une
grande nation et dont tôt ou tard la Russie aura
honte.

Sans le rigoureux maintien de ces onéreuses servitudes, sans les restrictions, apportées pour des
motifs politiques analogues, à la libre disposition
des propriétés[1], l'on pourrait dire que la situation
agraire de la Pologne est, depuis la crise de 1864, une
des meilleures de l'Europe. Les distributions de terres
faites aux paysans, en 1864, ont été complétées,
en 1866, par de nouvelles allocations sur les domaines de la couronne ou les biens d'église. Durant
les dix ou douze ans qui ont suivi la mise à exécution
des oukazes, les terres en culture se sont accrues
de 550 000 hectares, la production des céréales a
presque doublé et il en est à peu près de même du

---

1. Nous voulons parler des lois qui, dans les provinces occidentales
de l'empire, ne permettent de vendre qu'à des Russes orthodoxes ou
à des Allemands afin de diminuer les terres aux mains des Polonais.

bétail[1]. Si les paysans surtout ont participé à ces progrès agricoles, la grande et la moyenne propriété n'y
ont pas été étrangères. Maint domaine dont l'étendue
a, par la loi de 1864, été réduite d'un tiers environ,
a aujourd'hui une plus grande valeur et rapporte un
revenu plus élevé. Des trois tronçons de l'ancienne
république, la Pologne russe est sans comparaison le
plus prospère. Le progrès se manifeste par tous les
signes extérieurs ; la population augmente rapidement
et en même temps la durée moyenne de la vie s'al-
longe, tandis que décroît la criminalité. Le succès de
Milutine, à tout prendre, semble avoir été plus grand,
moins contestable en Pologne qu'en Russie. Une
part de cette réussite doit bien revenir à la population
polonaise, à son élasticité et à son énergie, mais peut-
être aussi Milutine et ses amis diraient-ils que, s'ils
paraissent avoir été plus heureux en Pologne, c'est
qu'en dépit de tous les efforts faits pour les entraver,
ils y ont eu les mains plus libres.

Nous avons laissé N. Milutine à Varsovie, dressant
péniblement les hommes qui devaient mettre à exécution les nouveaux règlements. Quelques jours avant la
Pâque orthodoxe, Nicolas Alexèiévitch pouvait envoyer
dans la campagne un premier détachement de ses
jeunes volontaires. On donna au départ une consécra-
tion religieuse.

---

1. MM. Simonenko et Anoutchine, entre autres, ont publié à cet
égard des études statistiques fort concluantes. On peut leur comparer
les travaux du docteur W. Zaleski de Varsovie.

« C'est seulement aujourd'hui, écrivait Milutine à sa
femme (14/26 avril 1864) que j'ai enfin expédié mes
soixante jeunes gens, ce qui a mis toute la journée sens
dessus-dessous. Le matin nous nous sommes tous rendus
à la cathédrale (orthodoxe) où, après avoir officié lui-même,
l'archevêque a béni nos jeunes gens, tous ensemble et
chacun en particulier. Ensuite, à une heure et demie, il y
a eu chez moi un déjeuner pour les voyageurs et, après
les exhortations de circonstance et les adieux, nos jeunes
missionnaires sont partis pour les quatre coins du royaume
avec des instructions imprimées et manuscrites, avec leurs
provisions, quelques-uns avec leur femme, d'autres avec
des amis, et tous sous escorte. Fasse Dieu qu'ils aient assez
d'intelligence et de fermeté pour vaincre les intrigues de
la *szlachta* et aussi l'apathie des paysans! »

Vers le moment où partaient de Varsovie « les
jeunes missionnaires » de Milutine, une députation
de paysans polonais venue pour remercier le tsar,
était fêtée à Pétersbonrg. Ou lui donnait un grand
banquet à l'hôtel de ville, et, pour établir la frater-
nité des deux classes agricoles, c'étaient des paysans
russes, envoyés par des propriétaires du voisinage,
qui faisaient les honneurs aux paysans polonais. Ces
réjouissances, sanctionnées par la présence de l'empereur, ne désarmaient point l'opposition de Varsovie et de Pétersbourg. Dans les campagnes du
royaume, la résistance des propriétaires était parfois
appuyée par les autorités russes et les officiers supé-
rieurs. Si Milutine et Tcherkassky trouvaient beaucoup de leurs plus zélés commissaires parmi les petits
lieutenants ou capitaines, il en était autrement du haut

état-major. Parmi les commandants militaires, plus d'un général était lié avec la noblesse polonaise et subissait le charme de cette aristocratie, l'une des plus cultivées et des plus séduisantes du monde. D'autres n'avaient point pardonné à Milutine et à ses amis les lois agraires de 1861. Aussi plusieurs ex-citaient-ils presque ouvertement les propriétaires à ne point se soumetttre aux injonctions des commissaires, et annonçaient ils aux paysans que les envoyés de Milutine et de Tcherkassky promettaient beaucoup plus qu'ils ne pouvaient accorder[1].

De pareils faits n'étaient pas isolés. Quoique les oukazes impériaux eussent supprimé la corvée sans établir, comme en Russie, d'époque transitoire pour organiser les nouveaux rapports agraires, certains des chefs militaires, profitant des pouvoirs que leur don-nait l'état de siège, groupaient autour d'eux l'oppo-sition, menaçaient des plus grave châtiments les pay-sans qui se refusaient à la corvée et « poursuivaient les soi-disant promoteurs de désordre[2]. » Ce qu'il y avait de plus singulier, c'est que, dans ce conflit avec les autorités militaires, le vice-roi et le comité de Varsovie se portaient souvent du côté des adversaires du directeur de l'intérieur, Tcherkassky, lequel, à chaque instant, était obligé d'en référer à Péters-bourg, à Milutine, et par ce dernier à l'empereur. Il

1. Je pourrais citer comme exemple un curieux rapport du commis-saire Dometti au prince Tcherkassky à propos d'un conflit, soulevé dans le district de Wlotzlavsk par le prince Wittgenstein (rapport du 30 avril 1864).

2. Lettre de Tcherkassky à Milutine du 13/23 mai 1864.

fallait un combat pour chaque province, pour chaque
district, presque pour chaque commission. Les adversaires des deux amis répandaient le bruit que Milutine ne reviendrait plus à Varsovie, que Tcherkassky
allait être rappelé et la nouvelle organisation des
paysans abandonnée[1].

Ces trois années 1864, 1865, 1866 furent pour
Milutine une longue série de continuelles batailles,
et, au bout de cette campagne, comme au bout de
celle de l'émancipation, les deux amis semblaient
entrevoir une disgrâce ou un désaveu[2].

Milutine sentait qu'il ne pouvait laisser Tcherkassky
seul à Varsovie, où la majorité du *comité constituant*
lui était hostile, où le prince, selon sa propre expres-

---

1. La grande-duchesse Hélène envoyait de Berlin à Milutine, au
commencement de juin 1864, une correspondance de Pologne dans la
Gazette de Silésie, où l'on lisait que « le secrétaire d'état Milutine,
qui venait de partir de Varsovie, n'y retournerait plus et que l'œuvre
du comité serait suspendue jusqu'à ce qu'on eût notablement modifié
les décrets de mars. » De son côté, Tcherkassky écrivait à Milutine le
21 mai/2 juin 1864 : « On fait circuler, à l'aide du *Czas* et d'autres
journaux, des bruits dans le genre de ceux-ci : que vous êtes parti
pour ne plus revenir, que je serai moi-même remplacé bientôt par
Trépof, lequel réunira dans ses mains la police et l'intérieur, etc. »
2. « Quand je ne serai plus là, disait parfois Milutine, on détruira
tout ce que j'ai fait, comme on a essayé de le faire en Russie. » De son
côté, Tcherkassky écrivait à Milutine qu'en venant en Pologne, il
avait commis une grosse bévue (lettre du 13/25 mai 1864), et un peu
plus tard, le 31 mai/2 juin, faisant allusion au bruit de son prochain
rappel, le prince ajoutait que, s'il ne pensait qu'à lui, il devrait plutôt s'en réjouir, car la disgrâce viendrait tôt ou tard, lorsque la
réforme des paysans serait terminée. Ailleurs le prince se plaignait de
ce que le ministère de l'Intérieur tenait en suspicion les « arbitres
de paix » venus comme « commissaires » en Pologne, et les privait des
distinctions honorifiques accordées à leurs collègues demeurés tranquillement en Russie.

sion, était évité comme la peste par le haut état-major
russe, ce qui lui rappelait l'accueil de la société pétersbourgeoise à l'époque de l'émancipation. Pour
appliquer les nombreux changements projetés, il ne
suffisait pas d'avoir lancé dans les campagnes des
agents inférieurs, recrutés partout et formés à la
hâte, il fallait avant tout des hommes capables de
diriger à Varsovie les différents services du royaume
et de tenir tête au vice-roi et à ses créatures.
« Tcherkassky, écrivait avec douleur Nicolas Alexièié-
vitch, est le seul auquel je puisse me fier pleinement,
et il ne saurait suffire à tout. » Dans sa détresse,
Milutine adressait un appel désespéré à Samarine.
« Vous ne sauriez comprendre, lui disait-il en
avril 1864, dans quelle position terrible nous sommes
ici sans vous!... Pour peu que votre santé vous permette de faire ce sacrifice, ne refusez pas, ne fût-ce
que pour six semaines[1]. » Samarine ne put rester
sourd à de telles supplications. Malgré ses résolutions
antérieures, il revint à Varsovie prendre place au
comité constituant, mais il n'y demeura que quelques semaines, jusqu'à l'arrivée d'un de leurs anciens
collègues des *commissions de rédaction*, M. Solovief, qui, écarté des affaires à Pétersbourg, s'était décidé à répondre aux instances de Nicolas Alexèiévitch. Voici en quels termes Milutine s'était adressé à
Solovief; nulle part il n'a dépeint lui-même sa politique en Pologne avec plus de netteté et de décision :

---

1. Lettre à Samarine du 3/15 avril 1864.

« Varsovie, 23 mars/4 avril 1864.

« J'espère, très honoré Jacques Alexandrovitch, que vous
aurez reçu à l'heure qu'il est les oukazes que je vous ai
envoyés et les documents concernant la réforme des paysans
en Pologne. C'est le premier pas dans la voie des réformes
qui doivent, à présent, recevoir un développement énergique et toucher à toutes les branches de l'administration :
finances, instruction publique, police et tribunaux. Tout
cela doit se faire, naturellement dans le même esprit, et
en vue d'un but clairement indiqué ; relever et remettre
sur leurs pieds les masses opprimées[1], en les opposant à
l'oligarchie dont jusqu'ici ont été imprégnées toutes les
institutions polonaises. Je puis dire avec joie que telles
sont les convictions et les fermes intentions de l'Empereur. Je puis ajouter aussi que chaque jour me persuade
de la possibilité de remplir ce programme. Avec le temps,
nous pourrons trouver en Pologne même des éléments
actifs sur lesquels nous pourrons nous appuyer[2]. Mais en
attendant, nous sommes obligés d'agir avec des Russes
non seulement à cause de l'état anormal du pays, mais
aussi à cause de l'incapacité actuelle des Polonais de rien
organiser en dehors de leurs ineptes traditions. Cette capacité ne saurait se montrer chez eux que lorsque tout lien
avec ces traditions sera brisé, et que sur la scène apparaîtra
un acteur inconnu dans l'histoire de la Pologne, le peuple. »

Ce noble langage est remarquable à plus d'un
titre. Comme le disait Milutine, c'est la Russie qui,
par ses lois agraires et sa nouvelle organisation com-

1. *Podniat i postavit na noghi.*
2. Milutine revenait souvent sur cette idée. Dans une lettre du
22 mai 1864, il répétait que plus tard on pourrait employer des
Polonais.

munale, a fait sortir le peuple polonais de l'abaissement où il était réduit depuis des siècles, et cette
révolution, c'est la Pologne qui en doit profiter la
première. En relevant la population rurale, en dotant
les pays de la Vistule d'une nombreuse classe de
paysans propriétaires, Milutine a renouvelé, avec les
couches inférieures du peuple, la nationalité polonaise elle-même. Grâce à lui et à ses amis, des
mains russes ont fait ce qu'avaient inutilement rêvé
les patriotes du royaume ; au lieu d'une étroite base
aristocratique, elles ont préparé pour l'avenir à la
nation polonaise une large base populaire. A cet
égard, loin de devoir être considérés comme les
ennemis et les destructeurs de la nationalité lékhite,
Milutine et Tcherkassky mériteraient plutôt d'en être
regardés comme les régénérateurs. Partout, en effet,
c'est au fond du peuple que le sentiment national
jette ses plus solides racines, c'est du cœur du peuple
qu'il est le plus difficile à extirper[1].

On ne saurait s'étonner que quelques Russes aient
tiré de là un argument contre les plans de Milutine
en faveur des populations rurales de la Vistule. L'un
des ministres d'Alexandre II me racontait, en 1880,
qu'à l'époque où l'on discutait les lois agraires
de 1864, un des adversaires de Milutine formulait
ainsi son opposition : « Aujourd'hui, nous n'avons

---

1. La langue russe est à cet égard d'une grande justesse ; chez elle,
le terme équivalent à nationalité, *narodnost*, dérive directement de
narod, peuple ; l'étymologie indique clairement la liaison des idées.
Comparez l'allemand *Volksthum*.

en face de nous, dans le royaume, que 300 000 Polonais; avec la nouvelle organisation rurale, nous en aurons, dans trente ans, vingt fois plus. » On ne saurait reprocher au gouvernement russe de ne pas s'être arrêté devant une pareille objection. Pour prévenir tout danger de ce côté, la Russie a du reste un moyen simple : respecter la nationalité de ses sujets polonais, leur langue, leur religion, leurs mœurs.

Comme le moujik russe dont Samarine se plaisait à célébrer la transformation, le paysan mazovien, jadis humble et rampant, naguère encore pressé de baiser les pans de l'habit du noble ou du fonctionnaire, a depuis vingt ans pris une autre attitude. Il se sent homme aujourd'hui, il a pris conscience de son individualité, de ses droits civils; pas plus qu'en Russie cependant, et pour des causes différentes, il n'a tiré des lois faites en sa faveur tout le profit qu'on en espérait pour lui. Il n'y a point à s'en étonner : un peuple ne change pas en une génération. Puis le paysan polonais ne peut pas ne point se ressentir de l'état d'abaissement et comme d'ilotisme politique où est maintenue sa patrie qui, depuis qu'elle est nominalement assimilée à l'empire, demeure frustrée de toutes les réformes libérales édictées en Russie.

CHAPITRE XII

Retour de Milutine à Pétersbourg (avril 1864). — Continuation de la lutte entre le vice-roi et lui. — Attitude d'Alexandre II vis-à-vis des deux partis. — Derniers voyages de Milutine à Varsovie. — Réformes diverses. — Finances. — Justice. — Enseignement. — Administration. — De l'Incorporation du royaume. — Les procédés de russification, appliqués à la Pologne, peuvent-ils être appelés système Milutine ?

Milutine rentra à Pétersbourg aux premiers jours d'avril 1864. Ses amis l'avertissaient dans leurs lettres qu'il était temps pour lui de revenir dans la capitale déjouer les intrigues que favorisait son absence[1]. Obligé de faire face à l'ennemi de deux côtés à la fois, Milutine ne revenait à Saint-Pétersbourg que pour y soutenir, sur le sol glissant de la cour et dans l'ombre des chancelleries, une nouvelle guerre de stratagèmes et d'embuscades. Nous ne pouvons suivre ici les obscures péripéties de cette lutte de près de

---

1. « On dit que votre apparition pascale (à Pétersbourg) devient problématique.... Est-ce bien irrévocable ? Et dans l'intérêt même de votre œuvre, ne feriez-vous pas bien de venir prendre un peu l'air ici, ne serait-ce que pour déjouer les projets de ceux qui s'acharnent après Mouravief et voudraient l'éloigner de Vilna ? Il me semble que votre arrivée serait des plus utiles. La Lithuanie livrée à elle-même ou confiée à des mains faibles, l'agitation recommencerait infailliblement dans le royaume... » (Lettre en français de M. Catakazy à Milutine, 3/15 avril 1864.)

trois ans qui coûta la vie à Milutine. Le récit détaillé
de cette sorte de duel bureaucratique, l'énumération
des coups et des bottes que se portaient tour à tour
les deux adversaires serait, malgré les grands intérêts
en jeu, d'une fastidieuse monotonie pour le lecteur.
Le combat dura jusqu'à ce que l'un des deux antagonistes, le plus jeune et en apparence le plus robuste,
tomba blessé à mort par une maladie soudaine. Sans
cette intervention de la nature surmenée, on ne sait
combien d'années encore eût pu durer cette guerre
civile de l'administration russe contre elle-même.

L'empereur, que la rébellion de 1863 avait profondément froissé (il ne l'a jamais pardonnée à la Pologne), l'empereur, qui apprenait peu à peu à connaître et à apprécier personnellement Nicolas Alexèiévitch, était sans aucun doute de cœur avec lui. Il
le soutenait d'ordinaire contre le mauvais vouloir de
ses propres ministres et les menées de son représentant officiel à Varsovie; mais, loin de désavouer nettement les adversaires de la politique que lui-même
appuyait, il ne cessait de leur donner des marques
publiques de sa faveur. A cet égard, on pourrait
dire que la conduite d'Alexandre II, dans les affaires
polonaises, n'était pas sans ressemblance avec les
procédés de Louis XV dans sa politique étrangère et
sa diplomatie en partie double. Durant toute cette
période de transformation, il y eut en Pologne deux
gouvernements, dont le plus puissant n'était pas celui
qui semblait représenter directement le souverain.
Soit désir de ménager les influences de cour ou de

n'en laisser aucune devenir prépondérante, soit peut-
être aussi répugnance à prendre ostensiblement la
responsabilité de toutes les mesures accomplies en
son nom dans le royaume, l'empereur Alexandre II
laissait les deux partis se remuer autour de lui sans
en décourager aucun, abandonnant à l'un l'autorité
extérieure, à l'autre le pouvoir réel. Aussi les adversaires de Milutine accusaient-ils tout bas l'empereur
de comploter avec Nicolas Alexèiévitch contre son
propre gouvernement et contre ses propres ministres.

On ne saurait imaginer l'ardeur de la lutte engagée
autour du tsar, les obsessions auxquelles était exposé
le souverain, la vigilance déployée de part et d'autre
dans ce siège de la volonté impériale. L'empereur
devait-il, par exemple, aller en voyage, se rendre aux
eaux d'Ems ou de Kissingen, le prince Tcherkassky
écrivait coup sur coup à Milutine qu'une entrevue
personnelle du maître avec le comte Berg, dans la
gare de Kovno, risquait de tout perdre. Dans ses angoisses, Tcherkassky conjurait Milutine de trouver
moyen d'accompagner Alexandre II qui devait, disait-
il, être à Kovno littéralement assiégé par le vice-
roi[1]. Milutine était obligé de représenter au prince
Vladimir ce qu'une démarche aussi indiscrète aurait
eu de déplacé et de blessant pour l'empereur. Demander à l'accompagner, écrivait-il à son ami, ce
serait témoigner une grande méfiance, avoir l'air de
douter de la fermeté de l'empereur, ce qui justement

1. Lettres de Tcherkassky à Milutine 14/26 mai et 16/28 mai 1864.

était chez lui « le point sensible. » Malgré les instances réitérées de Tcherkassky, inquiet des projets du
comte Berg, lequel dissimulait mal tout ce qu'il attendait de cette audience, Milutine, loin de chercher
aucun prétexte de monter dans le train impérial, s'en
remettait à la parole du souverain[1].

De Pétersbourg, où le retenait d'habitude la présence
de l'empereur et la nécessité de contrecarrer les influences hostiles, Nicolas Alexèiévitch était souvent
obligé de courir à Varsovie au secours de Tcherkassky
et de ses amis. Il lui fallait ainsi faire en quelque
sorte la navette entre la Néva et la Vistule. Chaque
année, de 1863 à 1866, il était contraint de reprendre
une ou deux fois le chemin de Varsovie pour aller sur
les lieux observer l'état des affaires et présider lui-
même à la mise en train de ses diverses réformes.
Chacun de ces voyages était une nouvelle occasion de
luttes énervantes avec le vice-roi, avec celui que, dans
leur correspondance, Milutine et Tcherkassky trai-
taient de vieux polichinelle[1]. Le différend entre eux
portait à la fois sur les institutions et sur le personnel
chargé de les appliquer. Chaque nomination de fonctionnaires était l'enjeu de compétitions ardentes, d'autant que, par une sorte de système de bascule qui lui
était familier, Alexandre II semblait parfois se plaire à
donner tour à tour satisfaction aux deux partis, accep-

---

1. « Les promesses de l'Empereur m'ont été confirmées plusieurs
fois personnellement, et en outre par mon frère au moment du départ,
etc. » Milutine à Tcherkassky, 2/14 juin 1864.

2. Lettre de Milutine, 16/28 mars 1865.

tant tantôt les candidats du comte Berg, tantôt ceux de Milutine, au risque de perpétuer le désordre des administrations du royaume[1].

Pour ses voyages en Pologne, Nicolas Alexèiévitch semble avoir choisi de préférence l'époque où l'empereur était lui aussi absent de sa capitale. C'est ainsi que dans l'été de 1864, durant le séjour d'Alexandre II aux eaux d'Allemagne, Milutine était retourné à Varsovie pour porter du renfort à Tcherkassky et à ses commissaires. Il revenait de Pologne au moment où l'empereur rentrait lui-même dans ses États et, à Vilna, il se rencontrait autour d'Alexandre II avec Mouravief, le comte Berg et le prince Gortchakof, lequel passait pour avoir transmis au souverain jusqu'à Kissingen les doléances du vice-roi[2]. Dans cette sorte de congrès, ainsi que Milutine appelait cette réunion, Berg, dissimulant habilement son jeu, prodiguait comme d'habitude ses politesses et ne tarissait pas en éloges de ses notoires adversaires de Varsovie, Tcherkassky et Solovief[3]. De Vilna Milutine revenait dans le train impérial et travaillait en wagon avec Alexandre II,

---

1. « Comme compensation à la nomination de Solovief et de Kochélef, le comte Berg est parvenu à faire nommer (au comité constituant) deux de ses protégés Z.... et B.... le premier ne s'est illustré qu'en faisant tirer sur les processions des Polonais...» (Milutine à Tcherkassky, 2/14 juin 1864).

2. « Il paraît, écrivait Milutine à Tcherkassky (16/28 juin 1864) qu'on a fait circuler (à Kissingen) un rapport contre nos commissions et que le prince G. s'en est fait le patron. Il en avait même envoyé ici copie à ses amis; mais hier j'ai reçu de lui, par ordre de S. M., communication de cette délation avec injonction de s'en remettre à ma décision. »

3. Lettre de Milutine à Tcherkassky, 8/20 juillet 1864.

qui semblait ne rien garder des préventions qu'on avait essayé de réveiller durant ce voyage[1].

Moins d'un an après, en mai 1865, Nicolas Alexèié- vitch revenait à Varsovie pour y trouver le comte Berg aussi peu résigné et peu bienveillant que l'été précé- dent. Le vice-roi, dont les défaites ne désarmaient pas la persévérante hostilité, ne dissimulait point son espoir de remporter enfin une victoire décisive[2]. Laissant Milutine à Varsovie, Berg, dans le dessein d'enlever l'approbation impériale, courait à la frontière au devant d'Alexandre II qui rentrait lui-même en Russie pour les funérailles de son fils aîné[3]. L'empereur, tout en cédant souvent au vice-roi sur les questions de détail, avait beau refuser de lui sacrifier les plans de Milutine, rien ne décourageait l'énergique vieil- lard. En décembre 1865, Nicolas Alexèiévitch, rappelé encore une fois en Pologne, écrivait que l'opposition de Berg était devenue chronique[4], que pour le vice- roi les instructions impériales demeuraient lettre morte[5]. Comme d'habitude cependant, après avoir en vain essayé de lasser la patience de ses adversaires, Berg finissait par se résigner à l'exécution des mesures qu'il avait le plus vivement combattues[6].

Les lois agraires de 1864 et les commissions char- gées de les appliquer n'étaient pas le seul terrain que

1. Même lettre.
2. Milutine à sa femme, 7/19 mai 1865.
3. Le grand-duc Nicolas, mort à Nice au printemps de 1865.
4. Milutine à sa femme, 10/22 décembre 1865.
5. Lettre à la même, 14/26 décembre 1865.
6. Lettre à la même, 20 décembre 1865/2 janvier 1866.

se disputaient Milutine et ses antagonistes de Varsovie ou de Pétersbourg. Nicolas Alexèiévitch avait dû
accepter dans toute son ampleur la lourde tâche à
laquelle il s'était d'abord flatté de se soustraire. Loin
de pouvoir se confiner dans les affaires des paysans,
il avait dû élaborer tour à tour des plans de réforme
pour les services les plus divers : administration, jus
tice, enseignement, finances, travaux publics, fonctions ecclésiastiques.

Au milieu de cette brusque refonte des institutions
politiques, sociales, religieuses de la Pologne, Milutine était contraint de s'occuper de tout, et toujours
avec les mêmes obstacles et avec la même hâte. Dans
une lettre à Tcherkassky (12/24 sept. 1864), il discute
la direction à donner aux chemins de fer du royaume.
Dans une autre (30 nov. 1864), il recommande au
prince le nouveau statut des mines que leur collaborateur Kochélef devait élaborer sur place. A Pétersbourg, Nicolas Alexèiévitch présidait un comité pour
la réorganisation des finances de Pologne, et dans ce
domaine comme ailleurs, il se heurtait aux résistances
de Varsovie. Pour écarter Tcherkassky des affaires
intérieures, le vice-roi avait un moment imaginé de
le faire passer aux finances. Ce projet, que le prince
n'avait pas rejeté de prime abord, inquiétait vivement
Milutine, effrayé de voir la direction de l'intérieur
passer aux mains de Trépof ou de quelque autre
affidé de Berg[1]. Aussi Tcherkassky, se rendant aux

---

1. Milutine à Tcherkassky, 12/24 avril 1864.

instances de son ami, se décida-t-il à repousser la
combinaison du vice-roi. Il demeura à l'intérieur et
les finances furent confiées au candidat de Milutine,
Kochélef, homme riche et indépendant, qui devait sur-
vivre à ses illustres collaborateurs[1].

La réorganisation judiciaire donnait plus de tracas
encore à Nicolas Alexèiévitch. Comme pour les oukazes sur les paysans, il soutint à ce sujet de grands
assauts dans le comité de Pétersbourg, chargé de
l'étude de cette réforme. Le 18 juin 1865, il écrit
à sa femme qu'il travaille avec acharnement à son
statut judiciaire et qu'il craint de voir ce statut
subir des altérations. Le 22 du même mois, il lui
annonce qu'il a cause gagnée et que ses projets
viennent d'être approuvés de l'empereur. De même
encore que pour les lois agraires, il lui fallait alors
chercher des agents d'exécution, combattre les choix
proposés par Berg, recruter lui-même ce nouveau
personnel, l'installer sur les lieux, le défendre contre
le mauvais vouloir du vice-roi. Il y mettait d'autant
plus d'ardeur qu'ainsi qu'il l'écrivait à Soloviet, cette
réforme était intimement liée à la nouvelle organisation rurale[2]. Afin de faciliter la tâche des juristes qu'il
enrôlait pour sa commission judiciaire, il avait soin
de s'assurer du concours de Hilferding, l'un des sla-

---

1. Kochélef est mort en 1883, après avoir dirigé plusieurs journaux
et publié d'intéressantes études économiques sur sa patrie.

2. Lettre à Soloviet 30 nov./12 déc. 1864. En Pologne de même
qu'en Russie, Milutine faisait instituer dans les villages des tribunaux
électifs pour juger, selon les coutumes locales, les différends des
paysans entre eux.

vistes les plus renommés de l'empire. Quelques mois avant sa retraite des affaires, Milutine exprimait sa joie de voir la langue russe introduite jusque dans le ressort de la justice, « celui de tous où il s'attendait à rencontrer le plus de résistance[1]. »

Nous touchons ici à l'une des préoccupations constantes de Milutine et de ses amis, et en même temps à l'un des côtés les plus délicats et les plus contestables de leur œuvre. On attribue souvent à Nicolas Alexèiévitch la paternité du système de russification et de dénationalisation pratiqué en Pologne à la fin du règne d'Alexandre II. Milutine se faisait assurément un devoir de répandre aux bords de la Vistule la connaissance de la langue russe qui jusque-là était restée plus étrangère à la Pologne que l'allemand ou le français. Il semble cependant qu'à cet égard on se soit fréquemment mépris sur ses intentions et que, depuis sa retraite, on ait singulièrement dépassé ses instructions et outré ses vues[2]. Dans ses statuts sur l'instruction publique, publiés durant les derniers mois de sa carrière, Milutine, par exemple, avait soin d'introduire la langue russe dans les gymnases «pour l'enseignement de la géographie et de l'histoire de la Russie et de la Pologne» ; mais, d'après les oukazes datés officiel-

---

1. Lettre à sa femme du 8 juin 1866.
2. Dans deux lettres du 14/26 janvier 1865, adressées l'une à Tcherkassky, l'autre à Solovi ef, il approuvait l'idée du prince de créer deux gymnases russes et annonçait en même temps qu'il allait faire envoyer des alphabets russes « pour les diverses langues et dialectes du royaume »; doit-on en inférer qu'il a été de ceux qui songeaient à substituer, pour le polonais, des caractères slaves aux caractères latins ?

lement du 5 janvier 1866, les autres matières devaient, comme par le passé, être enseignées en polonais. Ce n'est que trois ans après la retraite de Milutine, en 1869, qu'on imagina de substituer partout, dans les collèges de Pologne, le russe au polonais; ce n'est qu'en 1871 qu'on alla jusqu'à appliquer cette règle à l'instruction religieuse. Rien donc n'autorise à faire remonter à Milutine le singulier système qui, à l'université de Varsovie, va jusqu'à faire enseigner la littérature polonaise dans la langue de Moscou. Loin d'être tombé en de pareils excès, Milutine, dans ses rapports à l'empereur, demandait seulement qu'on fît à la langue russe « une place honorable », en ayant soin d'écarter toute idée de russification forcée de la jeunesse polonaise. Dans un mémoire adressé le 27 mai 1864 au « comité pour les affaires de Pologne », Nicolas Alexèiévitch n'hésitait pas à déclarer que « tous les efforts pour russifier la Pologne resteraient vains, que jamais on ne réussirait par l'enseignement à s'attacher les Polonais et à les fondre avec les Russes, qu'il fallait se tenir pour satisfait si les Polonais apprenaient le russe comme une des connaissances indispensables d'une culture générale. » Il eût pu montrer à ses compatriotes l'exemple de la Pologne anglaise, de l'Irlande, pour leur faire voir que la communauté même de langue ne suffit pas toujours à rapprocher deux peuples.

L'administration prêterait à des remarques analogues. Bien que pénétré de la nécessité d'agir, temporairement au moins, d'une manière dictatoriale,

Milutine avait à cœur de supprimer l'état de siège et
la dictature militaire[1]. Il était sans doute hostile à
l'autonomie polonaise; il voulait réunir le royaume
à l'empire, effacer les barrières qui les séparaient,
transporter le centre de l'administration de Varsovie
à Pétersbourg; il croyait même indispensable de
n'employer « au début » que des Russes[2]; mais rien ne
prouve qu'il ait prétendu dépouiller les Polonais de
leur nationalité, et rêvé une assimilation chimérique.
Il était trop clairvoyant, il connaissait trop la Pologne
pour s'abandonner à un pareil songe. Le but de sa
politique semble avoir été l'unification, non la russification.

On trouve malheureusement peu de lumière à
cet égard dans la correspondance de Milutine. Une
fois seulement, dans une lettre à Tcherkassky
(16/28 mars 1865), il est question de « l'incorporation »
de la Pologne, et cela en des termes assez obscurs,
comme si l'idée en était venue de Varsovie et de
Tcherkassky, et comme si, sur ce point, Milutine ne
partageait pas entièrement les sentiments du prince :

« De vos lettres précédentes, des entretiens de Solovief
et d'une lettre reçue hier même de Kochélef, il ressort
que parmi vous s'est fortement affermie l'idée de l'incorporation (*inkorporatsia*) du royaume de Pologne. Je m'en
suis expliqué en détails avec Solovief qui vous transmettra
mes vues lesquelles ne concordent pas tout à fait avec

1. Il l'écrivait à Tcherkassky dès le 12/24 septembre 1864.
2. Lettre du 23 mars 1864.

celles de Varsovie. Il vous racontera aussi avec quelle adresse l'astucieux vieillard (Berg) a su donner à cette idée l'apparence d'une intrigue presque révolutionnaire[1], rattachant la question de l'incorporation à celle du suffrage universel, mettant en avant à ce propos et Katkof et la Constitution et même Schébalski! De grâce, dans vos explications avec ce polichinelle.... soyez, soyez prudent.... »

De quelque façon que Milutine eût conduit l'incorporation du royaume à l'empire, on ne saurait le rendre responsable de la manière dont l'ont effectuée ses successeurs, ni des mesures d'exception imposées après lui aux provinces de la Vistule. Ni sa correspondance privée ni ses rapports publics n'autorisent à donner aux procédés de russification à outrance employés depuis 1867, depuis que l'attentat de Bérézowski eut ranimé des colères mal assoupies, le nom de système Milutine : c'est là, pour le moins, une expression impropre. Le régime, adopté à la fin du règne d'Alexandre II et appliqué sous l'administration même du comte Berg, ne semble qu'une impolitique exagération du système préconisé par Milutine. Chose à remarquer, c'est lorsqu'un mal incurable eut définitivement écarté Milutine des affaires, que les mesures qu'il avait eu tant de peine à faire accepter des maîtres de la Pologne furent appliquées avec le plus de rigueur. Le gouvernement, chez lequel il avait rencontré tant de répugnance pour ses « méthodes radicales », ne

---

1 *Vid intrighi tchout–tchout ne révolutsionnoï.*

se fit pas scrupule de renchérir sur elles lorsque Nicolas Alexèiévitch eut disparu de la scène politique.

Si les réformes de Milutine et spécialement les lois
agraires de 1864 n'ont pas, pour le peuple, porté tous
les fruits qu'en espéraient leurs auteurs, la faute en
est en grande partie à l'aveugle système de dénationalisation qui a survécu à l'empereur Alexandre II. Le
gouvernement impérial a bien fait de louables efforts
pour disséminer l'instruction, mais l'enseignement ne
peut être impunément distribué au peuple dans une
langue étrangère que l'enfant ne comprend pas, que
l'homme ne parle point.

Pour le peuple polonais que Milutine se flattait de
« remettre sur ses pieds » et de faire enfin « appa-
raître sur la scène de l'histoire[1] », cela seul est une
cause manifeste d'infériorité. Aussi, nous permet-
trons-nous de remarquer que, des deux parties du
programme appliqué en Pologne depuis 1863, l'une
fait obstacle au succès de l'autre. D'une main en lui
assurant des terres, en lui confiant l'administration
de sa *gmina* (commune), le gouvernement impérial a
beaucoup fait pour relever le peuple ; de l'autre, en
bannissant la langue polonaise des écoles, de l'administration, des tribunaux, il semble travailler à le dé-
primer. En Pologne comme ailleurs, comme chez les
Slaves du Danube et du Balkan par exemple, le développement moral et intellectuel du peuple ne peut
être complet qu'avec une culture nationale. Il est dif-

1. Voy. plus haut, p. 282, la lettre à Solovief du 29 mars 1864.

ficile que la Russie puisse toujours l'oublier : durant
la dernière guerre d'Orient, comme durant la crise
des conspirations terroristes, ses sujets polonais se
sont montrés assez sages pour que, en dépit des rancunes du passé, elle ne s'obstine pas à leur refuser ce
qu'elle-même a eu l'honneur d'obtenir à tant de sujets
chrétiens de la Porte.

CHAPITRE XIII

Affaires religieuses. 1864-1866. — Sécularisation des couvents de Pologne. — De quelle manière cette mesure fut préparée par Milutine et exécutée par Tcherkassky. — Le clergé séculier. — Milutine eût voulu faire élire les curés catholiques. — Les Grecs-Unis. — Rupture de la Russie avec le Vatican.

La question religieuse, ou mieux la question ecclésiastique, fut, après les lois agraires, la principale préoccupation de Milutine et de Tcherkassky en Pologne. Dans aucun pays, on le sait, la nationalité et la religion ne se sont à ce point alliées et renforcées l'une l'autre. Cette union intime du catholicisme et de l'esprit polonais avait été, sous Nicolas et sous Alexandre II, involontairement resserrée par la politique russe qui ne s'était guère montrée moins défiante du « latinisme » que du « polonisme[1] ». En 1863, plus encore qu'en 1848 ou en 1830, le clergé était, après la noblesse, après la *Szlachta*, regardé comme le principal fauteur des résistances

---

1. En Occident aussi bien qu'en Russie, on a souvent exagéré l'influence ecclésiastique sur la Pologne. Dans la première moitié du siècle, avant 1830 notamment, l'ascendant du clergé était loin d'être absolu. Une grande partie de la noblesse restait libre-penseuse et voltairienne. La preuve en est que les diètes de Varsovie ont rejeté à plusieurs reprises les projets de loi présentés par Alexandre Ier et par Nicolas, en cela d'accord avec le saint-siège, pour faire cesser l'abus scandaleux des divorces.

polonaises. Il ne pouvait sortir indemne de la défaite
d'une insurrection qu'il passait pour avoir encouragée
et qu'il avait au moins soutenue de ses vœux et de ses
prières. Nous ne saurions ici ni raconter ni apprécier
les vengeances ou les sévérités du vainqueur ; nous
nous arrêterons seulement sur les faits auxquels
Milutine a pris une part directe et que sa correspondance peut éclairer de lueurs nouvelles.

En toutes choses Milutine préférait aux rigueurs
passagères ce qu'il appelait des mesures organiques.
Il aimait mieux s'en prendre aux institutions qu'aux
individus. Ainsi fit-il avec la hiérarchie catholique
romaine de Pologne. Dans l'empire autocratique, tout
comme dans les États démocratiques, c'était au clergé
régulier et aux moines, aux troupes d'élite de l'Église
que le gouvernement devait s'attaquer de préférence.
Ici encore, Milutine allait comme d'ordinaire se
heurter aux résistances du vice-roi.

Le comte Berg ne se déclarait pas ouvertement
contre la suppression des couvents, plus ou moins
compromis dans l'agitation nationale. Il soutenait
seulement, à l'encontre de Milutine et de Tcherkassky, qu'au lieu d'effectuer brusquement la sécularisation, il fallait, pour ne pas exposer la Pologne
à de nouveaux troubles, y procéder petit à petit. Le
vice-roi prétendait en outre, selon son système habituel, que pour ne pas laisser aux Russes tout l'odieux
d'une pareille mesure, il valait mieux l'abandonner
à des mains catholiques, à des mains polonaises.
Parmi les fonctionnaires indigènes non encore con-

gédiés, il n'eût pas été impossible, en effet, d'en trouver qui se chargeassent de cette ingrate besogne. Berg avait auprès de lui, à la direction des cultes, un fonctionnaire âgé, du nom de Dembowski, que ses antécédents et ses opinions lui faisaient regarder comme fort propre à cette tâche. « Laissez faire Dembowski, disait le vice-roi à Tcherkassky, il a toujours été contre les moines ; il a demandé leur suppression avant 1830 ; laissez-le faire et vous le renverrez après[1]. » Milutine et Tcherkassky étaient trop ennemis des temporisations, trop défiants de Berg et des fonctionnaires polonais pour se rallier à de pareilles vues. Ils n'épargnèrent rien pour les faire échouer.

L'opposition de Berg n'était pas la seule avec laquelle ils eussent à compter. Ils rencontraient parfois sur leur chemin les interventions les moins attendues. Milutine avait d'abord, pour le licenciement des moines de Pologne, songé à un certain Skriptsiné qui, sous Nicolas, s'était attiré l'hostilité des Allemands et des protestants des provinces baltiques. Le bruit en arriva jusqu'à Paris aux oreilles du baron Budberg, ambassadeur de Russie près de la cour des Tuileries. L'ambassadeur s'émut d'un pareil choix. Il écrivit, de Paris, à Milutine une longue lettre où, en l'encourageant à la suppression des couvents, il le dissuadait de confier une pareille mission à un « fanatique orthodoxe » tel que Skriptsine, de peur de

---

1. Lettre de Tcherkassky à Milutine 21 mai/2 juin 1864.

donner à la sécularisation le caractère d'une persécu-
tion religieuse[1]. Milutine dut renoncer à Skriptsine
dans la crainte d'apporter à ses adversaires de Varsovie le concours toujours puissant des rancunes baltiques.

Tcherkassky demeura spécialement chargé de la
sécularisation des couvents. La direction des cultes
était avec celle de l'intérieur passée aux mains du
prince. On avait vu là, non sans raison, le prélude
de graves mesures. On était loin cependant de savoir
à quoi s'en tenir sur les projets des deux amis. Milutine
commença par faire rassembler des documents sur la
suppression des couvents dans les États étrangers,
spécialement dans les États catholiques[2]. Les exemples
en pareille matière ne manquaient point. Selon une
remarque de Milutine, on en trouvait dans tous les
pays, sauf dans la Pologne et dans les États de
l'Église[3]. Le savant Hilferding fut chargé par Nicolas
Alexèiévitch de démontrer, dans un volumineux mémoire, que la plupart des pays catholiques avaient
un jour ou l'autre adopté, vis-à-vis des couvents, des
mesures de rigueur analogues à celles projetées pour
le royaume. Si Milutine attachait tant d'importance
aux précédents, ce n'était pas uniquement pour répondre aux attaques de la presse polonaise ou étrangère, c'était aussi pour triompher des résistances
qu'il rencontrait à Pétersbourg. Loin d'être aisément

---

1. Lettre du baron Budberg à Milutine, 23 mai 1864.
2. Lettres à Tcherkassky, 2/14 juin et 19/31 juillet 1864.
3. Lettre du 8/20 août 1864.

admise des conseillers du tsar, la suppression des couvents catholiques de Pologne souleva parmi eux de vives discussions. Nicolas Alexèiévitch se plaignait particulièrement de l'opposition de son ancien adversaire « des commissions de rédaction », le comte Panine, qu'il soupçonnait d'être de connivence avec Berg en insistant pour la sécularisation graduelle[1].

Pour mieux déjouer les plans de leurs antagonistes, Milutine et Tcherkassky entourèrent, jusqu'au dernier moment, leurs projets de « réforme monastique » d'un secret impénétrable, recommençant à cet égard le jeu qui leur avait réussi pour les lois agraires. On voulait prendre à l'improviste et l'administration du royaume et les moines polonais et l'opinion européenne.

« Surtout, gardez le secret, » répétait sans cesse à Tcherkassky Milutine qui n'était pas sans redouter l'indiscrétion des ministres et spécialement « la loquacité » du prince Gortchakof[2]. Les oukazes une fois approuvés par l'empereur, Milutine les fit secrètement imprimer et traduire en français et en allemand. Pour les publier, il attendit une dépêche de Tcherkassky annonçant que le moment était venu[3].

---

1. Lettre à Tcherkassky, 2/14 juin 1864.

2. Lettre du 8 novembre 1864. — « Nous n'épargnons rien pour entourer nos projets de mystère. La sécularisation subite ne doit pas seulement faciliter l'exécution, mais aussi agir plus fortement sur les esprits. » (Lettre à Tcherkassky du 29 octobre 1864.) « Tous mes efforts tendent à ne pas laisser ébruiter le jour de la signature et de l'expédition des oukazes. » (Lettre au même du 14/26 octobre.)

3. Lettre de Milutine à Tcherkassky, 8 novembre 1864.

L'avis du prince à peine reçu, il lança des télé-
grammes de tous côtés, de façon que l'Europe ap-
prît presque à la fois et les oukazes sur les couvents
et leur exécution.

Le comte Berg avait fait annoncer par le général
Trépof, chef de la police, que la brusque suppression
des couvents exposerait le royaume à de bruyantes
manifestations et au renouvellement des processions
patriotiques des premiers mois de 1863.

Ces appréhensions de Trépof et du vice-roi paraissaient à Milutine singulièrement exagérées. « Nous
n'en sommes plus, écrivait-il à Tcherkassky, à l'époque
où l'on insultait impunément le *Moskol* dans les rues
de Varsovie[1]. » Au fond il n'était pas cependant entièrement rassuré. Il demandait au prince s'il n'y
avait aucune démonstration à redouter de la part du
clergé, ajoutant que si ce dernier osait troubler
l'ordre à peine rétabli, il justifierait lui-même les
mesures prises contre lui[2]. La Pologne était trop
abattue et Varsovie trop convaincue de l'inutilité de
la résistance pour accroître l'irritation du vainqueur
par des démonstrations impuissantes. Les oukazes
de l'empereur, tombant à l'improviste sur ceux qu'ils
allaient frapper, furent exécutés sans trouble, dans la
nuit du 27 au 28 novembre. Tcherkassky, après avoir
à Varsovie tout préparé en secret, présida lui-même à
la fermeture des principaux couvents condamnés.

1. Lettre du 8/20 novembre 1864.
2. Lettre du 12/24 septembre 1864.

Moines et religieux, éveillés au milieu des ténèbres et habillés à la hâte, durent séance tenante quitter leurs cloîtres pour se rendre sous escorte dans les couvents temporairement conservés comme asile. Milutine, en apprenant la facile exécution des oukazes impériaux, entonna une sorte de chant de triomphe, se félicitant d'avoir cause gagnée malgré tous les prophètes de malheur[1]. Il n'y avait qu'une ombre à sa joie, c'est qu'en dépit de toutes ses précautions, en dépit des mémoires et des journaux qu'il avait expédiés d'avance, « l'effet » de la mesure eût à l'étranger été gâté par les maladresses des agents du tsar à Rome et à Paris[2].

La rapide sécularisation, effectuée par Milutine et Tcherkassky, ne s'appliquait pas absolument à toutes les maisons religieuses de la Pologne. Les oukazes de 1864 frappaient deux classes de couvents : 1° ceux qui ne comptaient pas huit religieux ou religieuses, nombre canonique fixé, paraît-il, par les bulles papales ; or, d'après Milutine[3], il n'y en avait pas moins de quatre-vingts dans ce cas ; — 2° les couvents d'hommes ou de femmes qui avaient pris part à l'insurrection ; et, d'après Tcherkassky, il n'y en avait qu'un, le mo-

---

1. Lettre à Tcherkassky 30 novembre/12 décembre 1864.
2. Milutine regrettait amèrement qu'à Rome le représentant de la Russie eût imaginé de donner à ce sujet des explications au gouvernement pontifical, et qu'à Paris l'ambassade russe se fût, dans ses communications aux journaux, laissé devancer par les Polonais, en sorte que le *Moniteur* avait puisé ses renseignements à des sources hostiles. L'empereur, disait-il, en exprima son mécontentement au prince Gortchakof. (Lettre du 30 novembre/12 décembre 1864.)
3. Lettre à Tcherkassky, 2/14 juin 1864.

nastère du grand sanctuaire historique de Czensto-
chowa qui fût sans reproche[1]. Avant 1863, il y avait
dans le royaume cent quatre-vingt-treize couvents,
dont quarante et un de femmes : on n'en laissa sub-
sister que trente-quatre, dont dix de femmes, et cela
en limitant strictement le nombre des religieux de l'un
et l'autre sexe. Les trente-quatre couvents ainsi conservés virent, comme les autres, leurs biens confisqués
par le gouvernement. Ils furent entretenus aux frais
de l'État, ainsi que les religieux et religieuses qui y
trouvèrent asile. Tous les expulsés des monastères
fermés ne pouvaient se réfugier dans les trente et
quelques couvents épargnés. Des deux mille moines
et des cinq cents religieuses qui peuplaient les cloîtres
de Pologne, près de la moitié durent rester en dehors. Ces « surnuméraires », ainsi que les appelait
Milutine, étaient un embarras pour les auteurs de la
sécularisation. Ils eussent voulu pouvoir les rendre au
monde et à la vie laïque ; mais cette idée fut repoussée
par la majorité des conseillers du tsar, et cela, d'après
Milutine, pour trois raisons : d'abord parce que les
moines défroqués sont pour la plupart débauchés ;
ensuite parce que pareille chose eût fait crier le
monde catholique ; enfin parce que la conscience orthodoxe s'oppose à l'annulation des vœux, même chez

1. Lettre à Milutine du 12/25 mai 1864.
L'acte d'accusation contre les couvents polonais fut dressé par Ilia
Sélivanof, personnage interné à Viatka par la haute police sous le
règne de Nicolas. Ce curieux document, publié par les Revues russes,
a été traduit en allemand : *Von Nikolaus I zu Alexander III*, p. 331-
334. Leipzig, 1881.

les catholiques[1]. Ce dernier argument, « quoique d'ordre sentimental, « paraissait à Milutine difficile à réfuter. Quelques jours plus tard, il écrivait néanmoins à Tcherkassky que si, parmi les moines expulsés, il s'en trouvait de disposés à jeter le froc aux orties, le mieux était d'y consentir tacitement[2]. La plupart des religieux ou religieuses, qui ne purent ou ne voulurent entrer dans les couvents conservés, furent autorisés et même encouragés à passer dans les couvents de l'étranger. Ils reçurent naturellement une pension viagère prélevée sur leurs biens confisqués.

Ces biens, qui étaient encore considérables, furent appliqués en partie à l'instruction publique, en partie à la dotation du clergé catholique paroissial, lequel dans les villes n'avait jusque-là qu'un rôle fort secondaire, la plupart des églises étant desservies par des moines. Le surplus des terres des couvents fut vendu comme biens de la couronne, ou employé à accroître l'étendue des champs concédés aux paysans. Quant aux écoles congréganistes de l'un ou l'autre sexe, elles furent fermées ou passèrent sous la direction immédiate du gouvernement, dont une des principales préoccupations était d'enlever l'enseignement au clergé, régulier ou séculier.

Ce dernier n'échappa point aux innovations des réformateurs russes. Il percevait encore, dans les campagnes notamment, certaines redevances sur ses

---

1. Milutine à Tcherkassky, 14/26 octobre 1864.
2. Lettre du 30 novembre/12 décembre 1864.

paroissiens. Les paysans, malgré leur dévouement à la foi catholique, demandaient à en être affranchis[1]. Milutine et Tcherkassky ne manquèrent pas de leur donner cette satisfaction. Les derniers vestiges de la dîme furent abolis et le clergé fut subventionné par l'État sur les biens incamérés des couvents. Milutine eut soin de couper en même temps les liens qui rattachaient encore le clergé paroissial à la noblesse. Les grands propriétaires, dépouillés de leur *patronat* sur les églises, perdirent le droit de désigner les curés de certaines paroisses. Milutine et Tcherkassky ne se défiaient pas moins du haut clergé et du Vatican que de l'aristocratie polonaise, ils cherchèrent à restreindre l'autorité des évêques sur leurs prêtres. Un oukaze du 14/26 décembre 1865 vint soustraire les curés à l'interdiction épiscopale. Avec leur goût habituel pour l'élection populaire, les deux amis eussent voulu remettre au paysan le choix de ses pasteurs aussi bien que le choix de ses maires ou anciens. C'est encore là une mesure qu'ils auraient volontiers, s'ils en eussent été les maîtres, introduite en Russie, dans le clergé orthodoxe. La proposition en fut faite à Pétersbourg, pour le clergé polonais; mais elle fut repoussée au comité des ministres, en vue sans doute des résistances qu'elle eût provoquées de la part de la hiérarchie catholique[2].

---

1. Tcherkassky, dans un post-scriptum à une lettre du 7/19 mai 1864, annonçait à Milutine qu'il commençait à recevoir de nombreuses suppliques à ce sujet.

2. «Aujourd'hui on a également examiné la question du *patronat*. On

L'acte le plus grave qu'on puisse reprocher à la
Russie dans ces délicates matières, c'est la suppression légale du dernier diocèse d'Uniates ou Grecs-Unis,
officiellement ramené en bloc dans le giron de l'Église
orthodoxe, sans tenir compte du sentiment personnel
des prêtres ou des laïques, attachés à l'union avec
Rome. Or, cette violation des droits de la conscience,
qui reste l'une des taches du règne d'Alexandre II,
est postérieure au ministère et à la mort même de
Milutine. Dans son désir de trouver en Pologne des
éléments qui pussent servir d'appui à la domination
russe, Milutine n'avait certes pas négligé les Uniates
de Chelm. Dès l'été de 1864, il recommandait avec
insistance à Tcherkassky de s'en occuper et se plaignait, à cet égard, des lenteurs du prince Gortchakof[1].
Chez ces Uniates du sud-est du royaume, Milutine et
ses amis étaient heureux d'avoir découvert, en plein
pays ennemi, une population d'origine petite-rus-
sienne, conservant encore les rites orthodoxes. Ils
ont été les premiers à s'efforcer de réveiller, chez ces
Ruthènes polonais, le sentiment de leur vieille parenté de race et de religion avec les Russes de l'empire. Ils ont là, dans ce qu'ils appelaient « le Trans-

a souscrit à tout, excepté à l'élection des prêtres par leurs paroissiens.
Sur ce point, je n'ai été soutenu que par mon frère et Zélénoï. » (Milutine à Tcherkassky, 2/14 juin 1866.)

1. Lettre du 8/20 août 1864. — Les Uniates relevaient, si je ne
me trompe, du ministère des affaires étrangères. Cette question des
Grecs-Unis est de celles que nous ne pouvons qu'effleurer ici : nous
l'étudierons prochainement, avec plus de liberté, ainsi que la situation
des diverses Églises en Russie, dans le troisième volume de notre grand
ouvrage : *l'Empire des tsars et les Russes.*

boug russe », comme à l'autre extrémité du royaume,
dans les districts lithuaniens du nord, cherché à
retourner contre la Pologne l'arme la plus redoutable
des résistances polonaises, le sentiment de nationalité.
Pour cela, non contents de subventionner les églises
et le clergé uniates, non contents de supprimer avec
les Basiliens la portion du clergé grec-uni la plus dé-
vouée à l'Union, Milutine et Tcherkassky eurent soin
d'appeler de Galicie des prêtres grecs-unis, opposés
au « polonisme », qui se mirent à prêcher en malo-
russe et à combattre chez leurs paroissiens tous les
emprunts au rit latin[1]. Si de cette manière Milutine
a contribué à préparer la réunion des Uniates à
l'Église russe, il n'a eu aucune part dans les hypocrites violences qui, à la fin du règne d'Alexandre II,
ont accompagné leur retour à l'orthodoxie[2].

La politique ecclésiastique du gouvernement russe
en Pologne et en Lithuanie, ses efforts pour détacher
de Rome les Ruthènes unis, ses procédés envers
l'épiscopat et le clergé, la suppression des couvents,

---

1. C'est Tcherkassky qui fit venir de Galicie, en 1866, le fameux
Popiel, le principal agent du « retour » des Grecs-Unis à l'orthodoxie
orientale.

2. Dans sa recherche de tous les éléments qui pouvaient appuyer
l'autorité russe, Milutine n'oublia même pas les colonies de *Raskolniks*,
de schismatiques grands-russiens établis depuis plusieurs générations
en Pologne. Partisan résolu de la liberté religieuse, il ne voulait pas
que l'assimilation du royaume à l'empire allât jusqu'à dépouiller ces
inoffensifs sectaires des droits que leur avait accordés la tolérance polonaise. Une de ses lettres à Tcherkassky (7/19 décembre 1864) mentionne
à ce sujet une violente discussion dans le comité des ministres : il s'agissait de savoir si les *Raskolniks* du gouvernement d'Augustof seraient
autorisés à conserver des cloches!

la dispersion des évêques, internés aux quatre coins de la Russie, ne pouvaient manquer de rencontrer la plus vive opposition de la part du Vatican. Pie IX n'était pas homme à tolérer en silence de pareilles entreprises. L'éloquent et impétueux pontife ne se lassait pas de faire résonner l'Europe de ses véhémentes protestations. Notes au gouvernement russe, lettres au tsar, encycliques aux évêques et aux fidèles, allocutions aux cardinaux, Pie IX employait, à la défense du clergé de Pologne, toutes ses armes spirituelles ou politiques. Malgré la vivacité de son langage et l'ardeur de son tempérament, le vieux pape n'avait garde de rompre avec le gouvernement russe. L'initiative de la rupture devait venir de Pétersbourg et le principal promoteur en devait être Milutine. De concert avec Tcherkassky, bien qu'avec moins de passion que son ami, il cherchait à relâcher les liens du clergé polonais et du Vatican dont il n'espérait rien. Il ne voyait, dans l'intervention du pape, qu'un obstacle de plus à l'exécution de ses projets. Aussi, loin de désirer s'entendre avec le chef de l'Église, ne dissimulait-il pas ses appréhensions, dès l'été de 1864, chaque fois que la curie romaine lui paraissait « chercher un rapprochement[1] ». A ses yeux, le gouvernement du tsar, au lieu de négocier avec le pape, devait cesser toutes relations officielles avec lui et abroger résolument les conventions conclues avec Rome en 1847. Soit qu'il voulût se ménager les

1. Lettre à Tcherkassky, 8/20 août 1864

chances d'un accommodement, soit qu'il désirât mettre
de son côté les apparences et l'opinion, Alexandre II
hésita longtemps avant d'en venir à cette extrémité.
Il ne s'y décida qu'en novembre 1866. Beaucoup de
ses conseillers, et à leur tête le prince Gortchakof,
répugnaient encore à une pareille rupture. Milutine
finit néanmoins par l'emporter après une longue et
violente discussion au comité des ministres, sous l'œil
même du maître. Dans ce conseil dont les membres
ne se sentent liés par aucune solidarité, Nicolas
Alexèiévitch n'avait plus d'une fois déjà eu gain de
cause qu'après d'orageuses délibérations[1]. Ce fut son
dernier effort et son dernier triomphe. Le même jour,
quelques heures après le conseil d'où il revenait
joyeux de sa victoire, Milutine était frappé d'une
attaque d'apoplexie dont il ne se releva que pour demeurer paralysé.

La maladie et la retraite de Milutine n'arrêtèrent
pas l'exécution des mesures qu'il avait fait décider.
Un oukaze de novembre 1866 annula le concordat
de 1847. Ce n'est que dix-sept ans plus tard,
en 1883, sous l'empereur Alexandre III et le pape
Léon XIII, qu'après de laborieuses négociations, com-
mencées dès la fin du règne d'Alexandre II, la Russie
et le Vatican sont parvenus à s'entendre pour signer
une nouvelle convention. Cet accord, facilité par la
sagesse du clergé et des catholiques durant les dernières années, est la marque de l'apaisement des

1. Lettre de Milutine du 2/14 juillet 1866.

esprits des deux côtés. Les amis de la Russie et de la Pologne ne sauraient que s'en féliciter, car Russes et Polonais n'ont qu'à gagner à tout ce qui peut les rapprocher. Il en est de la religion de la Pologne ainsi que de sa nationalité ; c'est en s'en montrant respectueux que les tsars russes assureront le mieux leur domination sur la Vistule.

CHAPITRE XIV

Milutine membre du conseil de l'Empire, puis ministre de Pologne (avril 1866). Courte durée de son ministère.— Sadowa et sa défiance de l'Allemagne. — La politique russe et la germanisation de la Pologne. — Maladie de Milutine. — Ses dernières années. — Fin de ses amis Samarine et Tcherkassky. — Conclusion. — Morale de ce récit.

Durant le long combat des vainqueurs sur le corps enchaîné de la Pologne, les chefs des deux partis reçurent jusqu'à la fin des récompenses et des encouragements simultanés. Le comte Berg était successivement fait vice-roi (namestnik) et feld-maréchal; Milutine était nommé membre du conseil de l'Empire et ministre de Pologne.

L'entrée de Nicolas Alexèiévitch au conseil de l'Empire et au grand comité pour les paysans eut lieu en janvier 1865, trois ou quatre ans plus tard qu'on ne le lui avait promis. Cette double nomination qui devait, disait-il, « ajouter de la vapeur aux passions ennemies[1] », lui rendait le droit de faire entendre sa voix dans les affaires intérieures dont il n'avait jamais voulu se désintéresser, et en particulier dans les affaires des paysans qui lui tenaient tant à cœur. Aussi tenait-il à remplir en conscience ces nouvelles fonc-

---

1. *Pridast parou vrajdebnym strastiam*, lettre de janvier 1865.

tions, malgré ses multiples occupations de Pologne et les imprudents excès de travail auxquels il s'était déjà condamné[1].

Au moment où Milutine était appelé au conseil de l'Empire et au comité pour les paysans, la présidence de ces deux assemblées était confiée par l'empereur à l'ancien protecteur de Milutine, le grand-duc Constantin, tandis que le prince Gagarine devenait président du comité des ministres en même temps que des comités de Pologne, des provinces occidentales et du Caucase. Milutine, tout en doutant qu'un pareil « partage d'autorité » pût imprimer aux affaires une direction homogène, se félicitait de ce qu'aucun de ces deux présidents n'eût une influence exclusive. Il se promettait de marcher d'accord avec le prince Gagarine dans les affaires de Pologne, et avec le grand-duc Constantin dans les affaires des paysans[2]. Le vaillant athlète ne prévoyait pas qu'il allait bientôt être enlevé pour toujours à la vie publique.

C'est en avril 1866 que le ministère de Pologne passa aux mains de Milutine. Pour Nicolas Alexèiévitch cette nomination tardive n'était pas un succès sans mélange, car elle semblait devoir le river longtemps encore à ces affaires polonaises dont il avait

---

1. Le 8/20 février 1865 p. ex. il annonce à Solovief qu'il lui est impossible de quitter Pétersbourg, parce qu'on va commencer, au grand comité (*glavnyi komitet*), l'examen du projet d'organisation des paysans de la couronne, et bientôt après, au conseil de l'Empire, l'étude du projet de règlement pour la presse, deux choses sur lesquelles l'empereur paraissait désirer qu'il prît part aux discussions.

2. Lettre à Solovief, 28 décembre 1864/9 janvier 1865.

toujours hâte de sortir. Aussi, loin de briguer ce poste qui, depuis trois ans, semblait lui appartenir de droit et que l'empereur lui avait proposé dès 1864, avait-il longtemps cherché à l'éviter. « Vous aimez mieux faire des ministres que de l'être vous-même, » lui disait à ce propos le prince Gortchakof.

Le moment où Milutine était appelé au ministère était peu propice aux nouveautés. C'était au lendemain de l'attentat de Karakazof, le premier Russe qui ait osé porter la main sur le tsar. Cet attentat avait amené dans le gouvernement, jusque-là incertain et vacillant, une sorte d'évolution dans le sens conservateur. L'influence de Milutine en pouvait sembler atteinte : ce fut le moment où il fut nommé ministre, mais ministre de Pologne. Il est vrai que le général Mouravief, la veille encore en demi-disgrâce, était vers le même temps appelé à la tête du gouvernement, comme le fut quatorze ans plus tard, en pareille circonstance, le général Loris-Mélikof.

Les amis de Milutine espéraient encore le voir prendre en des jours meilleurs un rôle prépondérant, le voir revenir enfin à la direction des affaires intérieures, dont il avait été écarté en 1861. Ces rêves ne devaient point se réaliser. Milutine ne devait siéger que quelques mois au *comité* des ministres et il allait y épuiser le reste de ses forces à batailler pour les affaires polonaises.

Pendant ce temps, avait lieu entre les deux voisins de la Russie la rapide guerre de 1866, prélude de celle de 1870. Dans une lettre à sa femme, alors à la campagne, Milutine écrivait, au lendemain de Sadowa : « La défaite des Autrichiens est complète, les Prussiens les ont battus à plate couture. A présent, ces derniers vont tellement s'enorgueillir qu'il n'y aura plus moyen de les tenir. Pour nous, le fait n'a rien d'agréable[1]. » En 1870, alors que, malade et paralysé, il était depuis quatre ans retiré des affaires, Nicolas Alexèiévitch éprouva une véritable douleur en apprenant les défaites de la France. A part ses naturelles et clairvoyantes inquiétudes pour son pays, Milutine avait pour le nôtre, où son nom était en butte à tant d'attaques, une préférence qui ne se démentit jamais. Quand il était au pouvoir, l'un de ses soucis était de redresser, au moyen de la presse, l'opinion française sur la Russie[2]. Plus tard, lorsqu'on lui apprit la capitulation de Sedan, Milutine refusa d'abord d'y ajouter foi, s'imaginant qu'on abusait de son infirmité pour lui en faire accroire.

Chose à noter, le même homme écrivait, un an avant Sadowa, à propos d'une nomination en Pologne : « Je me méfie moins des Allemands que des Polonais[3]. » Ce mot, tracé à la hâte, eût pu longtemps servir de devise à la politique russe en Pologne. A force de combattre le polonisme, la Russie a, malgré elle, dans les provinces de la Vistule, et

---

1. Lettre du 5/17 juillet 1866.
2. Beaucoup de ses lettres portent la trace de cette préoccupation, notamment celles adressées à M. Tchitchérine, alors secrétaire d'ambassade à Paris.
3. Lettre à Tcherkassky, 8/20 février 1865.

jusque dans ses provinces occidentales, favorisé les
progrès de son plus redoutable concurrent, le germanisme.

Une telle politique se comprenait au lendemain de
l'insurrection polonaise et en face d'une Allemagne
morcelée, alors que la Prusse ne semblait à Pétersbourg qu'un humble satellite du grand empire
du nord; est-elle aussi prudente et aussi rationnelle
depuis la résurrection de l'empire germanique, alors
qu'à Berlin tout le monde n'a pas oublié que la
Prusse a régné à Varsovie avant la Russie? La Pologne, qui a plus d'une fois payé les frais de l'amitié
de la Prusse et de la Russie, peut, après avoir été
longtemps la victime de leur entente, devenir entre
elles une pomme de discorde. Dans le grand problème
de l'organisation future de l'Europe, le facteur polonais reste un élément que les calculs politiques ne
sauraient négliger. Plus d'un Russe, pour se débarrasser de l'épine polonaise, abandonnerait volontiers
à l'Allemagne toute la Pologne proprement dite, ou
au moins la moitié du royaume à l'ouest de la Vistule; mais, céder une nouvelle partie de la Pologne
aux Prussiens, ce ne serait pas seulement trahir les
intérêts du slavisme, ce serait donner aux Allemands,
une fois installés sur la moyenne Vistule, la tenta-
tion et les moyens d'étendre peu à peu leur domination au reste du royaume et jusqu'à la Lithuanie,
à la Courlande, à la Livonie; ce serait s'exposer
à voir l'Allemagne, soit seule, soit de concert
avec l'Autriche, dévorer toute l'ancienne Pologne

province à province et, pour ainsi dire, feuille à feuille[1].

La reconstitution de l'empire d'Allemagne défend plus que jamais à la Russie d'abandonner la Pologne, et, si elle veut la conserver, elle y doit rendre son empire acceptable aux classes cultivées aussi bien qu'aux classes populaires. Aveugles sont les Russes qui se flatteraient de résoudre cette vivace question polonaise à la fois contre les Polonais et contre les Allemands! Le patriote de Pétersbourg ou de Moscou, qui poursuit la dénationalisation des provinces de la Vistule, de même que l'intransigeant Polonais, qui repousse tout accord avec la Russie, travaillent également pour Berlin.

On pouvait se faire illusion là-dessus avant Sadowa et Sedan. Milutine ne tiendrait certes pas aujourd'hui le même langage qu'en 1864 ou 1865. Par malheur pour sa patrie, il n'eut pas à s'interroger à ce sujet. Quatre ans avant que la galerie des glaces de Versailles entendît proclamer le roi de Prusse empereur d'Allemagne, quelques mois à peine après Sadowa, Nicolas Alexèiévitch était frappé d'une attaque dont il ne se remit jamais.

Depuis longtemps déjà, depuis les fatigues de l'émancipation, sa santé était ébranlée; les excès de travail et les irritants tracas des trois dernières années n'étaient pas faits pour la remettre. Selon sa propre confession, la tension perpétuelle des forces morales et intellectuelles, les efforts de patience et d'empire

1. Voy. l'*Empire des tsars et les Russes*, t. Iᵉʳ, 2ᵉ édit., p. 124-128.

sur lui-même auxquels il était sans cesse contraint, le fatiguaient presque autant et peut-être plus que le travail[1]. De fâcheux symptômes et de fréquents malaises inquiétaient justement sa famille et ses amis; mais Milutine, avant tout désireux d'achever sa tâche, remettait toujours à plus tard les soins et le repos. Il devait continuer jusqu'à la fin ce que, dans une de ses dernières lettres de Pétersbourg, il appelait encore son existence de forçat[2]. Sa famille résolut à son insu d'inviter le docteur Botkine, l'orgueil de la science russe, à venir l'examiner. La consultation eut lieu au sortir de la séance du comité des ministres, d'où Milutine revenait heureux d'avoir fait triompher ses vues sur la nécessité de rompre avec le Vatican. Le docteur Botkine trouva Nicolas Alexèiévitch atteint d'une maladie de cœur déjà fort avancée, il ne lui dissimula point qu'une catastrophe subite n'était pas impossible. Le soir même, en se levant de table après dîner, Milutine s'affaissait brusquement et demeurait sans connaissance. L'empereur, qui avait enfin appris à l'apprécier, vint lui rendre la visite que les souverains s'honorent de faire à leurs ministres mourants. Milutine ne succomba pas cette fois, mais depuis cette attaque aucuns soins ne purent le rétablir. Paralysé et affaibli, incapable de tout travail suivi, il dut renoncer entièrement aux affaires. Il avait à peine quarante-huit ans.

---

1. Lettre à sa femme du 14/26 décembre 1865. « Ce qui l'a tué, disait également Tcherkassky, c'est moins le travail que la lutte. »
2. Lettre du 16/28 juin 1866.

Nous ne suivrons pas Milutine dans le morne repos de ses dernières années de loisir forcé. Cet esprit si actif et si entreprenant garda jusqu'à la fin sa lucidité, supportant avec une rare patience le cruel spectacle de sa propre impuissance[1]. Infirme et vieillard avant l'âge, Milutine retourna une dernière fois en Occident, demandant en vain la guérison aux conseils de la science et aux rayons du soleil. Le malheur rapproche parfois des adversaires mis également hors de combat. A Baden et aux eaux d'Allemagne, Milutine, paralysé, reçut souvent auprès de son fauteuil de malade l'un de ses principaux adversaires d'autrefois, le comte Panine, devenu aveugle. Lorsqu'il eut renoncé à tout espoir de rétablissement, Nicolas Alexèiévitch vint s'enfermer à Moscou, où le rappelaient ses souvenirs d'enfant et ses affections d'homme, à Moscou où il retrouvait les plus chers de ses collaborateurs, G. Samarine et Tcherkassky, rendus tous deux à la vie privée.

Le coup qui frappa soudainement Milutine atteignit tous ses amis politiques, il décapita le parti dont l'ancien adjoint de Lanskoï était le chef reconnu.

---

1. « Vous avez raison, écrivait en mai 1871 Ivan Tourguénef à la femme de Milutine, la situation de Nicolas Alexèiévitch est réellement tragique : tout en lui est grand et amer, infortuné et conforme à la tragédie. Et à cela aucun remède ; il faut aller jusqu'au bout, en se rappelant qu'un pareil lot n'est donné qu'à un petit nombre et aux plus grands :

Wer für die Werken seiner Zeit gelebt
Der hat gelebt für alle Zeiten. »

(Qui a vécu pour les œuvres de son temps, a vécu pour tous les temps. Vers de Gœthe, si je ne me trompe.)

Sans cette tragique surprise, la seconde moitié du
règne d'Alexandre II eût peut-être mieux tenu les
promesses de la première. L'homme qui semblait
désigné pour succéder à Milutine au ministère de
Pologne, le prince Tcherkassky, n'avait pas voulu
servir sous le successeur de son ami ; il était revenu
à Moscou, qui devait l'élire comme maire, et où, à
côté de Samarine, il devait prendre une part active
aux modestes travaux de la *douma* et du *zemstvo*[1].
A l'exemple de Tcherkassky, les plus distingués des
volontaires qui s'étaient associés à l'œuvre de Milutine, tels que M. Kochelef, donnèrent leur démission.
La Pologne, nous l'avons dit, n'y gagna rien.

Milutine mourut à Moscou en janvier 1872. Le
plus grand poète alors vivant de la Russie, Nékrasof,
le poète du peuple et du paysan, chanta sous forme
allégorique le rude ouvrier de l'émancipation, en des
vers d'airain, intitulés *le Forgeron* (*Kouznets*).

Des deux illustres compagnons de Milutine, Samarine et Tcherkassky, aucun ne lui survécut de
longues années. Le premier mourut en quelques
jours, en 1875, dans une maison de santé des environs de Berlin, où il comptait faire un traitement de
quelques semaines. Le prince Tcherkassky était alors
à Paris, j'ai été témoin de la vivacité de son chagrin
en apprenant à l'improviste la mort de son ami. Le
prince Vladimir devait suivre de près son camarade
de jeunesse et tomber, lui aussi, en terre étrangère,

---

1. Conseil municipal et conseil provincial.

loin des siens, à peine âgé de cinquante-quatre ans.

On sait que Tcherkassky était sorti de la retraite, lors de la dernière guerre d'Orient, pour accepter l'ingrate mission d'organiser les contrées bulgares, émancipées par les troupes du tsar. Ce n'est pas ici le lieu de raconter les difficultés et les déboires que lui donnèrent les alternatives de succès et de revers des armes russes, l'apathie ou les résistances des Bulgares, les fautes ou les contradictions du commandement militaire, les attaques ou les insinuations d'une presse, peut-être trop prompte au blâme comme à l'éloge. Assailli de tracas de toute sorte, rendu par l'opinion responsable de mécomptes dont la faute incombait avant tout aux circonstances, pliant sous le double faix du travail et des contrariétés, Tcherkassky disparut de la scène au moment où, grâce à la paix, le rôle qu'il avait accepté en Bulgarie allait devenir plus facile. Pris de fièvre à Andrinople, il voulut, malgré la défense des médecins, se transporter à San-Stefano, au quartier général russe où l'on allait négocier la paix dont dépendait l'avenir de la Bulgarie[1]. Comme Milutine, il refusait de renoncer au travail. Ressaisi par le mal dont il croyait triompher à force de volonté, il rendit le dernier soupir aux bords de la mer de Marmara, le 19 février 1878, le dix-septième anniversaire de l'émancipation des serfs et le jour même de la signature du traité

---

1. Voy. *V. A. Tcherkassky : Ego statii, ego rétchi i vospominaniia o nem* (Moscou, 1879), p. 360-367.

de San-Stefano, à la rédaction duquel il semble n'avoir guère moins contribué que le général Ignatief.

Les Russes, et les Slaves en général, passent pour avoir plus de flexibilité que d'énergie; ils ont la réputation d'être légers, versatiles, prompts au découragement comme à l'engouement. Les Russes sont accusés de manquer de personnalité, de volonté, de persévérance. Si ces reproches semblent souvent mérités, ce défaut du caractère national est, chez eux, loin d'être universel et incurable. Les Milutine, les Samarine, les Tcherkassky en sont la preuve. On peut ne point partager leurs opinions ou leurs principes, on ne saurait contester ni l'indépendance de leur esprit ni la vigueur et la ténacité de leur volonté. L'exemple de ces trois Russes de vieille roche, de ces trois élèves de l'université de Moscou, fait voir que le caractère national n'est point incapable des plus hautes qualités politiques et, par suite, qu'un jour ce peuple sera digne d'être libre. Pour les nations comme pour les individus, il y a, en effet, une chose supérieure au talent ou au génie, c'est la fidélité aux convictions, l'attachement désintéressé aux idées. Ce livre n'eût-il fait que montrer, à l'encontre d'injustes préjugés, que, pour se conduire et se gouverner, la Russie n'a pas besoin de mains étrangères, qu'elle est en droit de dire elle aussi son *farà da se*, ces pages ne seraient pas inutiles. Si les hommes semblent aujourd'hui lui faire défaut, c'est que le régime en vigueur, l'autocratie bureaucratique, est moins propre à les mettre en lumière qu'à les étouffer.

Parmi les plus heureux, il est peu d'hommes d'État qui puissent achever dans leur vie l'œuvre entrevue dans les rêves de leur jeunesse. Milutine eut ce rare bonheur, mais il ne l'eut que d'une manière incomplète. Il se vit mis de côté en 1861, au moment où il pouvait espérer diriger de sa main l'exécution de la charte d'émancipation et corriger dans la pratique les changements apportés aux projets de la *commission de rédaction*. Ministre de l'intérieur et libre d'agir, il eût voulu se servir des domaines de l'État, ou de la colonisation des contrées à demi désertes, pour élargir les lots des paysans, chaque jour restreints par l'accroissement de la population; il eût voulu former la Russie au *self-government* administratif et, par les libertés locales, la dresser de loin aux libertés politiques.

L'œuvre de Milutine en Pologne est plus difficile à apprécier. De toutes les réformes entreprises dans le pays de la Vistule, la plus durable, celle qui a le mieux réussi, c'est la plus attaquée, celle qui a soulevé le plus de scrupules : les lois agraires. Si l'on regarde les résultats, il est difficile d'en nier le succès; nous n'oserions en dire autant des réformes administratives et politiques.

Il y a des pays qui s'associent aisément dans la pensée des hommes. C'est ainsi que la Pologne fait songer à l'Irlande. Pour nous, Français surtout, ces deux noms sont rapprochés par la communauté du malheur, par l'identité de la foi religieuse, par les longues et impuissantes sympathies de notre pays.

Entre la Pologne et l'Irlande les infortunes histo-
riques ont créé bien des ressemblances. Entre elles,
il y a peut-être cependant autant d'oppositions; à
bien des égards, on pourrait presque les mettre en
contraste.

Milutine et Tcherkassky se plaisaient à dire, ou
mieux, à prédire que des lois agraires pourraient
seules rendre la paix à l'Irlande. Cette prophétie, qui
scandalisait naguère les radicaux anglais, a été justifiée par le *land-bill* de M. Gladstone[1]. Si la Grande-
Bretagne a longtemps reculé devant une pareille
opération, ce n'est pas uniquement par peur de bles-
ser la religion de la propriété, c'est qu'à l'inverse
de ce que les Russes rencontraient en Pologne, c'est
parmi les *land-lords,* parmi l'aristocratie foncière,
que dans l'île sœur le gouvernement britannique
trouvait ses plus fermes appuis. Des lois agraires
eussent probablement été votées des années plus tôt
si l'opposition fût venue des hautes classes.

A certains égards, on pourrait dire que la Russie
avec la Pologne, l'Angleterre avec l'Irlande, ont
longtemps agi d'une façon tout opposée, l'une
donnant ce que l'autre refusait, chacune prenant le
pays assujetti par un sens différent, toutes deux
procédant d'une manière inverse, mais également

---

1. Les lois agraires de l'Irlande sont, il est vrai, loin d'avoir tranché
la question terrienne d'une manière aussi nette et aussi rationnelle
que les lois analogues de Russie et de Pologne. On peut douter que
ce soit là une solution définitive. Voyez, dans la *Revue des Deux Mondes*
du 1er juillet 1881, notre étude intitulée *l'Irlande et le Land-bill de
M. Gladstone.*

incomplète et par suite presque également défec-
tueuse. En Irlande, l'Angleterre a trop souvent cru
parer à tout avec la liberté politique; en Pologne, la
Russie s'est trop flattée de suffire à tout avec des
réformes économiques. A Londres, on oubliait trop
que les peuples, comme les individus, ne se nour-
rissent pas de droits politiques; à Pétersbourg, on ne
se souvenait pas assez de la maxime évangélique :
« L'homme ne vit pas seulement de pain. » Les deux
gouvernements auraient pu ainsi se donner des
leçons l'un à l'autre; mais alors même, l'avantage
nous semble décidément du côté de la Russie et de
la Pologne. En Pologne, la question économique, la
question agraire est tranchée, et, si ardu qu'il
paraisse, le problème politique, le problème national
est peut-être d'une solution moins malaisée aux
bords sablonneux de la Vistule que sur les quais de
la noire Liffey. En dépit de toutes ses souffrances, la
Pologne a prospéré sous la domination russe, et rien
n'interdit à ses maîtres de lui donner ou de lui
rendre un jour les droits et libertés dont aucun
peuple européen ne saurait indéfiniment se passer.

FIN

TABLE DES MATIÈRES

CHAPITRE I

But de cet ouvrage. — Origine des Milutine. — Éducation et premières impressions de Nicolas Alexèiévitch. — La carrière bureaucratique sous Nicolas. — Réforme de la *douma* de Pétersbourg.
— Antipathie des hauts fonctionnaires pour N. Milutine. — Défiance de l'empereur Alexandre II à son égard. — État des esprits
au début du règne. — Influence bienfaisante de la grande-duchesse
Hélène. — Milutine adjoint du ministre de l'intérieur. 1

CHAPITRE II

Premières vues de Milutine sur l'émancipation. — Correspondance
avec la grande-duchesse Hélène. — Nomination des « commissions de
rédaction ». — Part qu'y prend Milutine. — Il y fait entrer Samarine
et Tcherkassky. — Sa liaison avec eux. — Leurs luttes communes
dans la commission sous la présidence de Rostovtsef et de Panine. —
Hésitations du pouvoir. — Opposition de la cour et des propriétaires.
— Promulgation de la charte d'émancipation. 37

CHAPITRE III

Le lendemain de l'émancipation. — Récompense des membres des
commissions de rédaction. — Les amis de Milutine décorés malgré
eux. — Projets de réforme du ministère de l'intérieur. — Efforts
du grand-duc Constantin pour retenir Nicolas Alexèiévitch aux affaires. — Lanskoï et Milutine congédiés en avril 1861. — Raisons
et effets de ce revirement de la politique impériale. — Sentiment
de Milutine et de ses amis sur cette « réaction ». — Tcherkassky
et Samarine « arbitres de paix ». — La mise à exécution du
statut d'émancipation d'après leurs lettres à Milutine. 63

CHAPITRE IV

Voyages de Nicolas Milutine à l'étranger en 1861-1862. — Séjour à
Rome et à Paris. — Nouvelles de Russie. — Les émeutes d'étudiants
et le premier « nihilisme ». — Maladresses du gouvernement. — Opinion de Nicolas Alexèiévitch et de ses amis sur la société russe et
la conduite des affaires. — Offres d'emploi faites à N. Milutine. —
Efforts du grand-duc Constantin et de la grande-duchesse Hélène
en sa faveur. — Raisons de sa répugnance à reprendre un poste
officiel. 100

CHAPITRE V

Nicolas Milutine appelé soudainement à Pétersbourg en avril 1862. —
Projet de lui confier le gouvernement de la Pologne. — Sa répulsion pour cette tâche. — Comment il y échappe. — Au lieu de
Milutine, le marquis Wiélopolski appelé à Varsovie. — Retour de Nicolas Alexèiévitch en Occident. — Persistance des défiances de
l'empereur à son égard. — Ce qu'on lui offre après le gouvernement de
la Pologne. — Ses vues de Paris sur les affaires polonaises . . 128

CHAPITRE VI

Situation de la Russie au retour de Nicolas Alexèiévitch (août 1863).
Il apprend en arrivant à Pétersbourg que l'empereur veut de nouveau lui confier l'administration de la Pologne. Audience impériale à
Tsarsko. — Entretien d'Alexandre II et de Milutine sur les affaires
polonaises. — Comment les préventions du souverain et de la cour
étaient un des motifs du choix de Milutine pour la Pologne. . 156

CHAPITRE VII

Hésitations de Milutine à quitter les affaires intérieures de la Russie
pour celles de Pologne. — Conseils de G. Samarine. — Nouvelle audience à Tsarsko. — Pour ne pas se laisser enchaîner à la Pologne,
Milutine se résigne à accepter une mission mal définie. — Appel à
ses amis G. Samarine et Tcherkassky. Tous deux lui donnent leur concours. — Exaltation du sentiment national et empressement des
patriotes à servir sous Milutine. 175

CHAPITRE VIII

Milutine, Tcherkassky et Samarine en exploration dans la Pologne insurgée (oct-nov. 1863). — Entrevue à Vilna de Milutine et du général Mouravief. — Identité de leurs vues avec des mobiles différents. — Arrivée de Milutine à Varsovie. Comment il allait s'y trouver en antagonisme avec le vice-roi, le comte Berg. — Voyage et impressions des trois amis dans les campagnes polonaises. .　199

CHAPITRE IX

Retour des trois amis à St-Pétersbourg (déc. 1863). Secret dont ils entourent leurs projets. — Audience et approbation de l'empereur. — Formation du haut comité pour les affaires polonaises. Tcherkassky et Samarine y entrent avec Milutine. — Opposition du prince Gortchakof et de la plupart des ministres aux projets du triumvirat. — Triomphe de ce dernier grâce à l'appui du souverain. . . .　230

CHAPITRE X

Comment Milutine et ses amis préparent l'application des oukazes de 1864. — Retraite de Samarine, « qui se réserve pour les provinces baltiques ». Milutine et Tcherkassky se partagent la besogne, le premier à Pétersbourg, le second à Varsovie. Tcherkassky prend la direction des affaires intérieures de Pologne. Milutine vient l'y installer. — Recrutement des « commissions » rurales. — Milutine forme lui-même ses commisaires; il leur fait une sorte de cours sur la question des paysans. . . . .　243

CHAPITRE XI

Les lois agraires de Pologne. — Situation des paysans avant 1864. — Russes et Polonais d'accord sur la nécessité d'une réforme. — La Société d'agriculture et les patriotes de Varsovie. — En quoi les oukazes de 1864 diffèrent des lois agraires de la Russie. Leurs principales dispositions. Leurs conséquences économiques. Difficultés de leur application. — Ce que Milutine prétendait apporter au peuple de Pologne. . . . .　259

CHAPITRE XII

Retour de Milutine à Pétersbourg (avril 1864). — Continuation de la
lutte entre le vice-roi et lui. — Attitude d'Alexandre II vis-à-vis
des deux partis. — Derniers voyages de Milutine à Varsovie. —
Réformes diverses. — Finances. — Justice. — Enseignement. —
Administration. — De l'Incorporation du royaume. — Les procédés
de russification, appliqués à la Pologne, peuvent-ils être appelés
système Milutine?. 285

CHAPITRE XIII

Affaires religieuses. 1864-1866. — Sécularisation des couvents de Pologne. — De quelle manière cette mesure fut préparée par Milutine
et exécutée par Tcherkassky. — Le clergé séculier. — Milutine eût
voulu faire élire les curés catholiques. — Les Grecs-Unis. — Rupture de la Russie avec le Vatican. 299

CHAPITRE XIV

Milutine membre du Conseil de l'Empire, puis ministre de Pologne
(avril 1866). Courte durée de son ministère. — Sadowa et sa défiance
de l'Allemagne. — La politique russe et la germanisation de la Pologne. — Maladie de Milutine. Ses dernières années. — Fin de ses amis
Samarine et Tcherkassky. — Conclusion. Morale de ce récit. . 314

FIN DE LA TABLE DES MATIÈRES.

9341. — Imprimerie A. Lahure, rue de Fleurus, 9, à Paris.